岩波講座　世界歴史　13

西アジア・南アジアの帝国

一六〜一八世紀

岩波講座

世界歴史

13

西アジア・南アジアの帝国

一六〜一八世紀

【編集委員】
荒川正晴
大黒俊二
小川幸司
木畑洋一
冨谷至
中野聡
永原陽子
林佳世子
弘末雅士
安村直己
吉澤誠一郎

岩波書店

第13巻【責任編集】林　佳世子

目次

コラム　*Column*

展　望 | *Perspective*

展望｜*Perspective*

西アジア・南アジアの近世帝国

林 佳世子

はじめに

一六、一七、一八世紀の世界の繁栄――繁栄のメルクマールが金、銀貨の集積を意味するなら――の中心はアジアにあった。時代は多少前後するが、アジアには中国の清帝国、南アジアのムガル帝国、西アジアのサファヴィー帝国、東地中海地域のオスマン帝国が並び立ち、安定した広域支配が続いた。国家の富の多くは、帝国内の効率的な徴税システムによっていたが、国際的な交易の収入も大きかった。

西アジアから北インドに至る地域の場合、一一世紀以降のトルコ系遊牧部族の進出、さらに一三世紀のモンゴル帝国の展開により大きな社会変動が起き、概ね一五世紀頃まで遊牧部族やその出身者による軍事支配国家体制が続いたが、我々が今日の目で「帝国」と呼ぶような、中央集権的な官僚制をそなえた多民族支配の国家は、その中から生まれた。ここでは、こうした帝国とその後継国家の時代に当たる一六世紀から一八世紀を、西アジア・南アジアの「近世」と呼ぶことにしたい(1)。

オスマン帝国、サファヴィー帝国、ムガル帝国の「安定」は、各帝国が変化をしなかったという意味ではない。内発的・外発的要件から、拡大による帝国形成の時代(第一期)、官僚体制確立の時代(第二期)、帝国から地方政権への分化の時代(第三期)というプロセスを辿った後、それぞれの地域は、真に世界が一体化し、近代の課題と対峙する一九世紀を迎える。この三つの時期は、概ね、一六世紀、一七世紀、一八世紀に対応する。これを、近世形成期、近世前期、近世後期と呼ぶこともできよう。

しかし、実は、西アジア・南アジアに関し、「近世」という用語が用いられるようになったのは、ここ二〇年ほどのことである。近年、それぞれの帝国を「近世期」として扱う研究は多く(Aksan and Goffman 2007; 小谷 二〇〇七など)、三つの帝国を大きく「近世」でくくることもある(近藤 二〇一五)。その一方で、オスマン帝国史研究では、先の三区分の第二期・第三期を「近世」とする場合もある(Tezcan 2010)。南アジア史研究では、第三期のみを「近世」と呼ぶ立場もある(水島 二〇〇六、中里 二〇〇九)。

これは、おそらく「近世」という用語が生まれた経緯に起因する。「近世」は、封建支配体制から近代に至る中間期として扱われることが一般的だが、封建性や近代性への評価により、「近世」の位置づけも変わってくる。また、そもそもヨーロッパ史の「近世」(Early Modern)は近代の初期に、アジア史の「近世」は前近代の一部にあてられていた。近年のグローバル・ヒストリー研究の潮流の中での「近世」論では、「明確な近代化より前の時期」が「近世」とされるが(青木 二〇一七:五一一一頁)、近世開始の時期の設定は、地域により、また研究者により大きな開きがある。

以上を踏まえつつ、本巻では一六世紀から一八世紀を大きく西アジア・南アジアの「近世」として扱う。それにより、同時代のヨーロッパ、アメリカ大陸や東アジア、東南アジアとの比較の道が開けると考えるからである。

ヨーロッパでは、中世の面影を残す諸国家から、複合君主体制、主権国家体制へと進み、その間に、国家間の戦争と平和のルールが生まれ、軍事と産業の技術が革新され、啓蒙の産物である多くの思想や学問が生み出された。これが、「近世ヨーロッパ」と定義される(近藤 二〇一八)。一方、東アジアや東南アジアでは、銀の流通の拡大が出発点となって商業ブームが起こり、それが中国社会を変え、東南アジアには複数の強大な近世国家が生まれた(岸本 二〇二二)。その両方の影響を受けつつ、独自の「近世」を歩んだのが、西アジア・南アジアの帝国だった。

この時期の西アジア・南アジアの国家群に共通する特徴を一言でいうならば、それは「広域的で中央集権化した官僚体制」にある。中央集権的な官僚機構により効果的な支配が行われ、各帝国の多民族・多宗教の社会が守られた。ただし、オスマン帝国、サファヴィー帝国、ムガル帝国のあゆみには、違いも多い。それぞれの個性が、世界が一体化する近代の各地域の特徴を規定した。

なお、これらの国家の君主はイスラム教徒で、いずれの国も統治にイスラム法(シャリーア)を用い、理念の面でイスラム教を活用した点でも共通点をもつ。このため、約二〇年前に刊行された『岩波講座 世界歴史』「イスラーム・環インド洋世界」(第一四巻)においては、「三つの「イスラーム帝国」」として扱われた。ただし、今回はこれらをイスラム帝国としてくるものではない。イスラム帝国という名称が、社会統合の手法の一つである宗教が全てに優越するかのような印象を与えるためである。実際そこにあったのは、各地の実情に即した統治手法、すなわちオスマン式統治手法、サファヴィー式統治手法、ムガル式統治手法であり、その上位にイスラム教に関連づけられるイスラム的統治手法があったわけではない。三つの帝国は、いずれも、同時代のヨーロッパ諸国家を構成した「礫岩」にも似た、多様な人間集団、社会ルール、地域を内包し、それらは有機的に結びついていた。本巻では、社会の多様性が各帝国の法と社会慣習により、システムとして守られていた点に注目したい。

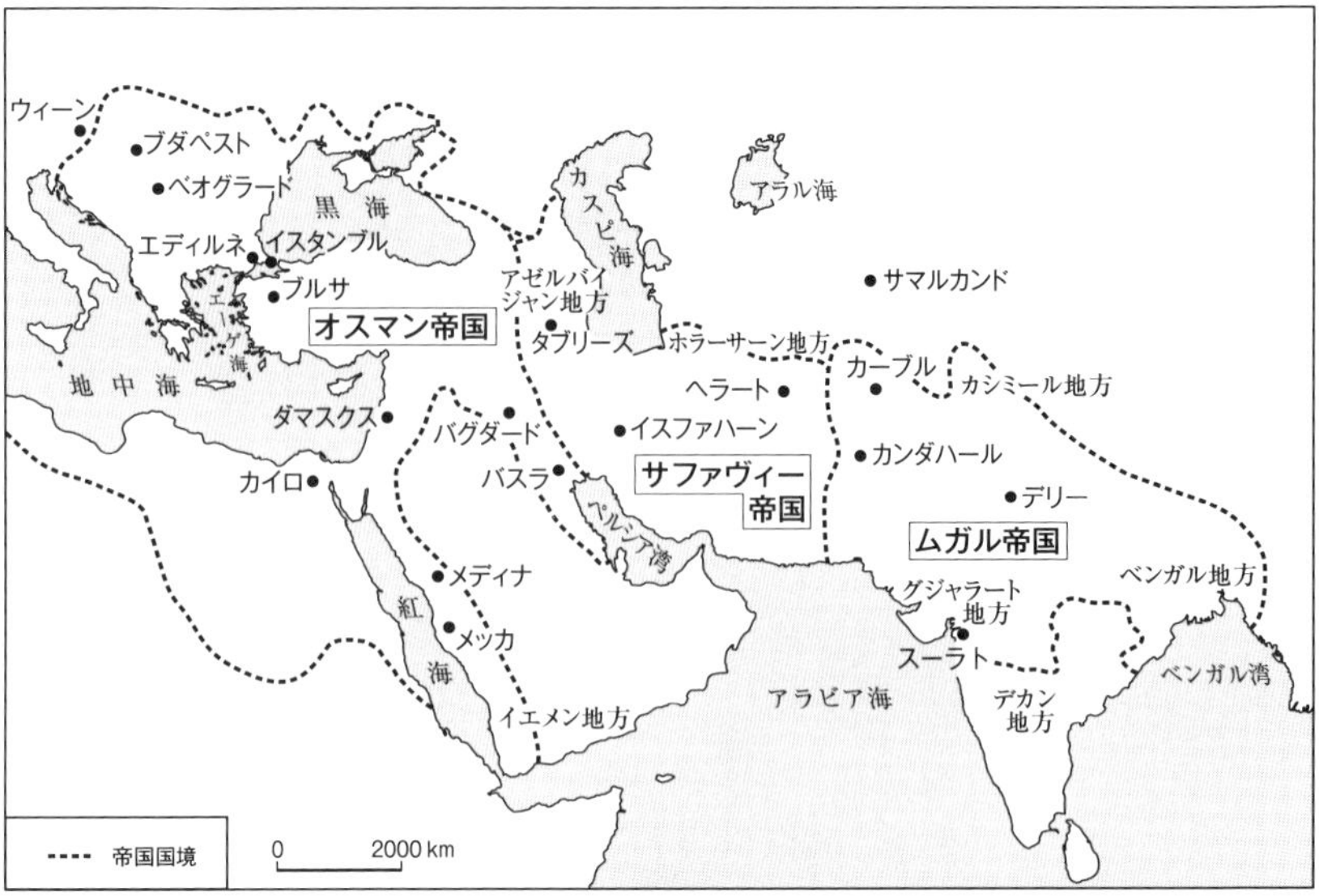

図1　3つの帝国の領域(1605年頃)

一、帝国の形成――一六世紀を中心に

一六世紀初頭の西アジア・南アジア

一五世紀末の西アジアには、中央アジア起源のトルコ・モンゴル的遊牧部族国家の伝統を引く国家が並び立っていた。イラン高原の白羊《アクコユンル》朝やサファヴィー勢力、アナトリアのラマザン朝、ドゥルカディル朝などがそれにあたる。バルカンからアナトリアに拡大したオスマン帝国は、一部でそれを引きつつ、同時にビザンツ帝国の集権性も継承していた。また、シリア・エジプトでは、遊牧部族から派生した奴隷軍人勢力によるマムルーク朝が覇権を握っていた。南アジアでは、北インドのアフガン系遊牧部族のローディー朝の他、デカン地方のバフマニー朝、南インドのヒンドゥー系ヴィジャヤナガル王国などが割拠し、諸部族や地域の豪族が覇を争っていた。それらの政権においては、騎馬兵力が軍事力の中核だった。

こうした中から、一六世紀初頭に、三つの勢力が拡大する。オスマン帝国は、一六世紀前半に東アナトリア、シリア、エジプトを一挙に征服する。さらに、地中海方面やドナウ川を越えて中央ヨーロッパに拡大する。イラン高原では、サファヴィー帝国が白羊朝を滅ぼし、東アナトリアは失ったものの、イラクやアゼルバイジャン、ホラーサーン地方を含む広域国家となった。南アジアでは、一三世紀以来、すでに長いムスリム支配の伝統のある北インドに中央アジアから参入したティムール朝の末裔バーブル(在位一五二六―三〇年)が、卓越した軍事力で征服に成功し、ムガル帝国を建てた。

これらの成功は、いずれも軍事力の優越性によりもたらされた。しかし、拡大とともに増大する家臣団を引き付け、征服地を支配地に変えるには正統性の根拠が必要だった。いずれの地域でも、この二面で卓越した国家が近世の主役に躍り出た。

火器と歩兵部隊

卓越した軍事力の面では、三つの帝国がともに、一五世紀後半から普及する火器をいち早く取り入れたことが、成功の一因だった。いわゆる軍事革命の一部である。火器は、騎馬とちがい、その製造・配備において経済力と組織力が必要であり、軍事への投資機会を得た勢力に、更なる優位性をもたらした。これが、力の差のない軍事政権の乱立の中から「大帝国」が出現した理由のひとつである。(2)

オスマン帝国の場合、まずその威力が発揮されたのは、一四五三年のコンスタンティノープルの征服時であったが、その後も、イスタンブルに帝室大砲鋳造所などを整備し、軍事技術に投資した。一五世紀後半のバヤズィト二世(在位一四八一―一五一二年)の時代には、大砲などの火器を搭載した武装船を建造することで海軍力を増強し、地中海に進出した。一四九〇年代にはレコンキスタ後のスペインからユダヤ教徒を受け入れたが、その中には技術者も多く含まれていた。そうした軍事力強化の結果が、一五一四年の対サファヴィー戦争、および、一五一七年の対マムルーク朝戦争の勝利だった。いずれも、大砲と銃を扱う歩兵に騎馬兵団を組み合わせた効果的な戦術により、勝利を収めた。

一方、すでに白羊朝との戦いで火器は導入していたものの、オスマン帝国に差をつけられていたサファヴィー帝国は、チャルディランの戦いでオスマン帝国に敗れたのち、急遽、銃兵の整備を進めたといわれる。インドでは、バーブルがいち早く火器を取り入れ、ローディー朝との戦いに勝利した。ただし、ムガル帝国における火器の利用は限定的で、自らの大砲鋳造所などは持たず、商品としての購入にとどまったことが知られている。

大砲や銃という火器の導入は、各帝国における、歩兵からなる君主直属の常備軍の整備とも深く関連する。オスマン帝国は、すでに一四世紀中ごろには戦争捕虜を活用した君主直属のイェニチェリ部隊をつくり、それを徐々に拡充させ、火器で武装させていた。常備軍内の大砲隊の編成も一四世紀末のことである(Agoston 2005)。これがバルカンやアナトリアでの征服を成功させた原動力になっていた。サファヴィー帝国の歩兵軍の編成はアッバース一世(在位一五八七―一六二九年)の時代になるが、ムガル帝国ではアクバル(在位一五五六―一六〇五年)の時代には、一万二〇〇〇名のマスケット銃兵歩兵隊を擁していた。いずれの帝国においても騎兵軍が軍の中核であった点は疑いがないが、君主と並びうる有力軍人が率いる騎馬軍を牽制するためにも、帝国の拡大と並行し、君主に直属する歩兵を中心とする常備軍の整備が急がれた。

正統性主張の構築

軍事的な成功により大きく拡大した国家は、征服した地域の在地有力者や軍人を自らの支配の内側に取り込むことで、支配を安定化させた。その際には、武力だけでなく、支配下の人々に王権の正統性を認めさせることも求められた。ここでは、三帝国の正統性の主張に関する共通点と差異を確認しておこう。なお、この問題は本巻小笠原弘幸論文で詳しく扱われる。

三つの帝国は、いずれもトルコ系遊牧部族の系譜をひき、帝国形成期を支えた騎士層に対しては、その血筋の主張が極めて有効だった。ムガル王家は、中央アジアの覇者ティムールを祖とする。このトルコ系の血統の主張は強く意識され、帝国の末期に至るまで、王家の言語として歴代の王はトルコ語を学び続けた(Péri 2017)。サファヴィー帝国の王族はクルド系といわれるが、王家を支えたキジルバシュ(後述)はトルコ系遊牧部族であり、その血筋がなにより尊重された。一方、オスマン王家が明確に辿れる出自をもたないことは現代の目からは明らかだが、創造された系譜の上では、権威あるトルコ系オグズ族の血統が主張された(小笠原 二〇一四)。

トルコ系遊牧部族の系譜と並び、三つの帝国に共通するのは、イスラム神秘主義の影響を受けた「聖性」の主張である。これは、一五世紀が各地で神秘主義の拡充する時代であったこと、また、トルコ系支配者にとって教団指導者のカリスマ性が際立つ神秘主義的信仰は、感情移入しやすい対象だったこともその理由だと思われる。各帝国では、教団指導者の力が軍事指導者に及ぶことも少なくなかった。サファヴィー帝国は、後述のように、まさに神秘主義教団の活動から生まれた国である。初期のオスマン指導層も、カレンデリー教団やカーゼルーニー教団などを支持し、彼らと強い関係を持った。また、ムガル帝国支配層は、北インドで勢力をもっていた教団を保護し、特にチシュティー教団への支持が篤かった。

こうした背景を受け、いずれの君主も、王権の主張にあたって自らを、神秘主義的な背景をもつ「マフディー」(救世主)や「サーヒブ・キラーン」(占星術における吉祥の持ち主)に準えた。君主が「神により認められたもの」であるという神聖王権の主張は、神秘主義に傾倒し帝国の形成期に活躍した騎士たちに、強く響いたものと思われる。これが最も成功した例はサファヴィー帝国だが、オスマン帝国やムガル帝国もその例外ではなかった。ムガル帝国のアクバルはインドの宗教やキリスト教について学びつつ、それらも統合した自らの神秘主義的聖性を主張した(Dale 2010b: 281-283)。

ただし、主張を受け取る被支配者の状況は多様だった。ムガル帝国では、ヒンドゥー教徒が圧倒的多数を占める状況を前提にした政策は必須だった。ムガル帝国に先立つカシミール地方のイスラム政権シャーミール朝においては、サンスクリット語の文書ではインド的思想に基づき、ペルシア語文書ではスンナ派イスラム教により支配の正統性が主張されたことが知られる(小倉 二〇一五)。ヒンドゥー教徒によるイスラム支配の受容は、ムガル帝国成立の前提となった。オスマン帝国の非イスラム教徒の臣民やバルカン出身の騎士らの間では、かつてのローマ帝国の都コンスタンティノープルの新たな主のイメージが共有された(Kołodziejczyk 2015)。オスマン家がビザンツ帝国のコムネノス家の血をひくと主張したとの、亡命ビザンツ貴族による一六世紀初頭の証言もある(Karateke 2005: 24-25; 藤波 二〇一三)。やがて正統派の理解が強調される時代になるとかき消されるが、帝国形成期に見られる王権の正統性の主張は、訴えかける相手により多様だったことがわかる。

オスマン帝国の拡大とティマール制

ここからは、帝国別に見ていこう。まず、オスマン帝国は、一五世紀末までにはドナウ以南のバルカンに加え、中央アナトリアを領有するまでに成長した。オスマン帝国の一六世紀は、バヤズィト二世の後継争いで幕をあけ、セリム一世(在位一五一二—二〇年)が即位した。セリム一世はトラブゾンの県軍政官を長く務め、アナトリアの遊牧部族に影響力を広げるサファヴィー勢力の台頭に、危機感をもっていた。このため、即位後は「異端のキジルバシュ」(サファヴィー教団員のトルコ系遊牧部族軍人)との戦いに力を注ぎ、一五一四年にチャルディランの戦いでサファヴィー帝国のイスマーイール一世(在位一五〇一—二四年)を破った。セリム一世は、二五〇〇キロの行程にもかかわらず、多数の軽大砲を戦場に運び火器の面で優位を保ち、さらにマスケット銃で武装したイェニチェリの活躍がサファヴィー帝国の騎馬兵に勝ったことが、勝因だった。その翌年、サファヴィー帝国の敗北に動揺した北イラクや南アナトリア地域を征服したセリム一世は、緩衝地域を失い直接対峙することになったマムルーク朝に向けて遠征し、一五一六年にシリア、翌一七年にはエジプトを征服した。

続くスレイマン一世(在位一五二〇―六六年)は、その四六年間の治世の前半に更なる領土拡大を実現する。バルカンや地中海ではハプスブルク帝国やヴェネツィアと争い、東ではスンナ派から見て「異端」のサファヴィー帝国と争った。その成果は、中欧ではハンガリー、地中海ではロードス島や北アフリカ沿岸地域、西アジアではバグダードやバスラに至るイラク地域、タブリーズに至るアゼルバイジャン地方の征服だった。オスマン帝国の優位は、オスマン帝国がヴェネツィアなどと結んだ条約(アフドナーメ)により跡づけられる(堀井 二〇二二)。

こうした征服を支えたのは、イェニチェリなどの常備軍と、州単位に編成される騎士軍だった。数が多かったのは騎士軍であり、彼らの忠誠は、ティマール(封土)授与という報酬により保証された。ティマールを授受された騎士の出自は、部族的紐帯を離れオスマン帝国へ参加したトルコ系イスラム教徒や、バルカンのギリシア系・スラヴ系・ブルガリア系・アルバニア系などの旧領主層だった。彼らはティマール授与を通じてオスマン帝国へ統合されていた。ボスニアにおけるティマール制施行の例は、本巻米岡大輔論文に詳しい。騎士らに戦役への参加を義務付け、戦いでの活躍によりティマールの増加を期待させる仕組みは、拡大の時代を象徴する。

ティマール制の実施にあたっては、徴税項目の定期的な調査と徴税に関わる県単位の法の整備が必要であった。すなわち、オスマン帝国の官僚機構の発達がその前提となる。調査は、一六世紀後半までは君主の代替わりや領土の変化の際に行われた。このプロセスで、部族的紐帯を維持した遊牧部族も、城塞の建造や防衛、大砲の運搬などにあたる奉公集団としてオスマン帝国の体制に組み込まれた(岩本 二〇一九)。

騎士軍と並ぶもう一方の軍事力の中核は、カプクル(スルタンの奴隷の意)からなる常備軍である。戦争捕虜に始まり、その後はバルカン諸地域での徴用により兵員が補充されたイェニチェリなどのカプクルの軍は、この時代のエリート軍団である。首都の兵舎に集住し、君主とともに動き、定期的に俸給が支払われた。

常備軍と騎士軍からなるオスマン軍は、ほぼ毎年夏から秋にかけて行われる軍事活動に対応するために編成されていた。たとえば、スレイマン一世の有名な一五二九年のウィーン遠征は、五月一〇日にイスタンブルを出発し、ソフィア、ベオグラードを経て、九月三日にブダに到着して同地を押さえ、そこからウィーンに至り、九月二七日に包囲戦を開始し、冬の訪れとともに一〇月一六日に包囲を解き、帰路についた。こうした夏の遠征は、一五世紀から一六世紀前半のオスマン帝国の年中行事だった。君主は何より軍事指導者であり、その戦場での姿こそが、帝国の統合のシンボルだった。

こうした「戦うスルタン」は、ガーズィー（聖戦戦士）と呼ばれ、一五世紀後半からはイスラム教拡大の立役者というイメージが付与された。これには、オスマン帝国が、マムルーク朝から聖都であるメッカとメディナの保護・管理を引き継ぎ、「イスラム世界の盟主」となったことも影響した。イスラム支配の長い伝統をもつアラブ地域とそのイスラム教徒住民を支配下においたことで、イスラム的な正義を守る君主像がさらに重要になったためである。

しかし、スレイマン一世の時代の後半、一五四〇年代、五〇年代になると、オスマン帝国の拡大が足踏みを始める。季節的な遠征で成果を上げることのできる目標自体が減り、一五四八年や一五五三年に出発した遠征は、越冬を含み長期化した。これに対して軍人の不満は大きく、ティマールをもつ騎士兵は村へ帰郷し、常備軍は常にボーナスによる補償を求めた。戦争の手法、そして国際関係の変化から、オスマン帝国の質的な転換がはじまった。官僚国家への歩みである。

この頃から、オスマン帝国の君主像にも変化が現れる。本巻小笠原弘幸論文にあるように、トルコ系部族の正しい血筋や神権的な聖性、あるいは「戦うスルタン」の主張は後景に退き、イスラム的なカリフの主張が前面にでてくるようになる。これは、オスマン帝国の官僚化の中でオスマン家の個性の主張が薄れ、君主も官僚体制の一つの駒となっていったことに由来する。

遊牧部族国家としてのサファヴィー帝国

一五世紀の後半のアナトリア東部からイラン高原にかけての西アジアは、白羊朝が支配していた。一一世紀以来続く遊牧部族支配体制のもとで、各地で各種の神秘主義教団が勢力をのばしていた。その中のひとつが、サフィーウッディーン・アルダビーリー(一三三四年没)を始祖とするサファヴィー教団だった。アゼルバイジャン地方のカスピ海に近いアルダビールの地方的な教団だったと見られるサファヴィー教団に革新をもたらしたのは、一五世紀の教主ジュナイドだった。ジュナイドは、教主である自身をマフディー(救世主)とし、シーア派の初代のイマームであるアリーを神と同格とするなど、独特の教えを唱えた。これがアナトリアのトルコ系遊牧部族の間で熱狂的に支持され、サファヴィー教団教主を支える軍事集団が形成された。

こうして一種の政治勢力化したサファヴィー教団は、白羊朝と争うようになり、ジュナイド以後三代の教主はその戦いで戦死する。しかし一五〇〇年にアナトリアのエルジンジャンに集結した遊牧民の軍事集団は、教祖イスマーイールを中心に勢いを得て白羊朝を破り、一五〇一年にタブリーズを首都にサファヴィー帝国を打ち立てた。さらに、一五一〇年には、中央アジア方面からイラン高原の東部を支配していたシャイバーニー朝を破り、アナトリア東部、イラン高原、イラク地方を含む大帝国に拡大した。この征服活動に、イスマーイール一世に心酔するトルコ系遊牧民の軍が大きな貢献を果たしたことはいうまでもない。

イスマーイール一世は、続いてアナトリア中心部への展開を計画した。同地のトルコ系遊牧民に向け宣教員を送り、実際、それはトルコ系遊牧民の間に広く浸透した。しかし、イスマーイール一世のアナトリアへの挑戦は、オスマン帝国のセリム一世により打ち砕かれる。前述のように、一五一四年のチャルディランの戦いでは、火器の威力が大きかった。オスマン軍の勝利は時代の変化を象徴する事件となった。その後、サファヴィー帝国の旧領であった東アナトリアは、オスマン帝国の州県体制のなかに段階的に組み込まれていった(齋藤 二〇一二)。

チャルディランの戦いの後、イスマーイール一世の活動は停滞し、戦いの一〇年後に一〇歳のタフマースブ一世(在位一五二四—七六年)が即位するが、彼の時代は、オスマン帝国やシャイバーニー朝との抗争が続く時代であった。タフマースブ一世は積極的に火器の導入を進め、その成果は、一五二八年のシャイバーニー朝とのジャームの戦いなどに現れた。オスマン帝国のスレイマン一世とは、トルコ系遊牧部族やクルド系諸部族の帰属をめぐって争いが続くが、領土的には、サファヴィー帝国側がバグダードを失ったものの、度重なるオスマン軍の攻勢をしのぎ、アゼルバイジャン地方からイラン高原にかけての支配を守った(山口 二〇〇七)。この結果は、東アナトリアを境界としてイラクのオスマン領有を認める一五五五年のアマスィヤ協約により確定された。

この時期のサファヴィー帝国側の軍事体制は、トルコ系の部族軍(キジルバシュ軍)を主力としていた。その意味で、セルジューク朝以来の遊牧部族軍事体制であった。さらに旧白羊朝の部族軍もサファヴィー軍に加わり、それらを束ねるのは、各部族の長であった。領土の拡大のたびに、部族に対し戦利品が分配され、さらに新領土の一部が分封された。このため、新たな領土の獲得は、トルコ系遊牧部族を王に繋ぎとめるために不可欠なことだった。実際、所領の分配への不満から、部族の長らはしばしば反乱を起こしている。こうした部族連合的性格を払拭すべく、タフマースブ一世は、首都をカズヴィーンに移し、官僚機構の整備に着手した。また、サファヴィー教団の神秘主義から十二イマーム・シーア派への転換を進め、宗教的権威をもつイラン系名家と婚姻関係を結ぶなどの方策を講じた(後藤 二〇〇四)。こうした動きが結実し、集権体制が強化されるのは、一五八八年に即位するアッバース一世の時代になる。

南アジアの大国ムガル帝国の建国

一五世紀末の南アジアには、北インドのローディー朝の他、デカン地方のバフマニー朝、南インドのヴィジャヤナガル王国などが割拠していた。バフマニー朝の主力軍は、北インドから入ったトルコ系・アフガン系の遊牧部族だったが、そこに海路でイラン方面から到来したトルコ系部族も加わり、同時に多くのイラン系文人もインドに渡っていた。バフマニー朝は、まもなく複数の軍人国家に分裂するが、それらの後継国家の多くでは、イランとの密接な関係から、王朝の宗教としてはイスラム教シーア派が奉じられた。一方、ヴィジャヤナガル王国では、ヒンドゥー教信仰の一方で、軍隊にはイスラム教徒が登用され、イスラム文化の影響をうけた風習もひろまっていった。このように、南アジア一帯では、中央アジアやイランから、トルコ系、アフガン系、イラン系の人材の流入を受け、在来の文化との融合・複合が進んでいた。

アフガニスタンから北インドにティムール朝の末裔バーブルが入ったのも、この大きな流れの中のひとつの出来事である。ウズベク系のシャイバーニー朝にサマルカンドを奪われ、カーブルを拠点としていたバーブルにインド進出を乞うたのは、ローディー朝の一派だった。バーブルは、ローディー朝のスルタン・イブラーヒームをパーニーパットの戦いで破り(一五二六年)、続いてデリーを征服し、ローディー朝に代わって北インドの支配者となった。

しかしその子のフマーユーン(在位一五三〇―四〇年、五五―五六年)の時代になると、ムガル帝国は事実上解体する。北インドにはアフガン系のスール朝が建ち、パンジャーブ地方やカンダハールはフマーユーンの弟らが押さえ、フマーユーン自身はサファヴィー帝国出身の忠臣バイラム・ハーンの口添えでサファヴィー帝国のタフマースブ一世のもとに亡命した。サファヴィー帝国の支援を得たフマーユーンは、体制を整えて帰還し、スール朝の混乱に乗じて、一五五五年、北インドを回復した。

その後を継いだのは、一三歳のアクバルだった。宰相バイラム・ハーンの活躍でスール朝の残勢力を破るが、彼が二〇歳になるころまでは、この宰相をはじめ側近らが実権を握っていた。しかし、やがてそれらを排除し、アクバルが君主として権限を掌握した。アクバルは諸改革を断行し、彼が事実上のムガル帝国の建国者となった。

アクバルの時代、ムガル帝国は、北インド一帯(ヒンドゥスターン平原とラージャスターン地方)を中心に、東のベンガル地方、西のグジャラート地方とアフガニスタンの領有を実現した。さらに、南インドに繋がるデカン地方の一部を押さえた。とはいえ、多くの地域は間接的な統治にとどまっていた。ムガル帝国は、広大なインド各地の歴史的背景の異なる諸王朝を討伐・併合したが、在地の勢力を温存し帝国内に取り込んだケースが多かったためである。

その中で、中央インドから西インドに広がるヒンドゥー教徒のラージプート諸王国は、メーワール王国を除くと、ムガル帝国の最重要の同盟者となった。中でもアンベール王国は、一五六二年に娘をアクバルと結婚させ、強固な同盟関係を築いた。一五六八年にメーワール王国のチットール城が陥落すると、その他のラージプート諸王国もムガル帝国の傘下に入った。こうしたラージプート勢力との連合は、アクバルの対ヒンドゥー教徒政策の現れだった。アクバルは、一五六四年に、イスラム法で定められた非イスラム教徒に対する人頭税(ジズヤ)を廃止するなどし、インドの支配者としての態度を明らかにした。

アクバル時代、王家と同じトルコ系の名家と並んで政権内で重要だったのは、イラン系の官僚である。北インドでは、一三世紀以来、行政の言葉としてペルシア語が用いられており、イランから豊かなムガル帝国への出仕の流れは絶え間なく続いていた。ムガル帝国の官職者の半数以上は、イランや中央アジアに出自をもつイラン系やトルコ系の人材が占めていた。

しかし、徐々に在地の人材登用も増えていく。その契機は一五八〇年頃に起きた反乱だった。これまでムガル王家を支えてきたトルコ系、モンゴル系、さらにイラン系の貴族の一部がアクバルに反旗を翻し、大きな反乱に発展した。これを救ったのが、ラージプート諸王国やインド系ムスリムの勢力だった。

この頃、軍事制度としてもマンサブダール制(後述)が導入される(一五七三―七四年)。その前提となったのは、軍事・行政の諸分野における帝国内の諸勢力との協働体制の確立だった。この制度を通じ、ヒンドゥー教徒など、在地の勢力が権力中枢に入り込む道が開け、帝国治下の諸勢力が君主の強い権限のもとで統合された、ムガル帝国の新体制が生まれることになった。

軍事征服支配体制から官僚支配体制へ

以上の展開を経て、一六世紀後半の西アジア、南アジアには、オスマン帝国、サファヴィー帝国、ムガル帝国が並び立った。この間に、周辺の国家はそれらのもとに吸収され、三つの帝国は、緩衝国なしに対峙することになる。それぞれの帝国は、軍事力の主力として、火器を扱う君主直属常備軍と、部族やローカルな勢力を基盤にする騎士軍とを基礎にしていたが、とくに、後者を君主のもとに結びつけておくには、たえず戦争を行うことで求心性を高め、領土の拡大により彼らに報いる必要があった。しかし、一六世紀末に至るころ、三帝国にとって、戦争の意味は変わってくる。ムガル帝国の場合、デカン地方や南インドというフロンティアがまだ存在したが、オスマン帝国やサファヴィー帝国にとっての戦争は、防衛戦の色合いが強くなる。

防衛戦では国土の拡大は望めない。征服による拡大を前提とした国家では、その成立の基盤が失われることを意味した。このため、やがて領土拡大をめざす軍事国家体制から、限られた領土を丁寧に統治し、多くの税収を確実に得る体制に移行する。これに必要なのは、戦う軍人よりも治める官僚であった。こうして、これらの地域での官僚支配体制への移行が顕著になる。

二、官僚支配体制下の帝国――一七世紀を中心に

官僚支配の時代

一六世紀の後半に始まる支配体制の組織化と官僚支配への流れは、三つの帝国に共通する。オスマン帝国の場合、この変化には、ヨーロッパで進んだ軍事革命の影響も大きかった。火器の進歩と並んで築城術と戦法が変化し、戦争は平原での対戦方式から、長い前線での長期戦へと移行した。このことが常備軍の必要性を従来以上に増大させ、国の財政を圧迫した結果、騎士に土地を分与して徴税を委ねる方式から、徴税請負により国庫収入を増やす必要が生まれた。これを実現するために、地方の統治責任者となる軍人の官僚化と、徴税や文書行政に長けた文官の重要性が強まった。同時にウラマーの行政官僚化も著しく進んだ。

ムガル帝国の場合、ヨーロッパの軍事革命の影響が及んだ形跡はない。しかし、一六世紀後半のアクバルの時代に実現した中央集権的な国家形成の結果、ムガル帝国は、巨大な帝国を任官と文書行政で結ぶ官僚国家に向かっていった。一七世紀を通じ、三人の長命な君主が、都市や巨大建造物の造営をはじめ、自由裁量で統治を行っていたかに見えるムガル帝国だが、実際それを動かしていたのは、宮廷の官僚たちだった。サファヴィー帝国の場合も同様である。アッバース一世は、トルコ系部族勢力を抑えるために、コーカサス地方から積極的に人材を登用し、「王の奴隷」などを強化したが、実は、君主自身が、諸勢力の調整役というひとつの官僚機能を担ったとも見てとれる。

官僚による支配を貫徹させるには、統治原則の明確化が求められる。君主の権限を制限する超越的な法の重要性が増し、君主の専横は極力排除された。そして、君主には、法の保護者としての役割を期待されるようになる。一七世紀に、オスマン帝国、サファヴィー帝国、そしてムガル帝国でも、イスラム法の重要性が増したことは、この文脈で

説明される。

イスラム法の強調は、一般的なイメージとは異なり、非イスラム教徒にとっても地位の安定に繋がった。イスラム法は、その法体系の中で、非イスラム教徒をどう扱うかを定めているからである。「啓典の民」(キリスト教徒やユダヤ教徒)ばかりでなく、イランのゾロアスター教徒やインドのヒンドゥー教徒も「啓典の民」と同様に扱われ、その宗教と共同体の維持がイスラム法により保障された。オスマン帝国では、これを背景に、君主は各共同体に対し均等の距離をとることが原則とされた。

しかし、そのことは、一七世紀に非イスラム教徒が困難に直面しなかったことを意味しない。どの時代にもあるように、為政者は時に少数派を迫害し、支持層の歓心を買ったからである。各帝国がイスラム的規範への依存を高めるにつれ、共生の原理の定着の一方で、君主やその取り巻きが非イスラム教徒を圧迫する機会は増していった。

オスマン帝国の軍人官僚と文官官僚

オスマン帝国において官僚支配体制への移行は、スレイマン一世の時代の後半にはじまり、一六世紀末の政治・経済面の混乱期に一気に進んだ。オスマン帝国の官僚には、大宰相を頂点とする軍人官僚の系統と、文官の系統がある。軍人官僚の系統は、政治の表舞台にたつ大宰相以下の人材を供給し、スレイマン一世以後、オスマン帝国の政治を動かした。

一六世紀後半の主役はソコッル・メフメト・パシャ(一五七八年没)である。スレイマン一世に仕えた最後の大宰相で、続くセリム二世(在位一五六六―七四年)、ムラト三世(在位一五七四―九五年)の時代にも大宰相を務めた。重要な点は、ソコッル・メフメト・パシャにより、大宰相が政策決定をする時代の幕が開かれたことである。君主は宮廷の奥に籠り、戦争だけでなく、統治そのものから遠ざかった。こののち、一七世紀を通じて、オスマン帝国の君主は、軍人官僚や宮廷内のさまざまな勢力の影響下におかれた。これは官僚支配体制が進み、君主が、大宰相の任命を行う歯車にすぎなくなったためである。これに逆らい主導権を握ろうとした君主が常備軍により殺害された事件は、事態を象徴する(一六二二年、オスマン二世の殺害)。

一七世紀前半のオスマン帝国は、軍人官僚らの権力抗争に、戦役に参加したのち農村にもどった非正規兵(セクバン)集団なども加わり、度重なる反乱に見舞われた。非正規兵の利用は、一五九三年から一六〇六年まで続いたハプスブルク帝国との長期戦争の間に始まったものである。歩兵と鉄砲・大砲の重要性がさらに増した軍事革命の中で、オスマン帝国は、農民・遊牧民出身の非正規兵を活用し始めていた。

アナトリアを主な舞台として展開した反乱の波を収拾し、再び帝国を軌道に乗せたのは、キョプリュリュ家の軍人官僚たちだった。党派政治を勝ち抜き、実権を握ったキョプリュリュ・メフメト・パシャ(一六六一年没)とその一族は、内政を安定させたのち、対ハプスブルク戦でも勝利を収めた。キョプリュリュ家を初め有力な軍人官僚らは、軍人だけでなくウラマー名家や書記官僚とも結んで党派を形成し、党派間の権力闘争とバランスが一七世紀のオスマン帝国政治の動向を決定づけた。

一方、官僚のもう一つのグループである文官には、さらにウラマー系と書記系の二系統があった。ウラマーの官僚化に関しては、一六世紀に長くシャイフル＝イスラーム職を務めたエブースード(一五七四年没)の尽力が大きかった。彼は、ウラマー官僚の登用・昇進に関する制度を完成させ、これにより、法官(カーディー)が各郡に赴任し、全土でハナフィー派法学に基づく手続きや裁判が行われる体制が整えられた(松尾 一九九九)。本来ウラマーとは広く「イスラム知識人」をさすが、オスマン帝国では、教育・司法・行政の分野で国家の職にある者とその候補者群を指した。たとえばエジプトにおいて、法官と彼らが管理する記録が地方社会において果たしていた広汎な役割は、本巻熊倉和歌子論文に見ることができる。

一方、書記系の文官は、一五世紀以来少数の集団がオスマン政府を支えてきたが、一七世紀に入ると、次に見る徴税請負制の実施を通じ、全帝国規模のネットワークをもつ大組織に発達する。

徴税請負制が繋ぐ世界――オスマン帝国

前節で見たように、ティマール制は拡大を前提とした制度であったが、一六世紀の中葉に拡大の時代は終わった。しかし、戦争は続き、西のハプスブルク戦線でも東のサファヴィー戦線でも一六世紀末から一七世紀初頭にかけて、軍を引けない長い戦争が続いた。これは、一六世紀までの年中行事としての遠征とは全く異なる種類の戦争だった。これに対応するため、軍人官僚が帝国の常備軍の一部や自身の私兵を率い、州軍政官として長期体制で戦争に当たる必要が生まれた。そこでは、農村に生活基盤をもつ騎士の季節的参加からは多くが期待されず、騎士層の役割が激減した。そして、その変化を後押ししたのが、すでに述べた火器の利用の拡大に加えて攻城術の変化、さらに歩兵の重要性の増大だった。

戦争の長期化への対応として、常備軍の増強が行われた。常備軍を構成するイェニチェリの身分は世襲化し、新規の徴兵には都市民や非正規兵などが応じた。拡大したイェニチェリは、平時には都市の手工業や治安維持に参加した。また、地方の都市にもイェニチェリが駐屯するようになり、その在地化が進んだ。スレイマン一世の時代に一万二、三〇〇〇人だったイェニチェリの数は、一七世紀中葉には、首都に四万、地方に一万五〇〇〇人近くが駐屯するまでに増えたと見られる(Murphey 1999: 45)。

帝国は、増強された常備軍を養う経済的必要に対処するため、ティマールを回収し、その税源を請負契約に付し、競りによって決まった金額を前納させることにより、国庫への入金を増やした。地方に駐在する軍人官僚やその他の役職者には、赴任地で徴集される関税や取引税などの徴税請負権を俸給として与え、在地での出費を賄わせた。全土の徴税権は売買の対象となり、イェニチェリを含む常備軍兵士から上級の軍人までが徴税権購入に参入した。村々での直接の徴税には代理人が当たったが、代理人として契約を結んだのは、かつて村をティマールとして授与されていた騎士や、その他の在地有力者だったと見られる。こうした変化は一六世紀末から急速に進み、一七世紀にはオスマン帝国の徴税の多くは、徴税請負制によるものとなっていった。

この変化を可能にしたのは、ウラマーと書記からなる文官の官僚組織の存在だった。地方に赴任するウラマーは、郡の法官として各地の徴税請負の進捗を記録し、業務を監督した。財務官僚は、帝国各地と中央政府を結び、税の入金、送金、現地支出などを差配した。ウラマー官僚や財務官僚は、バルカン地域やアナトリア西部などの範囲内で短い任期で交代を繰り返し、職務を果たした(清水 二〇〇三)。

こうした制度の運用にあたっては、法の安定性が求められる。一五―一六世紀のオスマン帝国では、君主の定める法(カーヌーン)とイスラム法が二重に存在し、「イスラム法のもとで、(イスラム法が具体的に関与しない領域に)カーヌーンがある」という解釈により、共存していた。しかし、君主の政治への関与が減り、カーヌーンが減ると、イスラム法の領域が拡大することになった。これは、集団としてのウラマーの役割の強化にも繋がった。多くの判断がウラマー官僚の長であるシャイフル＝イスラームに求められ、彼らはファトワー(法的勧告)を発し、(彼らにとって)有害な君主の殺害さえも、公益のためとして「合法」と判断した。

以上から、オスマン帝国の一七世紀を「立憲主義」とする主張もある。イギリスのピューリタン革命や名誉革命を念頭においた用語である(Tezcan 2010; 佐々木 二〇一四)。更なる検証が必要だが、君主も官僚機構の一部となり、「法の支配」が強まったことは間違いない。

こうした中で、一七世紀にオスマン帝国で広く見られた現象は、社会全体へのイスラム教スンナ派の浸透である。市民の間では、ビルギヴィー(一五七三年没)の著した『ムハンマドの道』が広く受け入れられ、そこでは、預言者ムハンマドのハディース(伝承)によりイスラム教徒としてのあるべき姿が分かりやすく教示された(林 二〇一四)。首都イスタンブルでは、カドゥザーデ派が原理主義的主張を掲げてしばしば暴走し、正統的なイスラム理解に反するとして神秘主義教団や人々の集うコーヒー店を攻撃した。この状況を背景に、時にオスマン政府も、イスラム教を旗印に風紀を問う政策をとった。家の外での女性の行動制限が強化されるのもこの時代である。ムラト四世(在位一六二三―四〇年)による禁酒令や禁煙令なども、その一例である。

政府の偏狭な施策の被害を受けたのは、非イスラム教徒のコミュニティだった。しかし、全体には、本巻上野雅由樹論文にあるとおり、一七世紀のオスマン帝国においてキリスト教徒やユダヤ教徒は、オスマン帝国のルールのもとで活動を保障され、オスマン社会の重要な一部を形成していた。キリスト教徒やユダヤ教徒によるイスラム法廷の利用は広く知られているが、これは、イスラム法廷が、イスラム教の法廷ではなく、統治と住民間の問題を調停する政府の出先機関として機能していたことを示している。この時代、キリスト教徒やユダヤ教徒の市民は、商人、徴税請負の業務に関わる金融業者、通訳、聖職者などとして、オスマン帝国の中で社会的な上昇を目指すことが可能だった。

サファヴィー帝国の「王の体制」

一六世紀末のサファヴィー帝国は、五〇年間在位したタフマースブ一世の死去の後、その後継者のもとで混乱した。シャイバーニー朝がホラーサーン地方に進軍し、オスマン帝国はタブリーズを占領した(一五八五年)。こうした危機の中で、一五八七年にアッバース一世が一六歳で即位した。

危機の原因は、キジルバシュ軍を中心とする軍事体制への統制の欠如にあったため、アッバース一世は軍事制度改革に着手した。まずキジルバシュ軍の有力者を殺害するなどしたのち、コルチ軍とグラーム軍という君主直属の近衛兵団を強化した。コルチ軍は遊牧部族出身者を構成員としたが、君主の任命する司令官に服し、君主に直属した。グラーム軍は、コーカサス地方出身の「王の奴隷」から成り、銃で武装した。グルジア人やアルメニア人、チェルケス人などが含まれた。

また、オスマン帝国のセクバン同様、従来の軍人に含まれない都市や農村のイラン系住民から兵を募り、首都や地方都市に銃を装備する歩兵隊をつくった。また、大砲を扱う砲兵軍を編成した。この改革ののち、アッバース一世はシャイバーニー朝を破り、一六〇一年までにホラーサーン地方を奪回した。また、一六〇三年からの遠征でオスマン帝国からタブリーズを奪還した。その後もオスマン帝国との戦線が続いたが、一六〇七年に休戦し、かつてのアマスィヤ協約の状態に戻り、アゼルバイジャン地方を回復した。軍人として優れた指導力を発揮したアッバース一世は、一六二二年にムガル帝国からカンダハールを、一六二三年冬にはオスマン帝国からバグダードを奪い、勢いは頂点に達した。しかし、一六二九年にアッバース一世が死去すると後退し、一六三八年にはカンダハールとバグダードを失った。オスマン帝国とは一六三九年にゾハーブの和約を結び、再びアマスィヤ協約の国境が確認された。

アッバース一世は、その指導力でこうした戦争を率いたが、これを支えたのは中央集権的な体制だった。財政面では、まず、遊牧部族に割り当てていた分封を取り消して王領地(ハーッセ)を増やした。政府の官僚が直接徴税を行い、これによりコルチ軍やグラーム軍を養った。また、君主を支える官僚機構の充実が図られた。サファヴィー帝国の官僚には、イラン系の名家出身者を中心に、トルコ系やクルド系の遊牧部族出身者が多かったが、アッバース一世は、ここにコーカサス出身者を多数加えた。すなわち、グルジアやアルメニアの王族や「奴隷」出身者などである。出自の多様な集団の中核にはアッバース一世が位置し、君主は、各勢力を調整する役割を担った(前田 二〇二二：九三頁)。この体制が確立した結果、強力なリーダーであったアッバース一世没後も安定が続いた。実際、一七世紀後半には、サファヴィー帝国は戦争を避け、平和な時期を経験している。しかし、この間に軍事力が弱体化し、一八世紀の解体を招いたともいわれる。

サファヴィー帝国における法の統治

本巻藤井守男論文にあるとおり、サファヴィー帝国では、シーア派のうち十二イマーム派信仰が社会に定着した。その過程では、「聖者」アブー・ムスリムに象徴される神秘主義的要素が攻撃され、正統的なシーア派信仰が奨励された。すでにイスマーイール一世は、サファヴィー教団の神秘主義的な信仰を抑え、穏健な十二イマーム派を公認宗教とすることを宣言し(平野 二〇一八)、シリアやイラクなどから十二イマーム派のウラマーを招聘していた。もともとイラン高原ではスンナ派が主流を占め、多様な神秘主義教団が勢力をもっていたが、サファヴィー帝国は、その創成期からイラン高原を宗教的な観点から統一しようと試みていた。

これが定着するのが、アッバース一世の時代のことである。アッバース一世が新首都イスファハーンに作ったマドラサ(学院)はシーア派研究の中心となり、多くのシーア派ウラマーが養成され、帝国各地に送られシーア派の教えを広めた。法の分野でも、レバノン生まれのアラブ人シーア派学者シャイフ・バハーイー(一六二一年没)に『アッバース大全』を編纂させ、正統派である十二イマーム派による社会秩序の構築に努めた。アッバース一世自身は、享楽的な生活を送り、「清く正しい」信仰者ではなかったが、それは宗教を利用したムガル帝国やオスマン帝国の君主も同じである。アッバース一世以後の君主は、(その実態はともかく)自身を「アリーとイマームの僕《しもべ》」と表現し、王権に対するイスラム教、及びイスラム法の優位を表明した。

本巻近藤信彰論文にあるとおり、シーア派イスラム法の整備と並んで、帝国の宗務・司法組織の整備も進んだ。頂点に立つサドル職、主要都市のシャイフル＝イスラーム職、軍のカーディー職や地方都市のカーディー職などが整備され、シーア派法学が全土で適用された。ただし、オスマン帝国と異なり、サファヴィー帝国下では、国の官職につ いていない法学者(ウラマー)も活躍していた。王権から独立した宗教指導者層の存在は、こののちイラン社会の特徴となっていく。
オスマン帝国と同じく、サファヴィー帝国においても、非イスラム教徒は、シーア派イスラム法により社会的に保護される対象だった。ただし、シーア派イスラム化が進む中で、ときに改宗圧力や迫害が起こり、それを君主が利用した事件がたびたび起きた点もオスマン帝国と類似する。すでに一六二一年にはアッバース一世がキリスト教徒への大規模な改宗命令を下しているが、一七世紀中葉以後はカトリックの修道会の活動への反発もあり、非イスラム教徒に対しイスラム教への改宗が奨励された(守川 二〇一四)。

ムガル帝国の一七世紀

一七世紀のムガル帝国は、ジャハーンギール(在位一六〇五―二七年)、シャー・ジャハーン(在位一六二八―五八年)、アウラングゼーブ(在位一六五八―一七〇七年)という三人の支配者により統治された。いずれも長期政権である。長期政権が終わり継承にあたってはその度に、前代の王子らの間で激しい争いが起きたが、結局は、宮廷内の有力者の力関係で後継者は決まったといわれる。

ジャハーンギールは、フッラム王子を派遣して北西インドを攻略し、ラージプート諸王国のうち、唯一ムガル帝国に従っていなかったメーワール王国を降伏させた。また、西インドのアフマドナガル王国を降伏させ、貢納を認めさせた。しかし、いずれにおいても地域の王侯は残り、ムガル帝国の支配は間接的なものにとどまった。

フッラム王子は、晩年のジャハーンギールに反乱を起こしたが、赦され、やがてシャー・ジャハーンとして即位した。シャー・ジャハーンの時代、アフマドナガル王国が滅亡し(一六三三年)、一六三六年には南インドのビジャープル王国とゴールコンダ王国がムガル帝国の宗主権を認めた。こうしてデカン地方への支配を拡大すると、シャー・ジャハーンは、次にアフガニスタンや中央アジア方面に軍を送った。しかし、その多くは失敗し、アフガニスタンのカンダハールは一六四九年にサファヴィー帝国に奪回された。

続くアウラングゼーブの即位も、三人の兄弟を殺すなど壮絶な争いの末であった。五〇年に及ぶアウラングゼーブ時代には、アフガン系遊牧部族の反乱や豪族に率いられた農民の反乱などが続き、それは、ラージプート諸侯との戦争に発展した。一方、デカン地方ではマラーターの勢力が増していた。マラーターは、マラーター・カーストを自任するマハーラーシュトラ地方のヒンドゥー教徒の豪族をさす。一六世紀以来、ビジャープル王国やアフマドナガル王国などのシーア派ムスリム政権に仕え、西インドを実質的に支配していた。彼らの中から、シヴァージーの一族が台頭し、一六七四年にマラーター王国の成立を宣言した。シヴァージーは一六八〇年に死亡するが、アウラングゼーブはマラーター勢力の復活を恐れ、その背後にいると見なした南インドのビジャープル王国(一六八六年)とゴールコンダ王国(一六八七年)を征服した。これらにより、ムガル帝国の支配域はインド亜大陸の南端近くにまで及び、最大領域を現出させることになった。しかし、マラーター王国の家系は存続し、彼らはゲリラ戦を行い、一六九〇年代以後、各地でムガル軍に勝利した。戦況が混屯とする中、アウラングゼーブは首都に戻ることなく、一七〇七年に遠征中のアフマドナガルで死去した。

ムガル帝国の官僚支配体制

このように、ムガル帝国は広大なデカン地方の征服において苦戦を強いられていたが、アウラングゼーブの末期には概ねその全体を支配下においた。ムガル帝国の中央軍が強力で、各地での戦争を効果的に遂行したためである。

一七世紀を通じてムガル帝国を支えたのは、マンサブダール制度であった。これはアクバルにより一五七三—七四年に導入されたとされ、上級軍人を国家の官僚として位置付けるための仕組みであった。「マンサブ」は官位を意味し、等級で区別された。等級に応じて、定められた数の騎馬とそれを操る兵の用意が義務づけられた。官位や用意する騎馬数で俸給がきまり、俸給は、当初、現金での支給が計画されたが、実際には、俸給相当の徴税額をもつ所領(ジャーギール)が、マンサブの保有者(マンサブダール)に与えられた。

所領からは税の徴収のみが認められた。このため、所領の分配に先立ち、税額が正しく把握されている必要があった。ムガル帝国は、その事業を北インドのスール朝の前例にならって実施した。スール朝は、農地を測量し、単位面積あたりの生産高を把握したうえで、税額を生産高の三分の一としたが、この事業はムガル帝国の官僚に引き継がれた。その立役者として、アクバル時代のトーダル・マル(一五八九年没)が名高い。彼はスール朝に仕えたペルシア語を操るヒンドゥー教徒の下級官僚出身で、その知見をムガル帝国にもたらした(小名 二〇一二)。農村は、実際には在地の地主(ザミーンダール)が支配しており、税の徴収方法は地域ごとに様々であったが、ムガル帝国は、クローリーと呼ばれる官僚を北インド全域で任命し、こうした在地勢力と協力して税額の査定に努めていた。

所領を得たマンサブダールは、軍功やその他の功績で所領の加増をうけながら、軍人官僚として君主に仕えた。所領は多くの場合、三、四年で交換され、所領が所在する地域も分散していた。徴税は、その税率や時期の点で、財務官僚による厳密な監督下におかれていた。マンサブダールとなったのは、トルコ系軍人官僚、インド系のイスラム教徒家系、イラン系軍人官僚、ラージプート諸侯を含むヒンドゥー教徒の軍人など、多様だった。非イスラム教徒の占める割合は二割程度といわれるが、マンサブダール制度は様々な出自のムガル支配層を一元的にまとめる装置として機能した。また、マラーター王国のような対立した勢力からの投降を呼びかける道具としても使われた(末広 二〇一二)。

その一方で、ムガル帝国の領内には、ムガル帝国下に入った王国の王族や貴族、土地の有力者が、世襲的に掌握している土地が多く、こうした在地支配者をマンサブダールにした際には、かれらの元々の支配地が所領として与えられた。ムガル帝国領は、その意味で、複雑なパッチワークの様相を呈していた。

この仕組みの維持には、高度に発達した官僚機構が必要なことはいうまでもない。一六世紀後半から一七世紀のムガル帝国では、財務、宮廷、宗務、軍務の四つの庁が整えられ、それぞれの長官に高位のマンサブダールが任命された。軍務庁の長官たる大バフシ職に就く者には、有力者の子弟や縁故者が多いが、この職は名誉職ではなく、常に評価がなされ、マイナスの評価は直ちに罷免に結びついた(真下 二〇一二)。財務長官については、さらに実力主義が見てとれる。

財政庁は、マンサブダールの所領のほか、国有地(ハーリサ)と寄進地(イナーム)を管理した。業務は全てペルシア語の文書を通じて行われた。ヒンドゥー教徒の官僚も高度なペルシア語を操り、イラン系官僚と並んで活躍した。

マンサブダール制は、一七世紀のムガル帝国の中央集権体制とその繁栄を支えたが、当初より三つの問題をかかえていた。一つ目は、政府が帝国内をまとめるためにこの制度を運用すればするほどマンサブダールの数が増え、それに見合う所領が不足する、という問題である。このため、割り当てる所領の量を減少させ、用意させる騎馬兵の数を減らすなどしたが、マンサブダールの不満は募っていった。二つ目は、在地領主はもともと自身の支配地を所領としていたが、その他の場合も、所領の固定化や制度の複雑化により、中央の意図するままに官職者を制御することが難しかった。三つ目に、当初から俸給として与えられる税額と実際の税収の間には齟齬《そご》があったが、繁栄の下での生産力の拡大とともにその乖離が広がるという問題があった。その差額は、在地に残され、やがて中央政府の困窮、在地領主層の富裕化に繋がった。

一七世紀ムガル帝国における宗教

ムガル帝国では、ムガル王家やトルコ系・イラン系軍人官僚、インド系ムスリムのイスラム教と、それを支えるラージプート諸侯や住民の多くが信仰するヒンドゥー教が対峙していたかのように見えるが、両者の併存はすでに長い歴史をもち、両者の共存はムガル帝国の支配者にとって所与の条件であった。

従来の研究では、アクバルやジャハーンギールがイスラム教とヒンドゥー教の融和政策をとったこと、あるいは、アウラングゼーブが敬虔なイスラム教徒として原理主義規範を強制したとされることなどが注目されてきたが、近年は、いずれの場合も、宗教的動機からというよりも、当時の政治状況が作用しており、融和策と差別策のいずれもが、「宗教の政治利用」であった点が強調されている。インド社会は、多宗教社会としてすでに成熟しており、イスラム教徒もヒンドゥー教徒も、宗教を単位として一つにまとまっていたわけではなく、君主の宗教的メッセージが全臣民にいきわたったわけではなかった。

その一方で、オスマン帝国やサファヴィー帝国同様、一六世紀末以後、ムガル帝国でも、イスラム法による統治が重視された。アクバルは、治世途中までは神秘主義の影響を強く受けていたが、一六世紀末になると特定のスーフィー教団への傾斜を捨て、国家の統合に役立つスンナ派正統派の保護とイスラム法による支配体制の構築に注力するようになった(真下 二〇一九：一七八頁)。イスラム法は、前述のように、非イスラム教徒も視野に入れた法体系だったからである。その傾向は、一七世紀を通じて続いていく。

アウラングゼーブは、一七世紀後半にハナフィー派の法規定をまとめた『ファターワー・アルアーラムギーリー ヤ』を編纂させ、イスラム法による統治手法を整えた。非イスラム教徒へのジズヤ課税という政策(一六七九年)も、イスラム法重視の姿勢を示すためだったと見られる。ジズヤは低額であったため、非イスラム教徒の負担増は大きくはなかったが、徴収を担ったウラマーらの対応が問題となり、ヒンドゥー教徒の反発を呼んだ。これがインド社会において失政であったことは、一七一二年に廃止されていることに現れている。

こうした失政はあったものの、アウラングゼーブも、彼の前任者ら同様、政治的・戦略的に宗教を使っていた。アウラングゼーブがヒンドゥー教徒を排除しようとしたことはなく、彼の時代の君主周辺の貴族の三分の一はヒンドゥー教徒だった。本巻真下裕之論文で詳しく論じられているように、多数派のヒンドゥー教徒の参加を得ながらムガル帝国の国家運営はなされていた。

絹と綿が繋ぐ三帝国——経済の繋がり

オスマン帝国、サファヴィー帝国、ムガル帝国は、それぞれ、様々な側面でその外側の世界と繋がっていたが、繋がり方のひとつである貿易について述べると、この三帝国を結ぶ強いラインが、海と陸のそれぞれに存在していたことは注目される。その繋がりは、ヨーロッパ勢力、特にヨーロッパの東インド会社の活動など、他の要素を加えながら展開した(3)。

主力となる産品は、インドの綿、イランの絹だった。そして、それを動かす潤滑油となったのは、ヨーロッパ商人がもたらすアメリカ産の銀だった。陸のルートは、キャラバンルートによる。三つの帝国は、一六世紀、一七世紀に交通路の整備、要所要所へのキャラバンサライの設置、交通路を脅かす遊牧部族などへの監視に力を注いだ。そのルートを辿り、サファヴィー帝国とオスマン帝国の間を往来したのは、前者から後者への絹と綿織物、後者から前者への銀だった。オスマン帝国は、その銀をブルサやイズミルでヨーロッパ商人から得ていた。オスマン帝国からヨーロッパへは、絹のほか、染料や香辛料などが輸出され、代価の多くは銀で支払われていたためである。本巻鴨野洋一郎論文が示すように、オスマン帝国とヨーロッパを結ぶ地中海交易では、様々な繊維製品が行き交ったが、オスマン帝国側の輸入は毛織物を除くと多くはなかった。流入した銀がオスマン帝国において物価高を引き起こしたとされるが、近年ではその説は疑問視されている。流入した銀の大半は、サファヴィー帝国、さらに、そこからムガル帝国に流出したと見られるからである。

なお、オスマン帝国からヨーロッパへはさかんに穀物が密輸された。食糧不足に悩むオスマン帝国はその禁止に力を注ぐが、ヨーロッパ全体が寒冷化した一六世紀後半は特に密輸が増え、完全な制御は難しかった(澤井 二〇一五)。また、エジプトからイスタンブルへ食糧などを運ぶオスマン臣民のギリシア商人は、「聖戦」の名のもとに東地中海に跋扈《ばっこ》するマルタ騎士団の海賊の脅威に常に晒されていた(グリーン 二〇一四)。

サファヴィー帝国とムガル帝国の間の交易では、インドの綿織物が最も重要で、それ以外にもコメや砂糖などの食糧、香辛料なども、ムガル帝国からサファヴィー帝国にもたらされた。その支払いにサファヴィー帝国が使ったのが、絹交易によりオスマン帝国から得ていた銀だった。

陸上の交易を実際に行っていたのは、オスマン帝国ではアルメニア商人、ユダヤ商人などの宗教的少数派に属す大商人だった。サファヴィー帝国では、イスファハーンの新ジョルファー地区に暮らすアルメニア商人が絹交易をほぼ独占していた。またサファヴィー帝国・ムガル帝国間の交易には、ヒンドゥー教徒やジャイナ教徒のインド系商人があたり、少なくとも一万人のインド系商人がイスファハーンなどサファヴィー帝国内の都市に居住したといわれる(Dale 2010a: 124-126)。インド系商人は、交易のほか、金融を得意とした。インド各地やイラン、中央アジア、さらにはロシアに至る地域に代理人を置き、為替手形で資金を送金した。

こうした交易は、陸路のほか、海路を使っても行われた。一六世紀には、西インドのゴアに拠点を置くポルトガルが海上交易の覇権を握っていた。一六世紀前半にエジプトやイラクを支配下に収め、紅海やペルシア湾へのアクセスを得たオスマン帝国は、一五三〇年代にイエメン州を置いた。また紅海に臨むスエズで造船を開始し、西インドのグジャラート地方に艦隊を送ったり、一五五二年にはペルシア湾のホルムズ島をポルトガルから奪取することを目指したが、いずれも失敗した。それ以後のオスマン帝国の関与は荷揚げ後の交易ルートの確保に留まり、インド洋への進出は断念された。オスマン帝国が紅海側のイエメンから最終的に撤退するのは、一六三六年のことである。その後、この地域にはイエメンのザイド派イマーム政権が伸長し、同王朝はサファヴィー帝国やムガル帝国とも外交関係を築いた(栗山 二〇一二)。

オスマン帝国に代わりペルシア湾に乗り出したのは、サファヴィー帝国だった。アッバース一世は、海上での貿易の整備に力を注ぎ、一六二二年に、イギリスと結んでホルムズ島をポルトガルから奪うとともに、ペルシア湾に面したバンダレ・アッバースに港を建設し、イラン産の絹織物や絨毯《じゅうたん》、インドからもたらされる香辛料や綿製品、砂糖を、オスマン帝国を通る陸路を経ずにヨーロッパの東インド会社に売る交易を活性化させた(羽田 二〇〇二)。東南アジアとインドを結ぶ交易におけるポルトガルの優位は、一七世紀に入るとオランダに奪われた。オランダとの競争に敗れたイギリスは、インドに集中し、一六一二年にグジャラート地方のスーラトに商館を開設した。

そのスーラトは、ムガル帝国にとっても、綿織物を輸出し金・銀を得る拠点として重要だった。インド系商人やムスリム商人などの在地商人とヨーロッパ人が行う通商や、ヨーロッパ人海賊への対応などの案件に、ムガル帝国も積極的に関わった(長島 二〇一七、嘉藤 二〇一九)。ムガル帝国の交易への関与は、国家に仕える高位の官職者が積極的に投資していたことなどにも現れている。

交易の担い手に関しては、ヨーロッパ商人の進出が進む一方で、地域経済に精通したインド系商人やイラン系商人、イエメン出身の商人などの活動が、一七世紀のインド洋では依然として活発であり、彼らのネットワークがヨーロッパ人による通商を支えていた。その活動は、本巻太田信宏論文に詳しい。たとえば、オランダやイギリスの商館が並ぶインド東海岸のゴールコンダ王国下のマスリパトナムでは、イラン系を含む現地の商人が競っていた(和田 二〇〇六)。その一方、海路で遠隔地を繋ぐヨーロッパ船籍の船と、彼らから商品を受け取ると同時に、彼らに商品を供給する現地の商人という住み分けも定着する。たとえば、一七世紀末に東南アジアのシャム王国に派遣されたサファヴィー帝国の使節は、往路はイギリス船を、また復路の一部もイギリス船を利用している(守川 二〇一三)。

一七世紀後半には交易の重要性は格段に高まった。例えば、インドの綿織物(インド更紗)は大量にヨーロッパに輸出され、あまりの流行に一七〇〇年にイギリスで輸入の禁止令がでるほどだった。重要な産品の確保のために奔走するイギリス、そしてフランスの動向が、一八世紀には政治的にも重要になってくる。

文化の繋がり――イラン文化が繋ぐ三帝国

交易と並んで三つの帝国を繋いでいたものは、三つの帝国の支配層や知識人が共有した文化的な方向性だった。それは、なによりイラン文化への傾倒だった。詩歌や絵画への趣味がその中心にあり、優れた作品の流通が三つの帝国を結びつけた。南アジアでは、それはヒンドゥー教徒の政権においても見られたので、イラン文化の影響範囲は、イスラム文化圏に限られるものではなかった。

絵画に関しては、本巻桝屋友子論文に見るとおり、その手本は長い絵画の伝統をもつサファヴィー帝国が生み出す挿絵入り写本だった。オスマン帝国もムガル帝国も、サファヴィー帝国やそれ以前のイランでつくられた優れた作品を自分たちの図書室に獲得しようと努め、サファヴィー帝国もそれらを外交に活用した。オスマン帝国やムガル帝国でも、イラン風をベースに、君主の事績、王朝の歴史を綴る挿絵入り写本が盛んに作成された。その題材や描き方には、三つの帝国の特徴が見て取れる。

文学の世界でも、ペルシア語詩が、オスマン帝国やムガル帝国における詩作の手本となった。詩は教養の要であり、三つの帝国の君主らの中には、詩人として名を成した者も多い。オスマン帝国では一六世紀からオスマン・トルコ語での詩作が定着するが、その作法はすべてペルシア語のそれに倣っている。ムガル帝国では、イランや中央アジアからの移住者が多く、彼らによりペルシア語詩が作られたが、その文化はやがてヒンドゥー教徒の宮廷人などにも広がり、ペルシア語での詩作が行われた。

このように、言語の面でのペルシア語の通用性は、イラン以外では南アジアで際立っていた。ムガル帝国では、行政文書や私的な文章の多くでペルシア語が用いられた。その影響は、一八〇〇年頃、イギリス東インド会社がインドの行政に深く関与するようになる時代まで続いた。

ただし、言語については、トルコ語の存在も無視できない。オスマン帝国はもちろんのこと、サファヴィー帝国の宮廷ではトルコ語が用いられた。ムガル帝国においても、一般の通用性はなくとも、先祖の言語としてトルコ語の使用が維持され、シャー・ジャハーンやアウラングゼーブは、苦労してトルコ語を習得したとされる。これは、支配層のトルコ性が重視されたからにほかならず、一八世紀に各地に生まれたムガル帝国の後継国家の支配者らが、ムガル帝国の権威を利用するため、トルコ語を尊重したという事象にも現れている(真下 二〇〇九、Péri 2017)。

なお、この三帝国の工芸品が、前記の経済活動の活性化の波に乗り、ヨーロッパ市場向けに輸出されていた点も注目される(Necipoğlu 2016)。最初にヨーロッパ市場に受け入れられたのは、オスマン帝国の、主に自然主義的な植物文様を特徴とする陶器や絨毯であった。一六世紀には宮廷工房の高級品が輸出されたが、一七世紀になると、より消費ニーズに沿った市井の製品に替わった。陶器については、イズニクに代わりキュタヒヤなどが産地となる。植物文様は、文化的な境界を乗り越えやすい特徴をもっていたともいわれ、その流行はサファヴィー帝国やムガル帝国にも影響した。たとえば、サファヴィー帝国ではアッバース一世のもとで、植物文様を中心とした輸出用絨毯が生産され、ヨーロッパ市場を席捲する。ムガル帝国下でも、宮廷工房の高級品から始まった織物の輸出が、ヨーロッパ人の嗜好にあった製品に替わった。それらが、輸出商品として重要だったことは、前述のとおりである。

三、帝国の解体と地方政権の時代――一八世紀を中心に

地方の自立へ

一八世紀に入ると、それまで帝国の治下にあった西アジア・南アジアは、おしなべて「地方の時代」を迎える。帝国の弱体化から、かつて一八世紀は西アジア・南アジアの衰退期とされ、ヨーロッパの覇権拡大が当然のことのように見なされてきた。しかし近年の研究では、帝国の中央権力の弛緩をうけ、むしろ地方社会がのびのびと発展するさまが跡づけられている。また、地方政権の多くは、これまでの帝国による統治の経験を踏まえ、「小オスマン」、「小サファヴィー」、「小ムガル」ともいえる体制をつくった。その意味で、帝国は継承され、地方に根付いたということもできる。

インドでは、ムガル帝国は縮小して存続するものの、各地に地方政権が割拠する。ムガル帝国の権威を認めつつ事実上独立した諸国家のほか、ムガル帝国とは別に発展したマラーター連合やマイソール王国が生まれた。イランでは、サファヴィー帝国が弱体化したのち、トルコ系部族やイラン系名家が地方に台頭した。オスマン帝国の場合、イスタンブルから遠い属領には、事実上の自治国が誕生し、イスタンブルに比較的近いバルカン・アナトリアでは、「アーヤーン」と呼ばれる地方有力者が各地を実質支配した。こうした新勢力の多くは、活発な経済活動を展開し、自立、そして勢力拡大を図っていた。西アジア・南アジア全域で、ヨーロッパ商人やヨーロッパ国家の活動が活発になる一八世紀、これらの各地方勢力は、時にそれらを利用し、あるいはそれらに利用されながら世界の一体化が顕著になるまでの「長い一八世紀」を生き抜いた。

ただし、地域による差異も大きい。結論を先取りするなら、オスマン帝国では、強固な官僚機構が、地方の自立を

促すと同時に、自立した地方を帝国に繋ぎとめる役割を果たした。サファヴィー帝国末期とその後継国家のもとでは、シーア派の宗教勢力が、混乱する政治状況を越えて地域的なまとまりをつくりだした。インドにおいては、ムガル帝国やその後継諸国家のもとで商業活動が活発化し、英植民地インドに繋がる展開を生んだ。帝国のもとに生まれた新勢力を支えていたのは、このように官僚制や宗教、あるいは商業であり、それにより、かつての帝国の地には、近代に繋がる特色ある地域社会が生み出された。

オスマン帝国の一八世紀——戦争と平和

オスマン帝国のヨーロッパ側の領土が最大になるのは、一六六九年にクレタ島を征服し、さらに一六七二年に現ウクライナのポドリア地方征服を果たした時である。しかし、一六八三年の第二次ウィーン包囲の失敗に続き、ハプスブルク帝国、ポーランド、ヴェネツィアの同盟軍に各地で敗れ、一六九九年のカルロヴィッツ条約でハンガリーを喪失した。ただしこれで一気に形勢が逆転したかというとそうではなく、一七一一年にはプルートの戦いでロシアを破りドン川下流のアゾフを奪回した。また一時奪われたベオグラードを、一七三九年に奪還した。軍事的な劣勢がはっきり意識され、軍事改革が着手されるのは、一七六八年からの露土戦争での敗北と、それを受けた一七七四年のキュチュク・カイナルジャ条約の締結後である。

この間、一八世紀のオスマン帝国では厭戦気分が支配的だった。戦争がもはや富の源泉でなく、常備軍の弛緩も進んだことが大きかった。前述のとおり、イェニチェリはすでに様々な分野に進出していたが、一七四〇年に政府は、イェニチェリの身分が株として売買されることを認め、その結果、常備軍への都市民の混入はさらに進んだ。この時期、遠征に従事する兵のうち、常備軍は五分の一にすぎず、残りは非正規兵や遠征を指揮する上級軍人の私兵が補う状況だった。この時期イェニチェリという集団が「市民」を代弁し、ウラマーと並んで政権に対する牽制機能をもっていたことは、近年注目されている(Tezcan 2010)。

戦争が避けられた一八世紀のオスマン帝国では、イスタンブルを中心に、優雅で華やかな文化が花開いた。一七世紀を通じエディルネに滞在することの多かったオスマン家君主への抗議の暴動ののち、アフメト三世(在位一七〇三－三〇年)はイスタンブルに戻り、造兵廠や大砲鋳造所、町中に水を供給する豪華な泉亭や離宮などの建設を行った。一七三〇年の都市暴動で一度中断するものの、一八世紀を通じ一部の富裕層によるイスタンブルなどでの大規模な建設事業は続いた。

この「一部の富裕層」を構成したのは、中央政府の軍人官僚やウラマー名家だった。彼らは、一六九五年に導入された終身徴税請負制の恩恵を受けた人々で、高い収益の見込める終身徴税請負権を個人や共同で購入し、巨額の収入を得ていたと見られている。たとえば、ある高官とその妻は、キオス島やクレタ島などの関税の徴税請負権を購入したが、これは当時のオスマン帝国全体の契約額の八%にも相当した(Salzmann 2003: 108-109)。

終身徴税請負制導入の影響は多方面に及んだ。ひとつには、多額の資金の調達の必要から金融業者の台頭を生んだ。金融業者の多くはアルメニア教会やギリシア正教会のキリスト教徒、あるいはユダヤ教徒だった。もうひとつは、中央で徴税権を購入した契約者が、請負権を下請負に出したり、あるいは実際の徴税業務を地方の代理人に委ねたことにより、地方に広汎な権益をもつアーヤーンが台頭したことである。

アーヤーンは、徴税請負の現地業務にあたるだけでなく、政府の地方官の代官職も獲得し、さらに支配地域で積極的な農業開発や交易を行った。バルカンやアナトリアにおけるアーヤーンの出自は農民層が多く、アラブ地域では在地化したオスマン軍人やオスマン帝国以前にさかのぼる在地名家が多かった。各地に萌芽的なアーヤーンが多数誕生し、彼らの間での抗争を経て、地域を治める有力なアーヤーン名家が生き残った。これにはオスマン政府のアーヤーン対策も深く関係している。アーヤーンの台頭を危惧した政府は、機会をとらえては財産没収や処刑を行うだけでなく、政府の職を与えたりアーヤーン同士を競わせるなどしたからである。この結果、競争に勝ち残った巨大アーヤーンが出現し、彼らは、事実上、オスマン帝国領を分割して支配していたとまでいわれる。具体的なアーヤーンの事例としては、シリアのアズム家や西アナトリアのカラオスマンオール家の事例がよく知られている。

アーヤーンは自らの私兵も抱えていた。軍の弛緩に悩む政府は、一七六八年の第一次露土戦争以来、アーヤーンの軍を活用した。一七八七年に始まる第二次露土戦争は、アナトリアのアーヤーン三家(カラオスマンオール家、中央アナトリアのチョバンオール家、北東アナトリアのジャニクリ家)の軍事力だけが頼りだったといってよい(Aksan 2007)。

永田(二〇〇九)が明らかにしているように、アーヤーンの多くは、地方の殖産興業にも力を入れた。彼らは遊牧民を定住させて新たな農地の開墾を行い、商業作物の栽培を導入し、外国商人との交易を行った。たとえば、カラオスマンオール家は綿花栽培を奨励し、フランスに輸出していた。こうして成長したアーヤーンは、本拠地にモスクや学校などをつくって富を市民に還元することも怠らなかった。

イスタンブルから比較的近いバルカン、アナトリア、シリアなどでアーヤーンの台頭が進んだ時代、より遠方のオスマン帝国支配域の周辺部では、自立化、あるいは離反が進んだ。バグダード州ではオスマン帝国から派遣された高官が自立し、その地位を自身の奴隷に継承させた。北アフリカでは、かつてオスマン帝国から派遣されたイェニチェリなどが門閥化し、フサイン朝(チュニジア)、カラマンリー朝(リビア)などが建てられた。

エジプトには、オスマン帝国の州軍政官や財務長官が送られていたが、実際の政治は、一七世紀にはフィカーリーヤとカースィミーヤの二大派閥、一八世紀にはカズダグリーヤと呼ばれる在地軍人の党派が取り仕切っていた。彼らの出自はイスタンブルから送られた軍人やコーカサス出身のマムルーク(奴隷軍人)であった。一七六〇年頃にはグルジア出身のカズダグリーヤの長アリー・ベイが、自身のマムルーク軍団を強化し、エジプトの実権を握った。そして露土戦争に際し、ロシアと密約を結びオスマン帝国下のダマスクスを占領している。しかし、その後撤退し、アリー・

ベイの後継者はオスマン帝国へ恭順の意を示した(長谷部 二〇一七)。

一方、従来在地の貴族に支配が委ねられていた黒海地方のオスマン帝国の附庸国(属国)モルドヴァ・ワラキアでは、ロシアの影響力が増していた。これに対抗するため、オスマン帝国は、ここにイスタンブルのギリシア正教徒有力者を公として派遣し、支配を強めた(黛 二〇一三)。同じく附庸国であったクリミア・ハン国に対してもロシアが介入し、二度の露土戦争を経て、クリミアのロシア帰属が決まった。

官僚制の強化と帝国の威信――オスマン帝国

オスマン帝国は、このような「解体」を等閑視することなく、一八世紀末にはヨーロッパを手本にした本格的な軍事改革、さらに行政改革を開始する。しかしこれは、突然のことではなかった。一八世紀を通じ、のちに改革を主導することになる官僚層の成長が見られ、すでに財政や行政の改革に着手していたからである。

一七世紀の末にはすでに、三つの大きな改革が行われた。第一は、終身徴税請負制の導入(一六九五年)、第二はキリスト教徒農民への人頭税の個人課税化(一六九一年)、第三は新銀貨クルシュの導入(一六九〇年)である。いずれも、財務長官府の官僚のイニシアティヴで行われた。

財務官僚は、もっぱら徴税請負を扱い、徴税請負制の変化に応じ、頻繁に組織替えを行っていた。一七世紀の末に導入された終身徴税請負制が社会を変えたことは前述のとおりだが、この変更を取り仕切ったのも、財務官僚であった。終身徴税請負権は分割されて所有され、世襲された。請負人から政府に納められる税額の多くは、使途があらかじめ定められ、その用途に応じて各地に送金された。その管理や手配は、全て中央政府の財務長官府の台帳に記録され、更新され、参照された。徴税請負は、オスマン帝国の官職者の多くが関係する業務であったため、帝国は徴税請負、そしてそれを扱う財務官僚とにより、ひとつにまとめられていたともいえよう。

また、一八世紀には、文書行政と外交にあたる大宰相府書記局の重要性が増していった。大宰相府書記各局の行った作業の痕跡も、大量の文書類として今日に伝わる。例えば、この時代のオスマン帝国では、君主と臣下の情報の交換は全て文書で行われ、それは大宰相府アーメディー局が差配した。帝国各地の官僚から送られてくる報告や嘆願書などは過去の文書を参照しながら処理され、政府による決定は、大宰相府御前会議局で作成され君主の一人称で書かれる勅令として、関係者に伝達された(高松 二〇〇五)。

こうした官僚体制の強化は、非イスラム教徒の共同体においても進んだ。いずれもイスタンブル総主教座を中心とするギリシア正教会やアルメニア教会は、本巻上野雅由樹論文に詳しくあるように、帝国全体の領域をその勢力下におくような組織に発展した。これはオスマン帝国という後ろ楯が、首都の教会聖職者にとって、各地の組織をまとめる上で有利に働いたからに他ならない。オスマン帝国にとっても、彼らを非イスラム教徒住民支配のための官僚組織の一員として使うことに有用性があった。相互依存の関係の中で、オスマン帝国の、いわゆる「ミッレト制」がこの時代にできあがっていく(上野 二〇一〇)。

このように、帝国の諸アクターは、官僚機構を通してイスタンブルに結びつけられていた。たとえば一七八四年に起きたシリア・アレッポの争乱の分析からは、地方社会と「横暴な」地方総督の対立が、地元有力者の側に立つイェニチェリや法官と中央政府のやり取りの中で推移していく様が浮かび上がる(黒木 二〇〇〇)。そこにあったのは、オスマン帝国の統治制度が依然、機能している姿である。また、アラビア半島のジッダに派遣されたオスマン官僚の心得を示した問答集からは、イスタンブルから遠く離れた地で働くオスマン官僚が、インドのスーラトやベンガルからの高級織物の交易を管理している様が窺える(高松 二〇一七)。これらの事例は、中央が管理する任官と徴税請負で徴収される税のネットワークで、帝国全体が結ばれていた証左である。

サファヴィー帝国の解体と地方勢力

サファヴィー帝国の安定は概ね一七世紀末まで保たれた。しかし、一八世紀に入ると、サファヴィー帝国軍の統制が失われ、各地で反乱が相次いだ。原因は複合的だが、根本には経済の悪化があった。絨毯産業への王家の保護が失われたこと、イランが中心だった絹織物貿易に、イギリス東インド会社によりベンガル産の絹製品が流入したことなどが、その原因にあげられている。

各地で続いた反乱は、一七一五年には首都のイスファハーンにも飛び火した。しかし、これは前兆にすぎず、一七二二年にはアフガン系カルザイ部族のマフムード(一七二五年没)がイスファハーンを包囲し、そこを征服、略奪した。サファヴィー帝国の命脈は、カズヴィーンでタフマースブ二世(在位一七二二–三二年)が即位したことで一時的に保たれ、一七二九年にはイスファハーンを回復するが、一七三六年に最後の君主アッバース三世(在位一七三二–三六年)が摂政のナーディル・シャー(一七四七年没)により廃され、サファヴィー帝国は滅亡する。アフシャール部族を率いていたナーディル・シャーはアフシャール朝を建て、ムガル帝国のデリーを征服・略奪するなどしたが、その死とともにアフシャール朝は勢力を失い、その後は、各地にトルコ系、クルド系、イラン系の有力者が自立し覇を争った(阿部 二〇〇四)。イラン高原とアゼルバイジャン地方は、一時はザンド朝により統一されるが、その君主カリーム・ハーンが一七七九年に没すると再び、地域勢力に分裂した。分裂は、一七九六年にガージャール朝によって統一されるまで続く。

この間に顕著になった現象は、イラン各地の有力者が、地域に根差した勢力として台頭したという点である(近藤 一九九三)。主役は、トルコ系遊牧部族やイラン系名家であったが、遊牧部族を中核とする勢力の場合も、「外来」の支配者ではなく特定の地域に在地化していた。地方政権は、その下に遊牧部族やイラン系ウラマー、地方官僚を含む地域の勢力として台頭し、拠点となる地域の支配権を確立した。中にはサファヴィー家の血縁者を担ぎ、その権威を利用するケースも見られた(近藤 二〇二〇)。また彼らの軍には、部族兵だけでなく、イラン系の人々も銃兵として参加していることが多い。これはサファヴィー帝国中葉以後の特徴が地方に及んだ現象でもある。こうして「地方」が被支配の対象から自立し、独自性を発揮する状況が生まれたのが一八世紀イランの特徴である。

宗教による統一――イランの場合

地方ごとの諸勢力が覇を争った一八世紀の旧サファヴィー帝国世界を統合していたのは、イスラム教十二イマーム・シーア派の人的・精神的ネットワークであった。すでに一七世紀以来、王権に対し一定の距離をおき、神授の法の担い手として政治力を発揮しはじめていた十二イマーム派のウラマーらは、サファヴィー帝国の解体により政治的な空白が生まれた一八世紀に、その存在感をさらに増していった。

この展開の中で注目されるのは、シーア派法学派のアフバール法学派とウスール法学派の論争が、ビフバハーニー(一七九一年頃没)らの活躍でウスール法学派の勝利で決着したことである。この論争は法学の諸側面に及ぶが、歴史上重要なのは、ウスール法学派が、優れた法学者(ムジュタヒド)による法の新たな解釈を認め、信徒はそれに従うことを義務づけた点である。これにより法学者が政治や統治に関わる道が開かれた。これは、やがて、イランの政治にシーア派ウラマーが、政治の担い手として登場する背景となった(Garthwaite 2010; Van Steenbergen 2021: 381)。

ムガル帝国からインド諸政権へ

一方、ムガル帝国では、アウラングゼーブの時代にその領域が最大に達するが、拡大した支配域は全く均質ではなく、地方ごとの特質をそのまま保持したものであった。そしてアウラングゼーブの死を契機に、各地の勢力は次々にムガル帝国から自立していった。デカン・南インドにおけるその過程は、本巻太田信宏論文に詳しい。

一つの動きは、ムガル帝国から地方に派遣された高官が、ムガル帝国の権威を認めつつも、租税収入の送金を行わず、事実上独立し継承国家を打ち立てたことである。ベンガル州(一七一七年)やアワド州(一七三九年)が半独立し、旧デカン総督のニザーム・ムルクはニザーム国(一七二四年)を建てた。

一方、ムガル帝国の権威に対抗し、独立した勢力となった政権もある。パンジャーブ地方では、一六世紀にイスラム教とヒンドゥー教の融合で生まれたスィク教の勢力が拡大した。グル(指導者)がアウラングゼーブに処刑(一六七五年)されたのを契機にムガル帝国と対立して武装軍団化し、一八世紀後半には独立した政治勢力となった。

一八世紀に最も伸長したのは、マラーター王国だった。前述のように、ムガル帝国と長く抗争を続けたマラーター王国は、一七一九年にムガル帝国からシヴァージー時代の領土を認められた。また、ムガル帝国領デカンの六州から「チョウト」と呼ばれる地税の四分の一の徴収権を得、さらに、デカン地方を越えて、中央インドや北インドでもチョウトを得た。これはムガル帝国の宗主権下での拡大とも位置づけられ、実際、マラーター王国はムガル帝国を自己の権威づけに利用したが、実質的にはインド最大の勢力となっていた。この頃のマラーター王国の実権は宰相(ペーシュワー)の家系が握り、一七三七年にはムガル帝国の首都デリーを攻撃した。宰相はマラーター豪族を束ね、王国の領域を超えた地域を支配していたため、マラーター連合と呼ばれる。

デリーは、マラーター連合に続き、イランのナーディル・シャーの軍に襲われた。ナーディル・シャーは一七三九年にラーホール、続いてデリーを占領し、財宝を奪ってイランへ帰還した。一七四八年、さらに一七五二年には、カンダハールにドゥッラーニー朝を建てたアフガン系のアフマド・シャー(一七七二年没)がパンジャーブ地方を襲い、一七五七年にはデリーを略奪した。この時、ムガル帝国側はマラーター連合に支援を求め、この結果、マラーター軍とアフマド・シャーの軍が争う構図となった。両軍は一七六一年にパーニーパットの戦いで対戦し、マラーター軍は大敗を喫した。

その後も、デカン地方では、諸勢力(マラーター連合、ニザーム国、マイソールのムスリム政権)が互いに競い、勢力の拡大をはかっていた。抗争の中、各勢力はヨーロッパ勢力との関係も利用した。

イギリス東インド会社は、一七世紀初めから各地に商館を開いていたが、一六三九年には東インドの小村を租借して植民地都市マドラスを建設し、一六五三年にはマドラス管区を設置した。ベンガル地方では一六九八年に三つの村の徴税権を購入した。そして、ここを開発して要塞を建設し、一七〇〇年にベンガル管区を創設した。これが後のコルカタのもとになった。また、一六八七年には、スーラトからボンベイに拠点を移し、ボンベイ管区がつくられた。

こうしてイギリスは沿岸部の植民地都市だけでなく、内陸の問題にも関与することとなった。前述のデカン地方の諸勢力は、対立・抗争のなかでイギリス東インド会社の軍事支援を受け、その代償として領土の一部を割譲した。やがて、イギリスに軍事や外交の権利を譲り、自身は藩王国の地位に転落した。例えば、ニザーム国は一七六六年に領土をイギリス東インド会社に割譲し、その後、藩王国化した。

一方、南インドではマイソール王国が一八世紀後半に大きな発展を示した。一七世紀の初めに南インドのヴィジャヤナガル王国から自立し、一八世紀中葉以来、イスラム教徒の軍人ハイダル・アリーとその子ティプ・スルターンのもとで中央集権化を進めた結果である。この過程で、フランスから支援を受け、マラーター連合やニザーム国と争った。しかし、最終的には一八世紀末にイギリスとの戦争に敗れ(第四次マイソール戦争)、ハイダル・アリーの家系は廃されたが、王国は藩王国として存続した(一七九九年)。

ベンガルでは、イギリスはより直接的な支配を行った。ムガル帝国から半独立のベンガル総督が一七五六年にイギリスと係争を起こしたことがきっかけだった。アメリカでの戦争の延長で英仏は戦争状態に入っており、ベンガル総督およびフランス東インド会社と、イギリス東インド会社が、一七五七年にプラッシーで衝突し、イギリス軍人クライヴが率いるイギリス側が勝利した。その後、ベンガルでの権益を拡充したイギリス東インド会社は、一七六四年には、ベンガル総督やアワド州長官、さらにムガル皇帝をバクサールで破った。これに伴い、イギリス東インド会社は、これまでベンガル総督がもっていたベンガル地方全体の租税徴収権を得て、代わりにムガル皇帝とベンガル総督に年金と給付金を受け取らせる体制を勝ち得た(一七六五年)。

イギリス東インド会社と長く共存したのは、西インドのマラーター連合だった。一時は戦闘を交えるが(一七七五年)、一七八〇年代以後、良好な経済・政治関係を続けた。しかし、一八世紀末になると、マラーター連合内の内紛から混乱し、マラーター連合の宰相政府はイギリス東インド会社の藩王国と化した(一八〇二年)。またグジャラート地方を割譲し、そこはボンベイ管区に加えられた。宰相政府がもっていたムガル皇帝の保護権も、イギリス東インド会社に帰した(一八〇三年)。

こうして、ムガル帝国を含む多くの地方政権の対立・抗争のアクターにイギリスやフランスが加わり、イギリスは各勢力と連合・対立を繰り返した。イギリスは各地の勢力を破り、藩王国として支配下においた。しかし藩王国に認められた権限は、それぞれに異なっており、イギリスの現実的な対応が際立つ。マラーター連合の圧力を受け弱体化していたラージプート諸王国も、一九世紀初頭に次々にイギリス東インド会社の藩王国になっていった。

商業化が繋ぐ世界——インド

以上の政治的状況は、イギリス東インド会社の勝利に向かう道のようにも見えるが、各地の諸勢力・諸政権が、その存続をかけて争った軌跡でもある。この一八世紀のインドの変化をどのように見るかは、一九八〇年代来、長く論争の的となってきた。イギリス植民地支配への評価を含むため見解は分かれるが、多くの研究により、「長い一八世紀」の中でインド各地の経済活動が活性化し、ムガル帝国の後継地方政権のもとで都市や農村が成長・成熟したことが跡づけられてきた。

すなわち、一八世紀のインドでは、首都デリーのみならず、外国貿易の窓口であったスーラトやベンガル地方のダッカなどがムガル帝国とともに衰退したが、それに代わるものとして、各地に中小都市が成長した。都市の成長は、当然、その後背地である農村の成長と連動していた。出発点は農業の発展だった。小麦や米が商品化され、金銭で売買されることで、商業の発展も促された。この流れに乗って農村で生産された綿織物も港湾都市に運ばれ、輸出された。これに関わる商人や金融業者が在地有力者の一部として成長し、そのネットワークは、政治権力の分断を超えて機能していた(佐藤・中里・水島 二〇〇九:三三二―三三九頁)。

こうした海外市場向けの綿織物産業の発展や、それに伴う金銀地金の流入、穀物の商品化が、植民地支配に先立ち、従来の村落共同体をいかに変えたかは、「一八世紀論争」のもう一つの論点である。植民地支配がインド社会にとって連続的なものであったか、非連続的なものであったかを問うテーマである。まず、出発点となる一八世紀のインドの村落社会が、「ワタン」や「ミーラース」と呼ばれる「職務と権益」により制御された社会であった点が注目されている。村落共同体は、ワタンやミーラースをもつ農民・職人・役人や、それをもたない職人などから成り、ワタンやミーラースをもつ職人らは、専門的なサービスの提供の代償に穀物などの分配を受けるという分業社会だった。そこに綿織物産業や地域間交易の活性化が変化をもたらした。南東インドのオリッサでは、農民による綿花販売などの市場経済への参画も、この職分権体制が支えた(田辺 二〇〇八)。しかし、南インドでは「村落リーダー」ともいえる中間層が台頭し、ミーラース体制は解体に向かった(水島 二〇〇八)。西インドでは、ワタンの権利の商品化が進み、「郷主ワタン」や「村長のワタン」などが分割されて売買される事態となり、やはりワタン体制の変質が進んだ(小谷 二〇〇七:二五六―二六〇頁)。村落内の分業体制に最終的に終止符が打たれるのは、イギリスの新地税制度(ライヤットワーリー制)の導入によるが、その導入が変化の中で台頭した中間層のいない(あるいは希薄な)地域から段階的に行われたことは、分業社会から植民地支配体制への移行の「連続性」を示唆している(小川 二〇一九)。

そのイギリスも、「長い一八世紀」が終わる一八三〇年頃までは、ムガル後継国家のひとつであったとする見方が「一八世紀論争」の中で概ね定着している。ベンガル地方におけるイギリス東インド会社の活動は、塩専売事業に見られるように税収を求める「近世」的なものであり、その活動が在地の地方商人や市場の内発的な変化に左右されたことはその証左である。しかし、事業の停滞などに直面し、イギリスの支配は近代的な植民地統治へと移行していく(神田 二〇一七)。

これらの研究は、インドの多様性を示す一方で、ヨーロッパ勢力も含む一八世紀インド社会のアクターが、自身の経済的利益を目指す中で、インドの持続的な発展が促されたという点で一致している。ここで強調されるべきは、一八世紀の南アジアでは、各地の商業的発展が社会を覆い、人種と宗教の複雑な構成がもたらす分断を超える接着力をもち、「るつぼ」とも、「サラダボウル」とも、「パッチワーク」ともいわれるインド社会を一体化させていた点であろう。

おわりに

以上、西アジア・南アジアで帝国が成長し、広大な地域を効率的に統治し、そしてその手法を受け継いだ地方勢力の台頭に至る三世紀を辿ってきた。「近世」のオスマン帝国、サファヴィー帝国、ムガル帝国の遺産は、それぞれの地域にとって、近代の礎になった。そして、現在においては、記憶の中の「過去の栄光の時代」として、時に政治的に利用されている。それ自身は現在の問題であるが、民族・宗教で分断された現代に対し、諸民族・諸宗教が共生した帝国が何らかのメッセージをもつのであれば、それも意味がないことではないだろう。本章では十分に触れられなかったが、この時代に形成された文化現象や文化財も、地域の「伝統」として意識されている。西アジア・南アジアにとって帝国の時代の意味は、依然として大きい。

注

（1）三つの帝国を扱った概説書としては、Dale（2010a）が優れている。またオスマン帝国とムガル帝国を制度や社会生活の面で比較するFaroqhi（2019）も新鮮な視点を提供する。各帝国に関する日本語の概説としては小谷編（二〇〇七）、小名（二〇〇八）、佐藤・中里・水島（二〇〇九）、羽田編（二〇二〇）、前田（二〇二二）、林（二〇一六）、小笠原（二〇一八）などがある。

（2）このため、この三帝国については、しばしば「火薬帝国 Gunpowder Empires」の用語が当てられた（Hodgson 1974; Morgan and Reid 2010; Streusand 2011）。

（3）三つの帝国の経済力を比較するに際し、基礎的な情報として人口を比較するのは有効であろう。一六世紀後半においてムガル帝国はデカン征服以前で一億―一億四五〇〇万人、オスマン帝国は二二〇〇万人、サファヴィー帝国は一〇〇〇万人程度と見積もられている（Dale 2010a: 107-108）。

参考文献

青木敦（二〇一七）「「近世」と「アーリー・モダン」」青木敦編『世界史のなかの近世』慶應義塾大学出版会。

阿部尚史（二〇〇四）「ナーデル・シャーとアフガン軍団」『東洋学報』八五―四。

岩本佳子（二〇一九）『帝国と遊牧民――近世オスマン朝の視座より』京都大学学術出版会。

上野雅由樹（二〇一〇）「ミッレト制研究とオスマン帝国下の非ムスリム共同体（研究動向）」『史学雑誌』一一九―一一。

小笠原弘幸（二〇一四）『イスラーム世界における王朝起源論の生成と変容――古典期オスマン帝国の系譜伝承をめぐって』刀水書房。

小笠原弘幸（二〇一八）『オスマン帝国――繁栄と衰亡の六〇〇年史』中公新書。

小川道大（二〇一九）『帝国後のインド――近世的発展のなかの植民地化』名古屋大学出版会。

小倉智史（二〇一五）「中世後期・近世カシミールにおける支配の正当性と宗教アイデンティティ」今松泰・澤井一彰編『前近代南

アジアにおけるイスラームの諸相――在来社会との接触・交流と変容』人間文化研究機構地域研究間連携研究の推進事業「南アジアとイスラーム」。

小名康之(二〇〇八)『ムガル帝国時代のインド社会』〈世界史リブレット〉、山川出版社。

小名康之(二〇一二)「ムガル時代の文書行政について」小名康之編『近世・近代における文書行政――その比較史的研究』有志舎。

嘉藤慎作(二〇一九)「インド洋西海域のヨーロッパ海賊とムガル朝の対応――オランダ東インド会社との交渉を事例として、一六九〇年―一七一〇年」『東洋学報』、一〇〇―四。

神田さやこ(二〇一七)『塩とインド――市場・商人・イギリス東インド会社』名古屋大学出版会。

岸本美緒(二〇二一)『明末清初中国と東アジア近世』岩波書店。

グリーン、モーリー(二〇一四)『海賊と商人の地中海――マルタ騎士団とギリシア商人の近世海洋史』秋山晋吾訳、NTT出版。

栗山保之(二〇一二)『海と共にある歴史――イエメン海上交通史の研究』中央大学出版部。

黒木英充(二〇〇〇)「前近代イスラーム帝国における圧政の実態と反抗の論理――一七八四年アレッポの事例から」『岩波講座 世界歴史』第一四巻、岩波書店。

小谷汪之(二〇〇七)「近世西インドにおける在地社会と国家」小谷汪之編『南アジア史二 中世・近世』〈世界歴史大系〉、山川出版社。

小谷汪之編(二〇〇七)『南アジア史二 中世・近世』〈世界歴史大系〉、山川出版社。

後藤裕加子(二〇〇四)「サファヴィー朝ムハンマド・フダーバンダ時代の宮廷と儀礼」『西南アジア研究』六一。

近藤和彦(二〇一八)『近世ヨーロッパ』〈世界史リブレット〉、山川出版社。

近藤信彰(一九九三)「ヤズドのモハンマド・タギー・ハーンとその一族――十八・十九世紀イランにおける地方有力者の実像」『史学雑誌』一〇二―一。

近藤信彰(二〇一五)「「近世イスラーム国家」の概念をめぐって」近藤信彰編『近世イスラーム国家史研究の現在』東京外国語大学アジア・アフリカ言語文化研究所。

近藤信彰(二〇二〇)「近世イランにおける預言者の血と王家の血――『ダーウード家詩篇』に見る王権と系譜」『西南アジア研究』九一。

齋藤久美子(二〇一二)「オスマン朝のティマール政策――ビトリス県へのティマール制導入をめぐって」『東洋史研究』七一―二。

佐々木紳(二〇一四)「オスマン憲政史の新しい射程」『新しい歴史学のために』二八五。

佐藤正哲・中里成章・水島司(二〇〇九)『ムガル帝国から英領インドへ』〈世界の歴史〉14、中公文庫。

澤井一彰(二〇一五)『オスマン朝の食糧危機と穀物供給――一六世紀後半の東地中海世界』山川出版社。

清水保尚(二〇〇三)「一六世紀末オスマン朝の地方財務組織について――アレッポ財務組織を事例として」『東洋学報』八五―一。

末広朗子(二〇一二)「初期マラーター王国とマンサブダーリー・システムについての覚書」『西南アジア研究』七七。

高松洋一(二〇〇五)「オスマン朝の文書・帳簿と官僚機構」林佳世子・枡屋友子編『記録と表象――史料が語るイスラーム世界』〈イスラーム地域研究叢書〉8、東京大学出版会。

高松洋一(二〇一七)「一八世紀オスマン帝国における紅海交易の一断面――問答集『ジッダ港の統治の秩序のために準備された諸留意点』」川分圭子・玉木俊明編『商業と異文化の接触――中世後期から近代におけるヨーロッパ国際商業の生成と展開』吉田書店。

田辺明生(二〇〇八)「一八世紀インド・オリッサ地域社会における職分権体制――王権、市場、宗教との関連におけるその近世的性格」『西南アジア研究』六九。

中里成章(二〇〇九)「近世のインドにおける歴史叙述」佐藤正哲・中里成章・水島司『ムガル帝国から英領インドへ』〈世界の歴史〉14、中公文庫。

長島弘(二〇一七)「ムガル期インドのグジャラート地方における商人と国家――諸説の紹介と検討」太田信宏編『前近代南アジア社会におけるまとまりとつながり』東京外国語大学アジア・アフリカ言語文化研究所。

永田雄三(二〇〇九)『前近代トルコの地方名士――カラオスマンオウル家の研究』刀水書房。

長谷部史彦(二〇一七)『オスマン帝国治下のアラブ社会』〈世界史リブレット〉、山川出版社。

羽田正(二〇〇一)「バンダレ・アッバースとペルシア湾海域世界」『歴史学研究』七五七。

羽田正編(二〇二〇)『イラン史』〈YAMAKAWA SELECTION〉、山川出版社。

林佳世子(二〇一四)「オスマン朝社会における本」小杉泰・林佳世子編『イスラーム 書物の歴史』名古屋大学出版会。

林佳世子(二〇一六)『オスマン帝国 五〇〇年の平和』〈興亡の世界史〉、講談社学術文庫。

平野豊（二〇一八）「シャー・イスマーイールの「シーア派国教宣言」とは何か」『駿台史学』一六四。

藤波伸嘉（二〇一三）「オスマンとローマ――近代バルカン史学再考（研究動向）」『史学雑誌』一二二―六。

堀井優（二〇二二）『近世東地中海の形成――マムルーク朝・オスマン帝国とヴェネツィア人』名古屋大学出版会。

前田弘毅（二〇二二）『アッバース一世――海と陸をつないだ「イラン」世界の建設者』〈世界史リブレット人〉、山川出版社。

真下裕之（二〇〇九）「南アジア史におけるペルシア語文化の諸相」森本一夫編『ペルシア語が結んだ世界――もうひとつのユーラシア史』北海道大学出版会。

真下裕之（二〇一二）「ムガル帝国におけるバフシ職について――大バフシ職の運用における人的要因」『東洋史研究』七一―三。

真下裕之（二〇一九）「ムガル帝国の形成と帝都ファトゥフプルの時代」岸本美緒編『一五七一年 銀の大流通と国家統合』〈歴史の転換期〉6、山川出版社。

松尾有里子（一九九九）「一六世紀後半のオスマン朝におけるカザーの形成とカーディー職――『ルメリ・カザスケリ登録簿』の分析を通じて」『史学雑誌』一〇八―七。

黛秋津（二〇一三）『三つの世界の狭間で――西欧・ロシア・オスマンとワラキア・モルドヴァ問題』名古屋大学出版会。

水島司（二〇〇六）「インド近世をどう理解するか」『歴史学研究』八二一。

水島司（二〇〇八）『前近代南インドの社会構造と社会空間』東京大学出版会。

守川知子（二〇一三）「サファヴィー朝の対シャム使節とインド洋――『スレイマーンの船』の世界」『史朋』四六。

守川知子（二〇一四）「地中海を旅した二人の改宗者――イラン人カトリック信徒とアルメニア人シーア派ムスリム」長谷部史彦編『地中海世界の旅人――移動と記述の中近世史』慶應義塾大学出版会。

山口昭彦（二〇〇七）「シャー・タフマースブの対クルド政策」『上智アジア学』二五。

和田郁子（二〇〇六）「インド・ゴールコンダ王国の港市マスリパトナム――一七世紀前半のオランダ商館の日記を中心に」歴史学研究会編『港町に生きる』〈港町の世界史〉3、青木書店。

Ágoston, Gábor (2005), *Guns for the Sultan: Military Power and the Weapons Industry in the Ottoman Empire*, Cambridge, Cambridge University Press.

Aksan, Virginia H. (2007), *Ottoman Wars: 1700-1870*, Longman, Pearson.

Aksan, Virginia H., and Daniel Goffman (eds.) (2007), *The Early Modern Ottomans: Remapping the Empire*, Cambridge, Cambridge University Press.

Dale, Stephen (2010a), *The Muslim Empires of the Ottomans, Safavids, and Mughals*, Cambridge, Cambridge University Press.

Dale, Stephen (2010b), "India under Mughal Rule", D. O. Morgan and A. Reid (eds.), *The Eastern Islamic World, Eleventh to Eighteenth Centuries* (The New Cambridge History of Islam, Volume 3), Cambridge, Cambridge University Press.

Faroqhi, Suraiya (2019), *The Ottoman and Mughal Empire: Social History in the Early Modern World*, London, I. B. Tauris.

Garthwaite, G. R. (2010), "Transition: The End of the Old Order - Iran in the Eighteenth Century", D. O. Morgan and A. Reid (eds.), *The Eastern Islamic World, Eleventh to Eighteenth Centuries* (The New Cambridge History of Islam, Volume 3), Cambridge, Cambridge University Press.

Hodgson, Marshall G. S. (1974), *The Venture of Islam: The Gunpowder Empires and Modern Time*, Volume 3, Chicago, The University of Chicago.

Karateke, Hakan (2005), "Legitimizing the Ottoman Sultanate: A Framework for Historical Analysis", H. Karateke and M. Reinkowski (eds.), *Legitimizing the Order: The Ottoman Rhetoric of State Power*, Leiden, Brill.

Kołodziejczyk, Dariusz (2015), "Khan, Caliph, Tsar and Imperator: The Multiple Identities of the Ottoman Sultan", P. F. Bang and D. Kołodziejczyk (eds.), *Universal Empire: A Comparative Approach to Imperial Culture and Representation in Eurasian History*, Cambridge, Cambridge University Press.

Morgan, David O., and Anthony Reid (eds.) (2010), *The Eastern Islamic World, Eleventh to Eighteenth Centuries* (The New Cambridge History of Islam, Volume 3), Cambridge, Cambridge University Press.

Murphey, Rhoads (1999), *Ottoman Warfare 1500-1700*, London, UCL Press.

Necipoğlu, Gürlü (2016), "Early Modern Floral: The Agency of Ornament in Ottoman and Safavid Visual Cultures", G. Necipoğlu and A. Payne (eds.), *Histories of Ornament: From Global to Local*, Princeton, Princeton University Press.

Péri, Benedek (2017), "Turkish Language and Literature in Medieval and Early Modern India", I. K. Poonawala (ed.), *Turks in the Indian Subcontinent, Central and West Asia: The Turkish Presence in the Islamic World*, Oxford, Oxford University Press.

Salzmann, Ariel (2003), *Tocqueville in the Ottoman Empire: Rival Paths to the Modern State*, Leiden, Brill.

Streusand, Douglas F. (2011), *Islamic Gunpowder Empires: Ottomans, Safavids, and Mughals*, New York & London, Routledge.

Tezcan, Baki (2010), *The Second Ottoman Empire: Political and Social Transformation in the Early Modern World*, Cambridge, Cambridge University Press.

Van Steenbergen, Jo (2021), *A History of the Islamic World, 600‑1800*, New York & London, Routledge.

問題群 | *Inquiry*

問題群｜*Inquiry*

近世のオスマン社会

上野雅由樹

近世の西アジア・南アジア・バルカン地域を多文化性が特徴づけたとすれば、本章で扱うオスマン帝国はまさにその代表格だった。一三〇〇年頃、アナトリアの北西部に現れ、オスマン家を長とした集団は、その後の二五〇年のあいだに現在のバルカン半島からアナトリア、アラブ地域、北アフリカに及ぶ広大な領土を獲得した。これによりオスマン帝国は、文化的背景の面で多様な人々を統治下に組み込み、その広域的な統治は人々の移動を促した。そのなかでオスマン帝国は、イスラム教への改宗やトルコ語の使用を強制することで同化を目指すのではなく、ゆるやかな枠組みは設けながらも、人々がそれぞれの宗教と言語を保持し、自宗派の宗教的職能者のもとで宗教実践や教育、相互扶助を行うことを容認した。こうして、オスマン治下の人々は、同じ地域内で複数の言語が日常的に用いられ、宗教・宗派を異にする人々が互いに交流する社会をつくりあげていったのである。

こうしたオスマン帝国において、人々を把握する基準として重要度が高かったのは宗教だった。これは、近代以前に民族が人々の属性であると見なされなかったことや宗教・宗派間の交流がまれだったことを意味するわけではない。しかし、オスマン帝国において支払うべき税や科される処罰、社会生活に関わる制約、社会的上昇のあり方などに影響した属性は宗教であり、さらには性別や、自由人か奴隷かの身分だった。また、文化の形成も宗教・宗派と強い結びつきを有していた。そして、異なる宗教・宗派の人々のあいだで経済活動が営まれ、日常的な交流が見られた一方で、同じ宗教施設に通い、それを共同で支えるという行為は、地縁的結びつきとも相まって社会的なつながりの基盤となり、村や街区、教区といったレベルで宗教・宗派別の共同体が形成されることにつながった。こうした観点から本章では、多宗教・多宗派社会としての側面を軸に、オスマン帝国における共生の仕組みを概観する。

オスマン帝国における共生の仕組みとしては、ミッレト制が広く知られている。この枠組みによれば、オスマン帝国はキリスト教徒やユダヤ教徒の臣民を、帝国全土の同宗派者をひとまとめにする形で「ミッレト」と呼ばれる宗派共同体に編成し、一五世紀半ばにイスタンブルを都とした後から帝国の崩壊にいたるまで一貫して、それぞれの聖職者機構に宗派共同体ごとの自治を委ねる形で間接統治を行ったとされる。これは、相互に関係をほとんど持たない宗派集団が別々に並存するものとしてオスマン社会をとらえる見方につながり、宗教が社会生活全般を決定づけるかのようなイスラム観、さらには宗教や民族の違いによる分断を前提とする現代的な視点と親和性が強いだけに、かつては幅広く受け入れられていた。しかし、こうした単純化された図式は、政治権力の役割を過剰に評価するという問題を有するばかりか、歴史的実態になじまず、史料上の根拠さえないものとして批判にさらされて久しい(上野 二〇一〇、Gara 2017)。その一方で、ミッレト制論に批判的な研究は、宗教を異にする人々の交流を強調し、宗教・宗派を同じくする人々が作り出した共同性の次元を軽視するきらいがある。広大な領土を持ったオスマン帝国の長い歴史を単純に図式化することは不可能であるとはいえ、本章は、宗派共同体の次元とそれを超えた人々の社会関係の次元が並存しうるという当然の前提に立つことで、オスマン社会の大まかな見取り図を描く一助としたい。

前近代の世界では地域を問わずそうであったように、オスマン社会も不平等を前提とした社会だった。そのなかで原則とされたのはムスリム男性の優位であり、その自由人が標準とされ、キリスト教徒やユダヤ教徒といった非ムスリム、女性、そして奴隷に対して制度的にも非制度的にも様々な制約を課すことで成り立ったのがオスマン社会だった。ただし、こうした不平等や制約はあくまでルールに則ったものであり、ムスリム男性による恣意的な暴力や搾取が必ずしも容認されたわけではなかった。オスマン君主は理念上、多様な宗教・宗派の臣民と等しく距離をとり、ルールを設定し、そのルールに則った形で社会を公正に維持する主体として君臨したのである。そのもとで人々は、宗派集団内部のものであれ異宗派間のものであれ問題や対立を解決し、属性に起因する制約はあれども男性であれば社会的上昇を果たすことができた。こうしたなか、オスマン治下の人々は、それぞれに社会秩序を維持する主体として帝国のなかで居場所を確保し、ときにその存在意義を主張することで政治権力の公認を得ていった。以下ではまず、一六世紀までのあいだにこうした社会の枠組みができあがっていく過程を確認する。その後、宗派共同体内部の次元とそれを超えた社会関係の次元について論じ、最後に一七世紀末以降の展開について見る。

一、スンナ派の帝国

まず、オスマン帝国の人口構成を確認することから始めよう。帝国の領土拡大が進んだ一六世紀以降、宗教別の人口は、概して三分の二程度をムスリム、三割ほどをキリスト教徒、数%をユダヤ教徒が占めたと見られている。ただし、これには地域差があった。一四世紀にオスマン集団が大国化の礎を築いたバルカンは、オスマン以前は正教会信徒のキリスト教徒が圧倒的多数派を占めた土地であり、地域に応じてギリシア語やスラヴ諸語、東ロマンス諸語などが用いられた。オスマン治下に入った後、都市部を中心にムスリムの入植が進み、ボスニアやアルバニアなど、イスラム教への改宗が著しく進んだ地域もあったが、全体としてはオスマン帝国期を通じてキリスト教徒人口が多いままにとどまった。オスマン治下においてそれまでの政治的な不安定さが解消されたことは、バルカンにおける経済的、文化的発展と人口の増加を促すことになり、このバルカンこそ、面積は狭いものの、帝国のなかでは比較的第一次産業の生産力と人口密度が高めであって、帝国の中核と見なされた地域だった(1)。

これに対し、オスマン以前にイスラム教への改宗が進んだアナトリアでは、トルコ語話者を中心にムスリムが多数派を占めながらも、西部のエーゲ海沿岸では正教徒が、一六世紀初頭にオスマン領に組み込まれた東部の内陸部ではクルド語話者のムスリムとアルメニア人キリスト教徒が一定の存在感を有していた。このうちアルメニア人は、軍人や農民、遊牧民が引き起こしたジェラーリー諸反乱によって地域社会が混乱するなかで、一七世紀にはバルカン半島東部のトラキア地方やアナトリア西部、そしてイスタンブルへの離散傾向を強め、帝国各地に数多くの移住者を出すことになる(Shapiro 2019)。同じく一六世紀にオスマン領に入ったアラブ地域においては、アラビア語話者のムスリムが圧倒的多数派を占めるなか、他地域に比して割合は少ないものの、コプト教会やシリア教会に属するアラビア語話者のキリスト教徒の姿も見られた。これに加え、一五世紀末から一六世紀にかけて、イベリア半島からオスマン領へと数多くのユダヤ教徒が流入した。彼らは、テッサロニキやイスタンブルといった大都市において、言語文化を異にする在来のユダヤ教徒を吸収し、カスティーリャ語由来のラディーノ語を共有するユダヤ教徒共同体を形成していった(Hacker 2018a)。

中世末期において、アナトリアのムスリムのあいだでは宗派区分や宗教的正統性への意識があいまいだった。この地におこったオスマン集団も、こうしたあいまいさに根ざしてキリスト教徒の旧支配層や軍人を、改宗を求めることなく柔軟かつ積極的に取り込んでいったことが知られている。キリスト教徒の受け入れは、徴税権を分与された在郷騎士といった社会の上層にとどまらず、下位の兵卒や城塞の守備要員、地域の治安維持を担った人々にまで及び、彼らは奉仕と引き替えに税負担の免除や軽減を受けることができた。このことが示すように、初期のオスマン集団は、支配層とそれ以外を分ける基準を宗教に置くことはなく、社会編成の面で宗教が持った意味は二次的だった(Greene 2015: 7-9, 15)。

こうしたあり方は、一五世紀中葉から一六世紀初頭の領土拡大や政治情勢を受けて徐々に変化していくことになる。

東部アナトリアとアラブ地域の編入により、帝国のムスリム人口は大幅に増加した。これは第一に、ムスリムが多数派を占める国へとオスマン帝国が転換することにつながり、第二に、新領土のムスリムに統治の正当性を示す必要性をもたらし、そして第三に、オスマン王家がイスラム教の聖地たるメッカ、メディナの守護者としての権威を得ることを可能にした。さらに、イラン高原におこったサファヴィー帝国がイスラム教シーア派を掲げたことは、オスマン帝国の支配層がスンナ派への意識を高めていくことにつながった。それと同時期に、帝国としての領土拡大は、その統治のルールを明確化する必要性をもたらした。こうして、一五世紀後半に始まり、一六世紀中葉のスレイマンの時代に頂点を迎える形でオスマン帝国では法整備が進み、それまでに蓄積された様々な取り決めや慣習がシャリーア(イスラム法)に適した形で整理されていった。こうした動きは、勅令の発布や統治法令集の作成、宗教的権威の発する法判断などを通じて、宗教・宗派間の区分や男女の別を明確にする様々な規範を形成し、それに従うこと、周囲の人々をそれに従わせることを人々に促していった(Terzioğlu 2012-2013; Krstić 2019)。

こうした政策の一環としてオスマン帝国は、すべての村にモスクを建設することを命じ、ムスリム男性に集団礼拝に参加することを呼びかけた。地方の軍政官やシャリーア法廷の法官は、集団礼拝の常習的な欠席者を処罰する権限を与えられた。こうした風潮を受けて都市部でもモスクの建設が飛躍的に進んだ(Necipoğlu 2005: 47-59; Sünnetçioğlu 2021)。刑罰の規定を多く含んだ統治法令集のなかでは、性的逸脱行為や家の外での男女の交流に関わる規定が増大することになり、公共空間へのムスリム女性の表出を大きく制限し、家族以外の男性の視線から彼女たちを遠ざける傾向が見られた(Peirce 2010)。こうした動きは中央政府の政策のみによって実現したわけではなく、モスク建設に資金を提供した地域社会の人々や、「正しい」スンナ派の信仰を涵養《かんよう》するための宗教指南書をトルコ語で執筆し、そのなかで集団礼拝の重要性を強調した知識人などによって支えられていた(Terzioğlu 2012-2013; Krstić 2019)。

非ムスリムとの関係ではオスマン帝国は、彼らに社会生活上の様々な規制を課すことを通じてムスリムと非ムスリムの境界を明確にする方針をとった。この点が明瞭にあらわれたのは服装である。一六世紀のオスマン帝国では同時代の他地域と同様、地位や宗教、性別といった属性が、服装やかぶり物の色や素材で区別されていた。女性の場合は宗教による服装の違いがそれほど大きくなかったのに対し、男性の場合はターバンや服の色で宗教帰属が示されたと言われている。一六世紀中葉には非ムスリムがムスリムと同じ服装をすることを禁じる勅令や、ムスリムと同じターバンをかぶった非ムスリムをイスラム教への改宗者と見なすべきかどうかについての法判断が発せられた。同時期には、ムスリムがいる公衆浴場を利用する際にユダヤ教徒に制約を課す勅令も出され、また、イスラム教への新改宗者がキリスト教徒の祝祭に参加することや、非ムスリムの言語をムスリムが用いることを禁じる法判断も見られた(Faroqhi 2004: 22, 24; Hacker 2018b: 838; Krstić 2011: 150; Masters 2001: 29-30)。宗教・宗派の区分のあいまいさを嫌ったのは非ムスリムの指導層も同様であり、ユダヤ教徒の側からユダヤ教徒の服装規制を厳格に適用すべきとの要望が帝国中央に寄せられたという(Faroqhi 2004: 24)。

その一方で、例外を許容する柔軟さが失われたわけではなかった点に留意することも有益だろう。服装を例にあげれば、徴税を担うキリスト教徒の聖職者や外国人を含む非ムスリムの旅行者は、道中の安全のために変装することを認められた(Elliot 2004: 111-114; BOA, MŞH.ŞSC.d 6574, pp. 29-30)。これに関連して示唆に富むのは一七世紀のアルメニア人聖職者の記述である。彼は、経済的な事情からムスリムのもとに身を寄せ、ムスリムの服装をした兄弟について記しており、庇護者となったムスリムが、キリスト教徒である彼の兄弟に対して服装規制を厳格に適用しなかった様子が見てとれる。この聖職者は、服装が長年会っていなかった兄弟を認識する妨げになったこと、ムスリムの庇護者のもとを離れられないかと尋ねた際、「服を脱ぎ、今日にも離れたい」が、代わりの服がないと兄弟が答えたこと、彼が兄弟に代わりの服と帽子を与えてムスリムのもとを離れることを促したことを記録しており、服装が持つ象徴的な意味合いが見てとれる(Shapiro 2019: 79-80)。

祝祭への参加や言語の使用に関わる規制は、政治権力が示した方向性にもかかわらず、新改宗者を含めたムスリムと非ムスリムのあいだで交流が続いたことの証左でもある。[2] こうした交流に関して興味深いのは、一七世紀のアルメニア人文筆家が残した『キリスト教徒に対するムスリムの悪意の策略』と題された文献である。そのなかで著者は、アルメニア人の婚礼に参加したムスリムについて記述しており、アルメニア人がムスリムの客にワインを提供したと述べ、ムスリムが金銭を求めるために主催者を責めたことに言及し、アルメニア人読者に対してムスリムとの付き合い方に注意を促している。この記述を紹介した研究者は、件の文献が、ムスリムと日常的に付き合うなかでいかに改宗を避けるかをアルメニア人に教えるものだったのではないかと推測しており、宗派を超えた交流が見られたなかで、それが、立場の弱いキリスト教徒に強いられた緊張と、身のほどをわきまえた彼らの態度の上に成り立っていたことを示唆している(Ohanjanyan 2021: 144, 158)。

スンナ派意識の高まりと法整備の進展は、一五世紀までの征服過程で個別に容認されてきた教会や修道院財産の所有のあり方にも影響を及ぼし、一六世紀には、都市化の進展やモスク建設ブームとあいまって、非ムスリムの宗教施設や寄進財の接収が試みられた。しかし、オスマン帝国は、キリスト教徒聖職者との交渉のもと、それまで認めてきたことをおおむね継続する形で柔軟に妥協することを選んだ。例えば、宗教施設の所有をめぐっては、武力で征服された土地のものは接収されるのに対し、降伏した非ムスリムの宗教施設は彼らの手にとどめられることが原則とされるなかで、前者に当てはまるはずのイスタンブルに多数の教会が存続していたことが問題視された。こうしたなか、コンスタンティノープルの住民が秘密裏にメフメト二世と手を結んでいたというフィクションをつくりあげることで、教会接収の危機は回避された。人ではなく組織を受益者とした修道院の寄進財もシャリーアの観点から違法と見なされたが、修道士たちは、修道院の存続がもたらす税収を引き合いに出すことで、接収された修道院財産を買い戻すことを許され、旅行者や貧民を受益者とすることにより、実質的にはそれ以前と同様の修道院経営を継続することを認められた(Necipoğlu 2005: 57-59, 523; Düzenli 2013: 217-218, 240-241; Kermeli 2008)。

ムスリムと非ムスリムの境界が意識されるなかで、軍事や政治に携わる人々のあり方も変化し、ムスリムであることが支配層への参入要件とされた。一五世紀までは数多く見られたキリスト教徒の騎士も、次第に改宗が進んだことで一六世紀にはほぼ見られなくなった。政府高官やイェニチェリ(火器を用いる常備軍)となる人材はキリスト教徒の子弟から徴用されたが、彼らはイスラム教へと改宗することを求められた。こうして、社会的上昇の道が商業や金融業、徴税請負に絞られていくなかで、キリスト教徒とユダヤ教徒はこれらの分野でオスマン社会を支える人材を輩出していくことになる。彼らにとってそうした分野は、一七世紀にキリスト教徒子弟の徴用がほとんど行われなくなり、社会的上昇のあり方が変化するなかでさらに重要度を増していった。そしてそれは、帝国の領土拡大が限界を迎え、軍事の重要性が次第に低下していく時代と重なっていた(Greene 2015: 62-63, 82-84, 131-134)。

注目に値するのは国際商業である。オスマン以前の東地中海では、イタリア半島の諸都市国家が商業活動において顕著な存在感を示していた。この地域におけるオスマン帝国の伸張は、オスマン臣民に有利な環境を作り出し、なかでもギリシア人正教徒たちはその恩恵を受けた。イベリア半島から流入したユダヤ教徒もこれに加わり、西ヨーロッパにまで広がる国際的な同胞のネットワークに利を得て、一六世紀には経済的な成功を収めた。また、オスマン・サファヴィー間の宗派対立のなか、一七世紀にはサファヴィー治下のアルメニア人キリスト教徒が陸路でオスマン領を経由して東西を結ぶ交易に従事する機会を得た。これは後に、地中海交易におけるオスマン・アルメニア人の成功につながっていった(グリーン 二〇一四、Aslanian 2011: ch. 4)。

二、宗派共同体

ここで視点を、人々の社会的なつながりの次元に切り替えてみよう。近世のオスマン帝国は、イスラム教の理念を通じた規律化や、非ムスリムの宗教的職能者の公認といった形で宗教・宗派を通じた結びつきを統治に利用した。その結果、宗教を同じくすることは、一六―一七世紀のオスマン帝国において、村や街区、教区のレベルで人々の社会的なつながりの基盤として重要度を増していった。オスマン治下の人々にとって、宗派共同体とはまず、こうした地域ごとの住民のまとまりを意味し、広域的なつながりは、各地で住民が形づくった小規模なまとまりの上に成り立っていた。

オスマン帝国は、何らかの宗教・宗派の人々を特定の区域に強制的に隔離するような施策をとらなかったと言われている。ただし、同じ宗教・宗派の人々をまとめて居住させようとする意思が政治権力にまったくなかったわけではない。征服初期においてはもともとあったキリスト教徒の居住域の隣にムスリムの入植地を新たにつくって分住させたり、ある宗派の人々をまとめて強制的に移住させ、移住先の都市の同じ地区に住まわせることなどが見られた。また、ムスリム住民の要望に応じてムスリムが多い地区やモスク周辺から非ムスリムを排除することもあった(Greene 2015: 5, 75-78; Hacker 2018b: 838-840; Kenanoğlu 2004: 317-325)。ムスリム・非ムスリムを問わず、オスマン治下の人人にとっても宗教・宗派別にまとまって居住することは、宗教施設や教育の場への通いやすさだけでなく、ムスリムが忌避する豚肉や酒の消費、ユダヤ教の観点から許可されたコシェル食品の入手、あるいは他の宗教・宗派の人々の行為に煩わされないといった生活のしやすさにも関わる合理的な選択だった。その一方で、明確な居住制限が恒常的に存在したわけではなかったので、職業上の利便性や経済的、個人的な事情から居住地を選択することも可能だった(Ayalon 2017: 340)。その結果、宗教・宗派別のゆるやかな分住を前提としながらも、開発の進展や人々の移住に伴って各地で宗教的な混住が生じることとなった。

居住のあり方に見られる区分のゆるやかさは、地域ごとの宗派共同体のあり方にも通じるものがある。政治権力、そして各宗派共同体の宗教指導層は、社会の秩序を維持し、自らの地位を保全するために宗教・宗派の区分を強調した。人々にとっては、たとえ宗教指導層に従順ではなくとも、宗派共同体が提供する宗教実践や教育、慈善的援助の機会を享受し、また体面と評判を保つために宗派共同体の一員であることは重要な意味を持った。ただし、中央政府の方針が帝国各地で厳格に実現されたわけではなかった。また、非ムスリムの宗教指導層は破門という形で処罰を科すことができたが、宗派共同体を超えた社会的つながりを持つ信徒に対してその効果は限定的であり、それだけに、人々は宗派共同体の制約から自由になることも可能だった。宗派共同体の自律性を守ろうとする宗教指導層と、その一員であることを望みながらもある程度の自由を欲する人々のせめぎあいのなかで、オスマン社会の宗派共同体は成り立っていたのである(Ayalon 2017)。

ムスリムの場合、オスマン帝国はスンナ派の立場から、自街区のモスクでの集団礼拝に男性が参加することを奨励し、女性に関しては家の外での装いと振る舞いを規制した。これは、街区や村ごとの住民による相互監視を強め、モスクとそのイマーム(導師)を中心とした共同性の醸成につながった。こうした人々のまとまりは、初等教育の提供や、モスクや学校の運営への関与を通じてさらに強まっていった(Sünnetçioglu 2021; Peirce 2010: 139)。当初ユダヤ教徒は、ラビ(宗教指導者)と俗人有力者を中心とした宗派集団を各地で出身地ごとに形成したことが知られている。一六世紀を通じて出身地ごとの区分が薄まった結果、地域ごとの宗派共同体は、宗教実践と交流の場としてのシナゴーグ(会堂)、信徒間の調停や取り決めの場としての法廷、さらには教育や扶助の機会を共有する人々のまとまりとして機能した(Hacker 2018a; Ayalon 2017)。キリスト教徒の場合も同様に、司祭と俗人有力者を中心とした、地域ごとの同宗派信徒のまとまりが社会関係の基盤を成した(Gara 1998; Ivanova 2005)。

女性の就労機会が限られていたことを踏まえれば、彼女たちが経済活動を通じて直接、異宗派間関係に参加する機会は少なく、それだけに、女性は男性以上に宗派共同体に強く依存し、それに伴う制約も受けやすかったと考えられる。また、モスクを新設できたムスリムの場合、地域ごとの信徒のまとまりが地理的に狭い範囲にとどまりやすかったのに対し、宗教施設の新設に制限のあった非ムスリムの場合、特に都市部においては、各宗教施設と結びつきを持つ会衆の居住域は比較的広い範囲に及ぶ傾向にあった(Ivanova 2005: 222)。宗教・宗派を同じくする人々のまとまりは、言語文化を共有する側面も有し、話し言葉の面では、ムスリムのトルコ語やアラビア語、正教徒のギリシア語やブルガリア語、アルメニア人のアルメニア語、ユダヤ教徒のラディーノ語といった宗派集団別の言語使用が見られた。その一方で、非ムスリム、とりわけその男性には多言語話者が数多く見られ、バルカンとアナトリアではトルコ語が宗派共同体を超える社会関係の媒体となった。これは、トルコ語のみを用いる非ムスリムの登場や、ギリシア文字やアルメニア文字などを用いてトルコ語を表記する文化の形成につながった(Woodhead 2011)。

キリスト教徒に特徴的なこととして、こうした地域ごとのまとまりの上に、オスマン以前からの階層的な聖職者機構が存在した点があげられる。正教会の場合、各地域の小教区の上には府主教が位置し、広域の地理的範囲を管轄した。さらにその上ではイスタンブルやイェルサレム、ペーチ、オフリド、アンティオキアなどの総主教が複数の府主教管区を取りまとめていた。アルメニア教会の場合、小教区の上にはトルコ語で「マルハサ」と呼ばれる聖職者が位置し、さらにその上には、アルメニア教会の伝統的な首長である「カトリコス」とマムルーク朝やオスマン帝国が創設した「総主教」という二種類の高位聖職者が存在した。一七世紀に関して言えば、イスタンブル総主教がバルカンとアナトリア西部を、イェルサレム総主教がアラブ地域を、キリキア・カトリコスがアナトリア中南部からシリア北部を管轄し、オスマン・アルメニア人の多数派を占めた東部アナトリアのアルメニア人はサファヴィー治下のエチミアズィン・カトリコスの管轄下にあった。地域的な集住の度合いが比較的高いコプト教会やシリア教会の信徒も、それぞれ独立した教会組織を維持していた(Kenanoğlu 2004: 95-119; Çolak and Bayraktar Tellan 2019; Bardakjian 1982)。

これら諸教会に関して、オスマン帝国は、カトリコスや総主教、府主教やマルハサといった上位の聖職者に対して貢納の支払いと引き替えに勅許状を付与し、信徒に対する彼らの地位を保全するという対応をとった。オスマン帝国は、権限の公認と引き替えに、秩序の維持に関わる何らかの奉仕や貢納金の支払いといった義務を課す関係を統治下の有力者や集団と幅広く結んでおり、キリスト教徒の高位聖職者とも同様の形で関係を築いたのである(Çolak and Bayraktar Tellan 2019; Greene 2015: 14-15)。

諸教会の聖職者とのあいだで公認と奉仕の関係を結ぶことは、オスマン帝国にとって、統治下のキリスト教徒の宗教実践を保障するというイスラム教の原則を守ることをまず意味し、それによって彼らの支持を得ること、領土拡大期においては帝国外のキリスト教徒にアピールすることにもつながった。帝国の君主や高官たちは、それぞれ利害の一致する高位聖職者と戦略的な協力関係を築くこともあり、ときに教会内の人事にも介入した。こうした協力関係に対する帝国上層の積極性は、征服後のコンスタンティノープルに早々に正教会の総主教を任命したことや、新帝都にアルメニア教会の高位聖職者を任命し、遅くとも一六世紀前半までには総主教号の使用を認めていたことに表れている(Greene 2015: 29-42; 上柿 二〇一二、Rahn 2002)。さらに、オスマン帝国にとって聖職者の権限の公認は、教会組織が有したネットワークと財産から、貢納という形で収益を間接的に吸い上げる意味合いも大きかった。オスマン帝国は、公認と奉仕の関係を調整する一手法として徴税請負制を用いており、キリスト教徒の高位聖職者との関係も、帝国の制度上は徴税請負制の枠内に位置づけられた(Kenanoğlu 2004; Papademetriou 2015)。

帝国とキリスト教徒聖職者との関係の一例として、一六一八年付のアルメニア教会イスタンブル総主教の勅許状を見てみよう(İŞS, İstanbul Mahkemesi 3, 90a)。勅許状の序文では、オスマン二世の即位により勅許状の更新が命じられたという発給の事情がまず説明される。つづいて、総主教候補となった人物による貢納の支払いについて詳細に述べられる。本文では、総主教が管轄する地域がまず列挙され、その管轄範囲が明示される。そして聖職者の任免・処罰権、信徒の婚姻や相続に対する監督権、教会財産の所有権、信徒からの徴税権などが認められる。それにあわせて、教会財産や徴税を行う聖職者に他の者が介入しないことにも言及が見られる。

興味深いのは、この勅許状が聖職者に権限を与えるだけでなく制限も課している点である。例えば、勅許状内で管轄地域が明示されたことは、その外部の信徒や聖職者への権限を制限する意味を有していた。また、聖職者の遺産に関しては、五〇〇〇アクチェに満たない場合は総主教が取得することが認められたものの、五〇〇〇アクチェ以上の場合は国庫が没収することとされており、これは聖職者による過剰な蓄財を予防する意味を持ったと考えられる。とりわけ注目に値するのは、「アルメニア人の儀礼に関してお互いのあいだで生じた問題には総主教以外、誰も介入しないように。しかし、シャリーアに関わる申し立てがあるならばその地の法官に申し立てるように」という記述である。案件をめぐる線引きはあいまいではあるが、信徒間で生じた問題の解決をめぐって、その一部に対しては総主教の管轄権を前提としつつ、それ以外の事柄に関してはアルメニア人がシャリーア法廷を利用すべきことが述べられている。これは、複数の権威がアルメニア人キリスト教徒の社会生活に関わるべきというオスマン政府の方針を示す文言であり、より詳しくは次節で扱う。ここまで明確ではないとはいえ、キリスト教徒によるシャリーア法廷の利用への言及は、一五二五年付の正教会イスタンブル総主教の勅許状や、一六九八年付のアルメニア教会イスタンブル総主教の勅許状にも見ることができる(3)(Çolak and Bayraktar Tellan 2019; BOA, MŞH.ŞSC.d 6293, 115a-115b)。

三、問題解決の場

オスマン治下の人々は、経済活動や日常生活の様々な場面で他の宗教・宗派の人々と交流する機会を数多く有していた。そのオスマン社会で利害対立や社会関係の調整を担ったのが、シャリーア法廷やイスタンブルの中央政府だった。

オスマン帝国においてシャリーアは、当事者の同意が要件とされる場合もあるとはいえ、ムスリムだけでなくキリスト教徒やユダヤ教徒にも適用された。これに加えて、徴税や刑罰などに関わる事項についてはスルタンが定める法が存在した。さらに、キリスト教徒やユダヤ教徒の教会法や慣習法なども、それぞれの構成員のみに通用する形で運用することが容認されていた。正教徒のあいだでは、ビザンツ時代にまとめられた法典やその改訂版などが利用されていたことが確認されている(Kermeli 2007; Kermeli 2013: 503)。

こうした法の運用状況のもと、オスマン臣民は性格の異なる複数の問題解決の場を利用することができた。キリスト教徒やユダヤ教徒の場合、聖職者と俗人有力者が共同で、あるいは別個に運営する宗派共同体の法廷があった。その発展の度合いや形態は宗派や時代、地域に応じて違ったものの、彼らはそこに婚姻や相続、後見人に関する問題のほか、借金や商取引に関わる問題など、信徒間の対立の解決を求めた。また、地方各地の司法と行政の場として機能したシャリーア法廷では、その法官がムスリム同士や異宗派間の問題はもちろんのこと、同宗派の非ムスリム間の問題にも対応した。さらに、宗教・宗派を問わずオスマン臣民は、イスタンブルの中央政府に嘆願し、不正の除去を求めることができた。こうした嘆願には、地方行政官の不正や徴税といった統治に関わる問題だけでなく、相続や借金、商業契約、家族関係に関わる問題なども含まれており、シャリーア法廷の裁定に不満を持った人物が中央政府に訴えることもあった(Kermeli 2007; Gradeva 2011)。

とりわけ非ムスリムは、複数の選択肢から問題解決の場を選ぶことができたと言われている。宗派共同体の裁定に不満がある者や、教会法の制約から逃れることを望む者は、シャリーア法廷を利用したり、中央政府に嘆願することができた。選択肢の存在は、非ムスリム個人から見れば、所属する宗派共同体からある程度自由になることを、宗派共同体の指導層から見れば、信徒に対する統制力が制限されることを意味した。非ムスリムの指導層は、信徒のイスラム教改宗を防ぐべく、宗教間の境界を明確にしたい意図もあり、シャリーア法廷の利用をたびたび禁止したが、それでも非ムスリムによるシャリーア法廷の利用は近世を通じて続いたことが確認されている(Gradeva 1997; Laiou 2007)。こうしたなか、正教会は、離婚を認める条件を緩和するようになり、一七一七年にはイスタンブル総主教の決定により、双方の合意による離婚を認めるまでに至っている。その背景には、正教会では認められない理由でも離婚を認めるシャリーア法廷で信徒が離婚してしまうという事情があった(Laiou 2007)。一八世紀初頭には、ある正教徒女性が聖職者の法廷で離婚を認められなかったがためにシャリーア法廷でまず離婚し、後に聖職者のもとで教会法の観点からも離婚を認められたことが記録されている(Kermeli 2007: 190-191)。

近世のオスマン帝国においてシャリーア法廷は地方各地に存在し、またその法官は、ムスリムだけでなくキリスト教徒やユダヤ教徒にとっても縁遠い存在ではなかった。それは、オスマン帝国では法官が統治構造のなかに深く組み込まれており、訴訟の審理以外にも多くの役割を担ったためである。近世のオスマン帝国では、大規模な単位である州や県と、小規模な単位である郡の行政は、別系統の役人によって担われており、権力の分散と相互監視が原則とされた(Inalcik 1973: ch. 13)。そのなかで郡を管轄したのが法官であり、一八世紀の段階では帝国内におよそ六〇〇ほどの郡が存在したことが確認されている(Yaycioglu 2016: 125)。これら郡において法官は、徴税業務や経済活動の監督のほか、中央政府と地域住民の仲介者としての役割も担い、中央から届いた勅令を告知し、地方の住民の訴えを中央へと届けた。こうした行政的な役割に加え、法官は地域住民の要望に応じて売買や賃貸などの契約を登記する公証人としての役割も担った(大河原 二〇〇五)。これらの役割を法官が担ったのも、様々な契約や経済活動はシャリーアの枠内で行われることが原則とされたためであり、宗教・宗派を問わず、また男女ともに、各地域の住民は訴訟以外の理由でシャリーア法廷の法官と関わる機会があったのである。

前節で述べたように、一六―一七世紀において、中央政府はキリスト教徒がシャリーア法廷に問題解決を求めることを総主教の勅許状に盛り込んだこともあった。シャリーア法廷での訴訟においては、証言者としての資格の点で非ムスリムはムスリムに劣る存在として扱われたものの、訴訟当事者としてはムスリムが必ずしも有利に扱われたわけではなく、シャリーアのもとでの公正性が原則とされていた。トルコ語を解さない非ムスリムのために通訳が訴訟に関与したことも確認されており、言語も法廷利用の障壁にはならなかった(Çiçek 2002)。シャリーア法廷は、多宗教、多言語の人々の利用を前提とし、彼らの社会関係を調整する役割を担う仕組みだったのである。

キリスト教徒やユダヤ教徒が問題解決の場を選んだという事実は、彼らがそれぞれの場の特性や利用方法について事前に知識を得ていたことを示唆している。つまり彼らは、シャリーアに基づいて法官がどのような判決を下しうるのかについて、何らかの手段で情報を入手しており、教会法では得られない権利がシャリーア法廷では認められうることを理解していたのである。イスラム教の宗教的権威から得た法判断をシャリーア法廷で利用するキリスト教徒もいた(Kermeli 2007: 207; Laiou 2007: 253)。注目に値するのはシャリーア法廷で離婚した非ムスリム女性が一定数存在することであり、彼女たちは、ムスリム女性たちと同様、身近な暴力からの解放の糸口をシャリーア法廷に求めたのである。

シャリーア法廷の記録簿を分析したこれまでの研究は、ムスリムと非ムスリムが同じような案件を法廷に持ち込んでいたことを確認している。一七世紀から一八世紀初頭におけるブルガリアのソフィアの事例を分析した研究によれば、時期による違いはあれ、記録簿の三分の一から半数は登記を目的としたものであり、その内容は、借金や不動産取引、保証人や代理人の契約、奴隷の解放などだった。利害対立に関するものは一七%から二九%を占め、土地や財産、入会権、税の配分、同職組合などをめぐる争いが扱われた。それ以外では、婚姻や離婚、相続に関する案件が記録されており、犯罪に関する記録の割合は一%ほどにとどまったという(Gradeva 2011: 61-64)。すべての案件が記録されたわけではなかったため、残された記録のみから判断することには慎重であるべきとはいえ、シャリーア法廷に期待されたのは、後で問題とならないように、債務や遺産の処理、不動産の取引、離婚に伴う婚資や子どもの養育費の支払いなど、金銭の授受に関わる権利関係について証書を発行し、その控えとして記録を残すことだったと見ることができる。

非ムスリムの指導層が自宗派信徒によるシャリーア法廷の利用を禁止したように、シャリーア法廷と非ムスリムの法廷が対立した側面はたしかに存在した。その一方で、両者がうまく並存し、ときに協調することもあった点は注目に値する。ある研究者は、事前に聖職者のもとで教会法に則って離婚し、その後で金銭面の権利関係を確かなものとするためにシャリーア法廷を利用した可能性を指摘している(Laiou 2007: 249)。すでに述べたように、まずシャリーア法廷で離婚を認められながらも、聖職者のもとで教会法に則って離婚することを望んだ者もいた。興味深いのは一八世紀半ばにおけるエーゲ海島嶼部の正教徒の事例である。あるシャリーア法廷の法官は、正教徒同士の財産をめぐる争いを扱った際、地域の事情に通じていなかったため、判断に行き詰まった。そこで彼は、現地の正教徒有力者の協力を得て判決を下した。しかし、原告に有利な判決に被告は従わなかった。これを受けて原告は、今度は正教徒の俗人有力者が運営する宗派共同体の法廷に訴え、シャリーア法廷の判決に従わせることを求めたのである(Kermeli 2007: 196-197)。

四、帝国の協力者たち

一八世紀のオスマン帝国では、社会的結合関係の成熟がより広域的な人々のまとまりをもたらした。こうしたなか、地方社会や宗派共同体を代表する形で、その上層の人々が帝国の体制に参入し、それを支える社会ができあがっていった。

一六世紀末に端を発し、一七世紀に進められた様々な税制改革は、オスマン治下の人々の社会的結合関係に影響を及ぼした。一六世紀のオスマン帝国では、地方各地からの徴税権のかなりの部分は軍事奉仕の義務と引き替えに在郷騎士に分与されており、彼らは中央政府が行った租税調査に基づいて徴税権を行使していた。しかし、戦争形態の変化に伴って俸給制の常備軍に依存する度合いが増していくなかで、国庫に地方からの税収を吸い上げる必要性が高まっていく。これを受けてオスマン帝国は、一六世紀末以降、在郷騎士の徴税権を没収し、国庫への税収につながる徴税請負制の適用範囲を徐々に拡大していった。インフレに合わせた税額の調整や金納制の臨時税の恒常化も行われた。徴税請負制が一般化するなかで、一七世紀末にはこの制度に終身契約も導入された。また、非ムスリムの人頭税は、富裕度に応じた等級制に基づいて課されることになったが、これも実際の徴収は地域ごとの宗派集団ごとに行われた(Darling 1996; Sariyannis 2011)。

新税制のもと、課税は村や街区、宗派集団といった単位で行われるようになっていき、人頭税を支払う非ムスリムを除いて、担税者の成人男性を個人で記録する租税調査の慣行は次第に廃れていくことになる。これは、中央政府が地方社会を把握する単位が、成人男性個人から村や街区へと転換していくことを意味した。徴税制度に見られたこうした変化は、村や街区が一定の共同性を有していることを前提としており、さらにはそれを強化することにつながった。それは新税制が、地域ごとの共同体や宗派集団内部で税の配分を調整する必要性を伴っており、そうであるだけに、こうした業務を担う組織の形成や納税のための基金の設立、そして村や街区レベルでの有力者の登場を後押ししたためである(Gara 1998; Ivanova 2005; Yaycioglu 2016: ch. 3)。正教徒の小規模な共同体が一八世紀に作成した会計記録は、その痕跡であると言うことができる(Petmezas 2005)。

税収が郡などの単位で請負に出されたことから、村や街区を超えた郡レベルでの人々のまとまりも強まり、宗教・宗派を超えた住民の代表者として郡レベルの地方名士が帝国各地に現れることになった。郡レベルの代表者になる人物はムスリムに限られていたとはいえ、一八世紀には彼らが地域住民の同意を得て選出されたことが確認されている。

そして、こうした地方社会の基盤の上に、郡を超えてさらに広域の人々をまとめる大名望家が帝国各地で台頭することになる。彼らは徴税請負制のもと、在地社会に通じた人物として徴税の下請けを担い、また直接徴税権を買い取り、大土地経営や商業にも乗り出すなどして勢力を拡大していった(Yaycioglu 2016: ch. 3; 永田 二〇〇九)。

新税制が機能し、社会関係が形成されていくなかでは、様々な不正を防止するために中央政府が担った役割は重要だった。第一に、地方での徴税は、中央から派遣されたシャリーア法廷法官の監督下で行われた。第二に、様々な徴税請負権は、中央政府内の財務官僚によって綿密に記録され、管理されていた。第三に、中央政府は、法官を通じて情報を得ることで、また多宗教・多宗派の臣民からの嘆願を受け付けることで地方の状況を把握し、利害対立が生じた際はその調整を行った。中央政府内では、地方からの数多くの訴えを先例に倣って処理する仕組みが合理化された(Darling 1996; Gradeva 2011)。こうして、各地域の自律性を前提としつつ、中央政府が帝国各地を監督し、利害関係を調整する役割を担う形へと一八世紀のオスマン帝国は発展していった。こうした仕組みのなかで地方の名士や大名望家は、中央・地方関係の担い手として帝国の体制に参加し、その地位を確かなものとしていったのである。

一八世紀は、キリスト教徒の宗派共同体が広域的なまとまりを強めていった時代でもあった。その背景には、税制の転換に加え、帝国がアルメニア教会や正教会との協力関係を深めていったことで、両教会のイスタンブル総主教の権限が強化されたという事情があった。すでに述べたように、オスマン政府は徴税請負制を通じてキリスト教徒の高位聖職者を帝国の統治機構に組み込んでいた。一八世紀の初めには両教会のイスタンブル総主教にも徴税請負制の終身契約が敷衍された。また、一七世紀末の長期にわたる神聖同盟との戦争とその敗北は、中央政府内に反カトリック感情をもたらした。アルメニア教会や正教会の高位聖職者たちにとって、こうした変化は帝国上層と利害を共有することにつながった。それは彼らが、オスマン領内で自信徒に対して布教活動を展開するカトリック宣教師に対抗する必要性を抱えていたためである。こうしてアルメニア教会と正教会の聖職者たちは、信徒のカトリックへの改宗を取り締まる役割をオスマン政府から期待されるようになった(Bayraktar Tellan 2011; BOA, KK.d 2542/1, p. 9; 2542/8, 84b-85a; 2542/6, 20b-21a)。

こうした事情を受けて、一八世紀にオスマン政府は、正教会とアルメニア教会のイスタンブル総主教の権限を強化していった。後者について見てみると、オスマン政府は、聖職者を総主教の統制下に置き、宗教に関わる事柄への政府役人や法官の介入を制限する方向で勅許状の改訂を進めたことが確認できる。イスタンブル総主教の管轄範囲は東部アナトリアを含む、バルカンとアナトリア全域に及ぶようになり、任期は原則として終身とされた。また、総主教は管轄範囲内の聖職者の任免権を独占することとなり、一六一八年の勅許状に見られたような、アルメニア人のシャリーア法廷利用に関する文言は削除された。そして、教会や修道院、それらの修復、聖職者の任免や処罰、アルメニア人の婚姻に関わる諸事に役人や法官が介入することを禁じる文言が数多く盛り込まれた。こうした権限強化は、一八世紀に二〇年を超える在任期間を誇った総主教が三名も登場することにつながった(BOA, KK.d 2542/1, p. 9; 2542/8, 84b-85a; 2542/6, 20b-21a)。正教会のイスタンブル総主教も同様に権限を強化され、その力は信徒の処罰にも及んだ。ただし、総主教権の強化と並行して帝都近辺の府主教による集団指導体制が確立した正教徒のあいだでは、俗人有力者も関わる党派政治が活発化し、総主教の交替が頻繁に見られた(Greene 2015: 175-183)。

正教会の場合、イスタンブル総主教は一八世紀半ばにペーチとオフリドの総主教位を廃止に追い込み、その管轄領域を併合した。アルメニア教会の場合、イスタンブル総主教はシリア教会の総主教候補者がカトリックであるかどうかを確認し、勅許状授与の要請を仲介する権限を得た(BOA, KK.d 2542/30, p. 32)。イェルサレムやアンティオキア、キリキアなどの総主教やカトリコスが残存したとはいえ、イスタンブル総主教職を中心とした両教会の高位聖職者たちは、帝国内の信徒の圧倒的多数をとりまとめる存在、ときには他宗派の聖職者にも影響を持つ存在として、帝国の体制に参入したのである。

この時代にムスリムがイェニチェリやウラマーとして社会的上昇を果たしたのに対し、非ムスリムは通訳や財務取扱人、商人として社会的上昇を成し遂げ、帝国の体制に深く入り込んでいった。正教徒からは、御前会議や帝国艦隊の通訳などとして外交を担う人材や、ワラキア・モルドヴァ両公国の公として地方統治を担う人材が輩出された。国際商業においても正教徒の存在感は際立った。徴税請負制が機能するにあたっては、政府高官やイェニチェリ軍団、地方名望家のために、請負額の前納金の貸付や残額の支払いの保証を行う財務取扱人が不可欠であり、その多くはアルメニア人やユダヤ教徒だった。正教徒の場合は「ファナリオット」、アルメニア人の場合は「アミラ」と集合的に表現されたように、これら俗人有力者は宗派集団内でひとつの社会階層を成した。彼らは、教会の修復や学校の設立、書籍の出版などを経済的に支援することで、ギリシア文化、アルメニア文化の発展を後援し、帝国の人材として蓄積した富を宗派共同体に還元するとともに、イスタンブルの総主教座を中心とした宗派共同体の運営にも影響力を及ぼしていくことになるのである(Philliou 2009; Barsoumian 1980)。

一九世紀初めには、近代国家化を目指す動きのなかで地方の大名望家は排除されていくことになる。しかし、帝国各地で成長した村や街区は、それら行政区分に「ムフタル」と呼ばれる役人を任命する制度の導入と再編により、地方行政の末端に正式に位置づけられ、郡レベルでの共同性は評議会制度の導入へとつながっていった(Güneş 2014; 秋葉 二〇〇七)。また、広域的な非ムスリム共同体は宗教的特権の名のもとに制度化され、正教徒やアルメニア人の宗派共同体のあり方は、ユダヤ教徒やカトリックに応用されていった(Ueno 2016; 上野 二〇〇五、Levy 1994)。このように、一八世紀に生じたオスマン社会の変容は、制度的枠組みを得て近代国家としてのオスマン帝国に継承されていったのである。

おわりに

オスマン社会は、ムスリムだけでなく、キリスト教徒やユダヤ教徒を、担税者、生産者、また経済活動の担い手という不可欠の構成員として抱えた。そうであるだけにオスマン社会では、ムスリムを優位とする不平等のもとではあれ、多様な宗教・宗派の人々の共生が前提とされていた。その社会のあり方として強調すべきは以下の四点である。

一点目は、宗教・宗派を問わず社会関係を調整する場がムスリムに対しても非ムスリムに対しても開かれていたことである。オスマン治下の人々は、同宗派間のものでも異宗派間のものでも、様々な問題をシャリーア法廷や中央政府に訴えることができた。これらの場は、必ずしもムスリムの利害を優先しない形で機能した。その裁定が一定のルールと先例に従ったものであるという点でも利用しやすい機関だった。こうした場の存在は非ムスリムにとって、宗派共同体内の不正や抑圧の解決をその外部に求めることができたことを意味しており、宗派共同体指導層が信徒に対して行使しうる権力を緩和することにつながっていた。二点目は、イスラム教スンナ派の帝国において弱い立場に置かれた非ムスリムが、そのなかで生きていく術を積極的に学んでいたことである。彼らは、オスマン政府が税収確保に強い関心を示し、税収を引き合いに出すことが交渉の材料となることを理解していた。シャリーア法廷をどのように利用するのか、それによって何が得られるのかも学んでいた。トルコ語を学んで複数の言語を用いたのも彼らだった。そしてなにより、ムスリムとの日々の関係でどのように振る舞うべきか、何が許容され、何が身の危険をもたらすのかについて情報を共有していた。不平等な社会が非ムスリムの側に強いた労力と緊張、そして彼らが示した順応性の上に、多宗教・多宗派の共生は成り立っていたのである。

三点目は、時代による変化はあれ、ムスリムだけでなくキリスト教徒やユダヤ教徒にも帝国内における社会的上昇の道が開かれていたことである。一五世紀までのオスマン帝国においてキリスト教徒は軍事に参入することができ、一六世紀以降は改宗という重い代償を伴ってではあれ、帝国の支配層に加わることができた。また、ムスリムがウラマーや軍人として社会的上昇を果たしたのに対し、非ムスリムは、商人や徴税請負人、財務取扱人、通訳、聖職者として社会的上昇を果たし、富と名声を手に入れることができた。彼らが政治と軍事に参入する道が狭まった一七世紀以降に、財務取扱人や通訳として成熟した帝国の体制を支える彼らの活躍はむしろ顕著になったのである。四点目は、三点目と関わることとして、帝国の政治権力と非ムスリムの聖俗の上層とのあいだに利害の一致が見られ、だからこそ両者は協力関係を結ぶことができたことである。非ムスリムの聖職者にとって、オスマン帝国による公認は自身の権力の基盤となり、宗派共同体内における地位を保全し、さらには拡大することにつながった。オスマン政府にとって聖職者は、税収確保の手段となるとともに、社会秩序を維持することに寄与する存在であり、カトリックの影響力拡大に対する懸念の高まった一八世紀には、後者の点は重要度を増した。非ムスリム商人にとってはオスマン帝国の拡大と維持が、安定した商業活動の実現を可能にし、また帝国から見れば彼らの活動は物資の供給と税収につながるという意味で重要だった。

研究者のあいだでも、一九世紀に見られたキリスト教徒諸民族の分離独立の原因をそれ以前に求め、彼らが一八世紀にはオスマン帝国から疎外されるようになっていったとする見方は依然として根強い。しかし、キリスト教徒もユダヤ教徒も、オスマン帝国の制度に根ざして社会的、経済的成功を収めることができたのであり、帝国上層にとっても彼らが有益な人材であることは一八世紀にも変わらなかった。さらにいえば、それは一九世紀も同様であり、オスマン帝国は、近世以来の多宗教・多宗派社会を継承しつつムスリムと非ムスリムの平等原則を受け入れることで、積極的に非ムスリムを取り込む方向で改革を進めることになるのである。

注

（1） 近世のバルカンについて理解するにあたっては、オスマン時代のギリシア通史として書かれたグリーンの研究を参照した（Greene 2015）。

（2） イスラム教への改宗については本巻第八章米岡論文を参照。

（3） ただし、こうした記述が常に盛り込まれていたかを確認することは難しい。高位聖職者の勅許状の系統だった記録が確認できるのは一八世紀以降のみであり、それ以前に関しては、限られた数の写ししか見つかっていないためである（Çolak and Bayraktar Tellan 2019）。

参考文献

BOA, KK.d　Cumhurbaşkanlığı Osmanlı Arşivi, Kamil Kepeci Defterleri

BOA, MŞH.ŞSC.d　Meşihat, Şeriye Sicilleri Defterleri

İŞS　İstanbul Şeriye Sicilleri

秋葉淳（二〇〇七）「オスマン帝国における代議制の起源としての地方評議会」粕谷元編『トルコにおける議会制の展開――オスマン帝国からトルコ共和国へ』東洋文庫。

上柿智生（二〇一二）「コンスタンティノープル陥落後の総主教ゲナディオス二世のヘレニズム」『史林』第九五巻第二号。

上野雅由樹（二〇〇五）「マフムト二世期オスマン帝国の非ムスリム統合政策――アルメニア・カトリック共同体独立承認の事例から」『オリエント』第四八巻第一号。

上野雅由樹（二〇一〇）「ミッレト制研究とオスマン帝国下の非ムスリム共同体」『史学雑誌』第一一九編第一一号。

大河原知樹（二〇〇五）「イスラーム法廷と法廷史料」林佳世子・桝屋友子編『記録と表象――史料が語るイスラーム世界』東京大学出版会。

グリーン、モーリー（二〇一四）『海賊と商人の地中海――マルタ騎士団とギリシア商人の近世海洋史』秋山晋吾訳、ＮＴＴ出版。

永田雄三（二〇〇九）『前近代トルコの地方名士――カラオスマンオウル家の研究』刀水書房。

Aslanian, Sebouh David (2011), *From the Indian Ocean to the Mediterranean: The Global Trade Networks of Armenian Merchants from New Julfa*, Berkeley, University of California Press.

Ayalon, Yaron (2017), "Rethinking Rabbinical Leadership in Ottoman Jewish Communities", *The Jewish Quarterly Review*, 107-3.

Bardakjian, Kevork B. (1982), "The Rise of the Armenian Patriarchate of Constantinople", Benjamin Braude and Bernard Lewis (eds.), *Christians and Jews in the Ottoman Empire: The Functioning of a Plural Society*, vol. 1, New York, Holmes & Meier Publishers.

Barsoumian, Hagop Levon (1980), "The Armenian Amira Class of Istanbul", Ph.D.diss., Columbia University.

Bayraktar Tellan, Elif (2011), "The Patriarch and the Sultan: The Struggle for Authority and the Quest for Order in the Eighteenth-Century Ottoman Empire", Ph.D.diss., Bilkent University.

Çiçek, Kemal (2002), "Interpreters of the Court in the Ottoman Empire as Seen from the Sharia Court Records of Cyprus", *Islamic Law and Society*, 9-1.

Çolak, Hasan, and Elif Bayraktar Tellan (2019), *The Orthodox Church as an Ottoman Institution: A Study of Early Modern Patriarchal Berats*, Istanbul, Isis Press.

Darling, Linda T. (1996), *Revenue-raising and Legitimacy: Tax Collection and Finance Administration in the Ottoman Empire, 1560-1660*, Leiden, E. J. Brill.

Düzenli, Pehlul (2013), *Ma'rûzât: Şeyhülislâm Ebussuûd Efendi*, Istanbul, Klasik.

Elliot, Matthew (2004), "Dress Codes in the Ottoman Empire: The Case of Franks", Suraiya Faroqhi and Christoph K. Neumann (eds.), *Ottoman Costumes: From Textile to Identity*, Istanbul, Eren.

Faroqhi, Suraiya (2004), "Introduction, or Why and How One Might Want to Study Ottoman Clothes", *Ottoman Costumes*.

Gara, Eleni (1998), "In Search of Communities in Seventeenth Century Ottoman Sources: The Case of the Kara Ferye District", *Turcica*, 30.

Gara, Eleni (2017), "Conceptualizing Interreligious Relations in the Ottoman Empire: The Early Modern Centuries", *Acta Poloniae Historica*, 116.

Gradeva, Rossitsa (1997), "Orthodox Christians in the Kadi Courts: The Practice of the Sofia Sheriat Court, Seventeenth Century", *Islamic Law and Society*, 4-1.

Gradeva, Rossitsa (2011), "A *Kadi* Court in the Balkans: Sofia in the Seventeenth and Early Eighteenth Centuries", Christine Woodhead (ed.), *The Ottoman World*, London, Routledge.

Greene, Molly (2015), *The Edinburgh History of the Greeks, 1453 to 1768: The Ottoman Empire*, Edinburgh, Edinburgh University Press.

Güneş, Mehmet (2014), *Osmanlı Döneminde Muhtarlık ve İhtiyar Meclisi (1829-1871)*, Istanbul, Kitabevi.

Hacker, Joseph R. (2018a), "The Rise of Ottoman Jewry", Jonathan Karp and Adam Sutcliffe (eds.), *The Cambridge History of Judaism*, vol. 7, Cambridge, Cambridge University Press.

Hacker, Joseph R. (2018b), "Jews in the Ottoman Empire (1580-1839)", *The Cambridge History of Judaism*, vol. 7.

Inalcik, Halil (1973), *The Ottoman Empire: The Classical Age 1300-1600*, London, Weidenfeld and Nicolson.

Ivanova, Svetlana (2005), "*Varoş*: The Elites of the *Reaya* in the Towns of Rumeli, Seventeenth-Eighteenth Centuries", Antonis Anastasopoulos (ed.), *Provincial Elites in the Ottoman Empire: Halcyon Days in Crete V: A Symposium Held in Rethymno 10-12 January 2003*, Rethymno, Crete University Press.

Kenanoğlu, Macit (2004), *Osmanlı Millet Sistemi: Mit ve Gerçek*, Istanbul, Klasik.

Kermeli, Eugenia (2007), "The Right to Choice: Ottoman Justice vis-à-vis Ecclesiastical and Communal Justice in the Balkans, Seventeenth-Nineteenth Centuries", Andreas Christmann and Robert Gleave (eds.), *Studies in Islamic Law: A Festschrift for Colin Imber*, Oxford, Oxford University Press.

Kermeli, Eugenia (2008), "Central Administration Versus Provincial Arbitrary Governance: Patmos and Mount Athos Monasteries in the 16th Century", *Byzantine and Modern Greek Studies*, 32-2.

Kermeli, Eugenia (2013), "Marriage and Divorce of Christians and New Muslims in Early Modern Ottoman Empire: Crete 1645-1670", *Oriente Moderno*, 93-2.

Krstić, Tijana (2011), *Contested Conversions to Islam: Narratives of Religious Change in the Early Modern Ottoman Empire*, Stanford, Stanford University Press.

Krstić, Tijana (2019), "State and Religion, 'Sunnitization' and 'Confessionalism' in Süleyman's Time", Pál Fodor (ed.), *The Battle for Central Europe: The Siege of Szigetvár and the Death of Süleyman the Magnificent and Nicholas Zrínyi (1566)*, Leiden, Brill.

Laiou, Sophia (2007), "Christian Women in an Ottoman World: Interpersonal and Family Cases Brought Before the *Shari'a* Courts during the Seventeenth and Eighteenth Centuries (Cases Involving the Greek Community)", Amila Buturović and İrvin Cemil Schick (eds.), *Women in the Ottoman Balkans: Gender, Culture and History*, New York, Palgrave Macmillan.

Levy, Avigdor (1994), "*Millet* Politics: The Appointment of a Chief Rabbi in 1835", Avigdor Levy (ed.), *The Jews of the Ottoman Empire*, Princeton, Darwin Press.

Masters, Bruce (2001), *Christians and Jews in the Ottoman Arab World: The Roots of Sectarianism*, Cambridge, Cambridge University Press.

Necipoğlu, Gülru (2005), *The Age of Sinan: Architectural Culture in the Ottoman Empire*, London, Reaktion Books.

Ohanjanyan, Anna (2021), "Narratives of the Armenian Polemics with the Muslims from the Seventeenth and Eighteenth Centuries", *New Europe College Yearbook: Pontica Magna Program 2018–2019*, Bucharest, New Europe College.

Papademetriou, Tom (2015), *Render unto the Sultan: Power, Authority, and the Greek Orthodox Church in the Early Ottoman Centuries*, Oxford, Oxford University Press.

Peirce, Leslie (2010), "Domesticating Sexuality: Harem Culture in Ottoman Imperial Law", Marilyn Booth (ed.), *Harem Histories: Envisioning Places and Living Spaces*, Durham, Duke University Press.

Petmezas, Socrates D. (2005), "Christian Communities in Eighteenth- and Early Nineteenth-Century Ottoman Greece: Their Fiscal Functions", Molly Greene (ed.), *Minorities in the Ottoman Empire*, Princeton, Markus Wiener Publishers.

Philliou, Christine (2009), "Communities on the Verge: Unraveling the Phanariot Ascendancy in Ottoman Governance", *Comparative Studies in Society and History*, 51-1.

Rahn, Markus (2002), *Die Entstehung des Armenischen Patriarchats von Konstantinopel*, Hamburg, Lit.

Sariyannis, Marinos (2011), "Notes on the Ottoman Poll-Tax Reforms of the Late Seventeenth Century: The Case of Crete", *Journal of the Economic and Social History of the Orient*, 54-1.

Shapiro, Henry R. (2019), "The Great Armenian Flight: Migration and Cultural Change in the Seventeenth-Century Ottoman Empire", *Journal of Early Modern History*, 23-1.

Sünnetçioğlu, H. Evren (2021), "Attendance at the Five Daily Congregational Prayers, Imams and Their Communities in the Jurisprudential Debates during the Ottoman Age of Sunnitization", Tijana Krstić and Derin Terzioğlu (eds.), *Historicizing Sunni Islam in the Ottoman Empire, c. 1450–c.1750*, Leiden, Brill.

Terzioğlu, Derin (2012-2013), "How to Conceptualize Ottoman Sunnitization: A Historiographical Discussion", *Turcica*, 44.

Ueno, Masayuki (2016), "Religious in Form, Political in Content?: Privileges of Ottoman Non-Muslims in the Nineteenth Century", *Journal of the Economic and Social History of the Orient*, 59-3.

Woodhead, Christine (2011), "Ottoman Languages", *The Ottoman World.*

Yaycioglu, Ali (2016), *Partners of the Empire: The Crisis of the Ottoman Order in the Age of Revolutions*, Stanford, Stanford University Press.

問題群｜*Inquiry*

サファヴィー帝国におけるシーア派法秩序の形成

近藤信彰

はじめに

一五〇一年に成立したサファヴィー帝国は西アジア／中東の歴史を大きく変えた。それまで圧倒的少数派であった十二イマーム・シーア派がイラン高原に定着するきっかけとなったからである。今日の中東において、シーア派が大きなプレゼンスを保っているのも、サファヴィー帝国によるシーア派導入の影響であることは疑いない。

従来の研究では、イラン高原のシーア派化は主に宗教的文脈で論じられてきた。しかし、当時の文脈では、シーア派の導入は同時にシーア派イスラーム法の導入を意味する。サファヴィー帝国の法秩序にかかわる研究は、欧文史料への過度の依存もあってかなり混迷した状況にある。本章では、先行研究を批判しながら、帝国にいかなる法秩序が存在したのか、それがどのように形成されたのかについて論じたい。

なお、本章では、この国家について従来用いられてきた「サファヴィー朝」という表現にかえて、「サファヴィー帝国」という表現を用いることにする。かつて強調されたように、この国家がトルコ・モンゴル的遊牧国家の伝統の延長上にあったことも、また、イランという国の長い歴史の一時代と見なされることが多いことも事実である。しかし、この国家は先行する諸王朝より寿命も長く、版図も現在のイランを大きく越えており、影響は今のイランの以外の地域にも及んでいる。何より多民族・多宗派の帝国的側面をも持っていた(Matthee 2010: 239-240)。現在のイランにあまり継承されていない帝国的要素を扱うため、また並立するオスマン帝国やムガル帝国との比較のためにも「帝国」という表現の方がふさわしい。形成されていくシーア派法秩序と帝国性がどのような関係にあったかを明らかにするのが、本章の目的である。

一、キジルバシュとシーア派

サファヴィー帝国がサファヴィー教団という神秘主義教団を母体としていたことは広く知られている。そもそも「サファヴィー」とは、教団の祖シャイフ・サフィーウッディーン・アルダビーリーの名の「サフィー」から派生している。そもそもスンナ派の教団であったサファヴィー教団は、遅くともシャイフ・ジュナイド(一四六〇年没)の代には十二イマーム(アリーを初代とする一二名の指導者)への崇敬を示していた。帝国初代君主イスマーイールもこの崇敬を継承し、一五〇一年にタブリーズに入城した際、十二イマーム派宣言を行うに至ったのである。

一五世紀のイラン高原は神秘主義教団の最盛期にあった。イスマーイールはこの世の終末に現れ、世界を救う救世主、マフディーであると自称していたとも言われるが、終末感や救世主待望は同時代に広く見られた現象であり、十二イマームへの崇敬も神秘主義教団ではスンナ派のそれを含めて必ずしも特異なことではない。

この前提に立つならば、サファヴィー教団の最大の特徴は、信徒であるアナトリアの遊牧民キジルバシュを軍事的に動員することに成功して帝国を建設したことにある。サファヴィー帝国軍が遊牧部族連合的性格を持っていたことは、先行研究で強調される点でもある。キジルバシュを含めた教団の信徒は、教団の本拠地アルダビールがあるアゼ

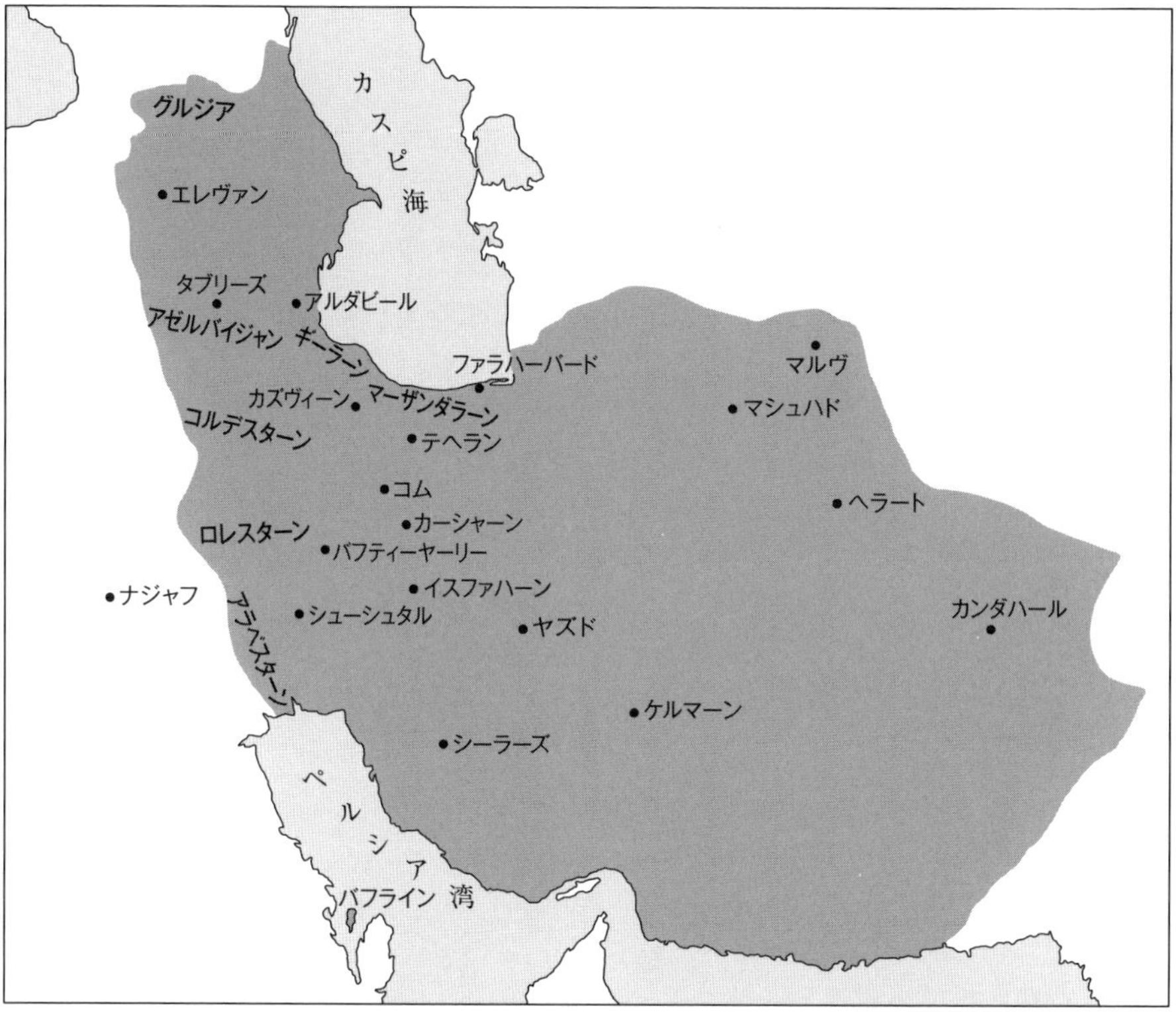

図1　1660年頃のサファヴィー帝国（出典：Röhrborn, Klaus (1996), *Provinzen und Zentralgewalt Persiens im 16. und 17. Jahrhundert*, Berlin, De Gruyter を基に作成）

ルバイジャン地方の一部とキジルバシュの故地アナトリアに分布したと考えられる。つまり、一五一四年のチャルディランの戦いでアナトリアを失った後の帝国の大多数の領内の住民にとって、サファヴィー軍は単なる征服者にすぎなかったのである。イスマーイールは征服した住民たちに、神秘主義ではなく十二イマーム・シーア派を強制した。その結果、サファヴィー帝国期を通じて領内の住民は少しずつシーア派に改宗していった。

　シーア派化が進むのと並行して、シーア派イスラーム法の導入も進んだ。ある年代記作者はイスマーイールのシーア派採用に関連して以下のように述べている。

　当時、人々は真の宗派であるジ

ャアファル派〔シーア派法学の別名〕の諸論点や十二イマーム派の諸規則・諸法について知らなかった。なぜなら、彼らの間にイマーム派〔シーア派の別名〕の法学書が全くなかったからである。学識に優れた学者であるシャイフ・ジャマールッディーン・ムッタハル・ヒッリーの『イスラームの諸規則』という書をカーズィー・ナスルッラー・ザイトゥーニーが持っていたので、これに基づいて宗教的な教育を行った。その後、十二イマーム派の太陽は高く昇り、世界の隅々まで、その輝きで照らされた(Rūmlū 1979: 86)。

イラン高原にはシーア派を奉じる都市がいくつかあったが、全体としてはスンナ派の方が多かった。誇張もあろうが、史料はシーア派の法学書が不足していたことを示している。

このような状況で、シーア派の知識をもたらした集団として、今日のレバノン周辺などアラブ地域出身のシーア派法学者の存在が注目される。そのなかで最も有名なのはシャイフ・アリー・カラキー(一五三三年没)である。現レバノンのバアルバック出身で、一五〇四年、帝国支配下のシーア派聖地、イラクのナジャフに移住した。サファヴィー宮廷の後援を受け、しばしばこれを訪問し、一五三三年には、幽陰している第一二代イマーム(「隠れイマーム」)の代理として彼を認め、宗教関係者や軍人の任免権まで与える勅令を第二代君主タフマースブから得た。これ以前にも、帝国の宗務・法務組織の長であるサドル職(後述)についていた二名がカラキーとの対立により解任され、後任も彼の推薦によって決定されたことがあった。帝国の官制の枠外にいながら、大きな権力を手にしていたのである。

ある史料はタフマースブ時代の主な帝国のウラマー一〇名を紹介しているが、そのうちの半数、五名がアラブ地域の出身であり、イラン南部出身の一人はレバノンへの留学経験を持つ(Munshī 1956: 153-158)。シーア派で「第二の殉教者」と呼ばれ、代表的な法学注釈書『美しき園 *Rawḍat al-Bahiyya*』を著した同時代の高名な法学者ザイヌッディーン・アーミリー(一五五八年没)を生んだレバノンは、やはりシーア派法学の中心地であった。オスマン帝国支配下にあった彼の地のウラマーの中には、活躍の場を求めて新興のシーア派帝国への移住を行う者も多かった。その中心であるジャバル・アーミル地方のウラマー列伝『叶うべき希望 *Amal al-Āmil*』(一六八六年)が取り上げる二〇九名のうち、三九名が帝国を訪れ、そのうち一一名がシャイフル=イスラーム(後述)などの官職を得ている。また、この地方出身のウラマーについての専論を著したアビーサアブは、一六四名の帝国への移住者の名前を挙げている(Abisaab 2004: 147-152)。都市ばかりではなく、村落のモスクの導師の職までジャバル・アーミル出身者が進出した例もある。

シーア派法学の導入はイラン高原に何をもたらしたのであろうか。たとえば、金曜日の集団礼拝についての法学者間の議論は、新たな帝国のイデオロギーを確立する困難を示している。多くの地域で少数派であったシーア派の間では、金曜日の集団礼拝は正しい行為とは見なされていなかった。迫害を逃れるために信仰を秘匿するという側面もあったが、集団礼拝に不可欠なイマームの監督をイマームの幽陰中に受けることは不可能だからである。こうした立場に立ったのがオスマン帝国内で生涯をすごした前述のアーミリーとその弟子たちであった。しかし、サファヴィー帝国下でシーア派が優勢となると、先行するスンナ派諸王朝と同様に金曜日の集団礼拝を行うことについての実際上の障害はなくなった。カラキーは、法学者が隠れイマームの代理として監督することで、金曜日の集団礼拝を行うことを認めた。金曜の礼拝についての議論は帝国末期まで続いたが、この見解によってシーア派のもとでも他の地域と同様に金曜日の集団礼拝が可能となったのである。

一方、帝国建設に貢献したキジルバシュは十二イマームへの傾倒を示しつつも、神秘主義と民間信仰が混じった独特の信仰を持っていた。彼らは、七五〇年のアッバース朝革命の際に活躍したアブー・ムスリム(七五五年没)を崇敬しており、彼の物語は講釈師によって語られ、人気を博していた。法学者たちは、『アブー・ムスリム物語』が史実と異なること、スンナ派であってイマームたちとは何の関係もないことを強く主張し、厳しく批判した。君主タフマースブは法学者たちの見解を受けて、アブー・ムスリムのものとされた墓を破壊したという。このように神秘主義や民間信仰の要素は正統的法学者によって批判され、否定されることになった。

また、法学者たちはシーア派信仰をイラン高原に根付かせるために、法学書・宗教書のペルシア語訳やペルシア語による解説書の執筆を進めた。『君主の法学 *Fiqh-i Shāhī*』と総称される一連の作品群は、君主にシーア派法学の内容をわかりやすく伝えるためのものであった。もっとも有名な作品は、ジャバル・アーミル出身のシャイフ・バハーウッディーン（シャイフ・バハーイー、一六二一年没）による『アッバース大全 *Jāmiʿ-i ʿAbbāsī*』であり、シャー・アッバース（在位一五八七―一六二九年）のために執筆された。帝国後半期の著名な法学者ムハンマド・バーキル・マジュリスィー（一六九九年没）はアラビア語で十二イマーム派の浩瀚《こうかん》なハディース集『光輝の大海 *Biḥār al-Anwār*』を編纂する一方、シーア派信仰についての『確たる真理 *Ḥaqq al-Yaqīn*』、預言者やイマームたちの伝記である『心魂の生 *Ḥayāt al-Qulūb*』などのペルシア語の著作を著した。法学者の世界は圧倒的にアラビア語が優位にあったが、帝国治下との社会と関わっていく上で、ペルシア語も用いられたのである。

このように帝国期の二〇〇年の間にイラン高原の宗教や法は大きな変容を被った。一方、シーア派も帝国内で優勢な宗派として、従来とは異なった学説を展開するとともに、社会への定着のためにペルシア語をも手段として利用したのである。

二、宗務・司法組織

十二イマーム・シーア派法学では、シャリーア（イスラーム法）を司るカーディー（法官）の任命権は、イマームもしくはその代理人にある。そして、イマームが幽隠している間は、ファトワー（法的勧告）を発する資格を十全に持つ法学者がカーディーを務めることが定められている。

しかし、先行するスンナ派諸王朝ではカーディーは王朝君主によって任命された。サファヴィー帝国もこれを継承して、君主がカーディーを任命する体制を採った。帝国末期に著された行政便覧において、司法に関わる官職として、サドル、軍カーディー、シャイフル＝イスラーム、カーディーの四つが挙げられているが、いずれも先行するティムール朝（一三七〇―一五〇七年）や白羊《アクコユンル》朝（一四世紀後半―一五〇八年）、あるいはオスマン帝国に見られるものである。

サドル

宗務・司法組織の頂点に立つのがサドルであった。シャー・イスマーイールはタブリーズに入城する以前に、宰相とサドルをそれぞれ任命しており、最も重要な官職の一つであったことがわかる。行政便覧によれば、サドルは特定サドルと一般サドルの二名が置かれ、前者が直轄州を、後者がそれ以外を担当していた。ただし、他の史料を見てみると、実際にはシャー・サフィー期（一六二九―四二年）のようにサドルが一名しか任命されない時期もあり、二名いても管轄が必ずしも行政区分と一致しない時期もあった。

主な職務は、①全国のワクフ（宗教寄進）財の監督、②法官や教授、ワクフ財の管財人や監督人、礼拝導師や説教師、礼拝時告知者やクルアーン（コーラン）読誦者などの任命・監督、③宮殿の警護所で行われる裁判の審理、④証書や文書への押印であった。このうち、①と②はティムール朝のそれでも見られるものであるが、③と④は、カーディーに類する職務であり、これが加わったことが、サファヴィー帝国期の特徴であるのかもしれない。

サドルが発給する命令書は「ミサール」と呼ばれ、上部に大きな花押がある独特の形式を持っていた。すでに公刊されている四七通のミサールの大半はワクフやワクフ管財人、ワクフから支払われる俸給に関するものである。ただし、ワクフ財でない土地の所有権に関するもの、後述するようなキリスト教徒の法的地位に関するものも含まれている。サドルのミサールに基づいて、君主の勅令が発給される場合も多い。サドルの判断を君主が追認するかたちを取っていたのである。

軍カーディー

各地に任命されるカーディーとは別に、帝国軍・宮廷に同行し、法務を執り行った。行政便覧によれば、ディーヴァーン・ベギー(法務長官)が取り仕切る裁判で判決を下すのも、もともとは軍カーディーの職務であった。ただし、首都がイスファハーンへ移ってから、この職務はサドルに委ねられ、もっぱら軍関係のさまざまな文書に押印するのが、彼らの仕事となったという。

帝国の前半期には、軍カーディーはサドルに次ぐ地位を持っていた。サドルの職務の代行をしていた軍カーディーの例もある(Isfahani 2015: 663, 671)。一六一七—一八年には、軍カーディーに対して、二〇〇トマーンの俸給が定められ、三名の書記、三名のヤサウル(式典官)が配下に任じられて、この官職が強化されている。しかし、同年末、新任の軍カーディーがサドルと対立して罷免されて以降、この職は廃止された(Isfahani 2015: 738-739, 747)。

シャイフル＝イスラーム

シャイフル＝イスラーム(「イスラームの長老」の意)は、宗務・法組織の頂点に立つオスマン帝国のそれとは異なり、サファヴィー帝国では主要都市に任命された。首都となったタブリーズ、カズヴィーン、イスファハーン、大州の都であったヘラート、マシュハド、マルヴ、カンダハール、エレヴァン、シーラーズ、ケルマーンはもちろん、テヘランやコム、ヤズドなどにも置かれていた。

行政便覧はイスファハーンのシャイフル＝イスラームを説明しており、①金曜日以外、自宅で裁判を行うこと、②勧善禁悪に努めること、③離婚を成立させること、④文書や証書に押印して認証すること、を職務としてあげている。

また、⑤孤児や不在者の財産の管理は、多くの場合、シャイフル＝イスラームが行ったが、カーディーが行う場合もあった。一方、ジャアファリヤーンはシャイフル＝イスラームに関する任命状を複数紹介しているが、その内容はそれぞれ異なっている(Ja'fariyān 2009/2010: 348, 350-356)。一六二一年のヤズドのシャイフル＝イスラームの任命状では、②④⑤の職務が強調されており、それに加えて、⑥遺産の分配、⑦聖廟や慈善施設、ワクフ財の監督、⑧下位のカーディーの任免が加えられている。このうち⑦と⑧はサドルが中央で果たしていた職務である。一方、②勧善禁悪は別の日付なしの任命状が強調するように、ファトワーの発給のことを示している可能性がある。

一方、一六六九年のマシュハドのシャイフル＝イスラームの任命状では、①②④⑤⑥について言及がある。また、一六八二年のタブリーズのシャイフル＝イスラーム兼礼拝導師の任命状では、①から⑥までのすべて、および⑧の職務について述べられている。これらを踏まえれば、ある史料が「大カーディー」と言い換え、ヤズドの地方誌がカーディー列伝の章で八名のシャイフル＝イスラームを取り上げていることもあり、上位のカーディーであって、施設の監督などサドルの役割を地方で果たしていたと考えられる。

しかし、一六九五年に前述のマジュリスィーに対して発せられたイスファハーンのシャイフル＝イスラームの任命状は、①②③④⑦に言及するも、全体の意味内容はかなり異なっている。すなわち、マジュリスィーが常に宮廷に同行し、君主や高官の宗教や法に関わる彼に質問に答えることを明記している。しかも、この任命状ではマジュリスィーはシャリーアについての最高権威であり、行政便覧とは異なって、サドルすら彼の命を遵守しなければならないとするのである。これは帝国末期の、しかも、マジュリスィーという宮廷にも強い影響力をもった人物ゆえの例外と考えるべきか、帝国末期におけるサドルの地位の低下を示すと考えるべきか。少なくともスルターン・フサイン時代(一六九四―一七二二年)のウラマーが著した年代記では、シャイフル＝イスラームの動向を比較的詳しく説明する一方、サドルへの言及はきわめて限定的ではある。

カーディーの職務と地方におけるサドルの管理的職務に加えて、ファトワーの発給など法的な立場からの信徒の指導がシャイフル＝イスラームには期待されていた。マルヴのように新たに支配下に入った地域に派遣されていることから、シーア派法を適用するという目的も含まれていたのであろう。

カーディー

行政便覧はイスファハーンのカーディーについて説明している。これによれば、カーディーは金曜日を除いて、①自宅で裁判を行い、また、②文書や証書に押印をして認証した。③孤児や不在者の財産の管理は、カーディーが行う場合とシャイフル＝イスラームが行う場合があった。①の裁判の判決は、「ウルフ法官」すなわち、行政官が執行することになっていた。

さて、行政便覧には「カーディー」としか記されていないが、たとえば一八世紀の史料はイスファハーンのカーディーのことを「卓越カーディー」(aqżā al-qużāt)と呼んでいる。この表現はすでに一六世紀の年代記や一六二五年の西ギーラーンのカーディーの任命状および一六六九年のナフチヴァーンのカーディー任命状に見られる。西ギーラーンのそれは、①裁判のほか、④下位のカーディーの任命・罷免も卓越カーディーの職務としている。これに対して、ナフチヴァーンのそれは②証書の認証にしか触れていない。一方、大カーディー(qāżī al-qużāt)という名称を用いている任命状として、一六四九年の西ギーラーンについてのミサールがあるが、①裁判、②証書の認証、④下位のカーディーの任免を職務に挙げている(Qā'im-maqāmī 1969: 46-47)。卓越カーディーや大カーディーは地方の主要都市のカーディーのことを指し、周辺地域のカーディーの任免の権限を持つ場合もあったと考えてよいであろう。

同時代のヤズドの地方誌には帝国期のカーディー二四名の小伝が含まれている(Bāfqī 1961: 353-379)。そのうち、一八名がヤズド市のカーディーであるが、ほかの三名がメフリージェルドなどの小都市(qaṣaba)のカーディー、残りの三名はアシュカザルなどの村のカーディーである。主要都市のカーディーはサドルの命令書を踏まえて、君主の勅令によって任命されたが、小都市や村のカーディーはシャイフル＝イスラームや主要都市のカーディーによって任命されていたと考えられる。

法学者と法務

イスラーム諸王朝の伝統では、裁判や証書の作成・認証など法務に従事するのは君主ほかによって任命されたカーディーである。サファヴィー帝国においても、サドル、シャイフル＝イスラーム、カーディーがそれぞれ任命されて法務に従事していた。行政便覧によれば、サドルについては、俸給はなく、ワクフ財や宗務関係者の奉給の事務手数料を取っていたようであるが、イスファハーンのシャイフル＝イスラームは年二〇〇トマーン、イスファハーンのカーディーも年二〇〇トマーンの俸給を得ていたという。

ところが、サファヴィー帝国期の史料には、官職についていなくても法務に従事していた人物が登場する。たとえば、カラキーの子シャイフ・アブドル＝アーリー（一五八五／八六年没）は、学識が深く、法判断（イジュティハード）を行う資格に達していた。イラン高原中部の都市カーシャーンに住み、法務に携わる人々を任命したのみならず、自らも法の執行のために、案件を解決したという（Munshī 1956: 154）。前述のように、シーア派法ではファトワーを発する条件をすべて満たした法学者こそが法務に携わることになっているため、法規定に則ってはいるが、地方都市とはいえ公式の官職をもたない法学者がカーディー等を任命し自らも法務を執るというのはあまり想定されない現象である。

同様のことは他の地方でも見られる。ヤズド市の大集会モスクで、四〇年間、金曜の集団礼拝の導師を務めたミールザー・ムハンマド・ムキーマー（一六七六年没）は、イジュティハードの資格を満たしており、法務にも熱心に取り組んで、住民の法的問題を解決した（Bāfqī 1961: 314）。やはり一七世紀後半の人物であるケルマーンのイマードッディーン・マフムードは、証書や認証を記すことに優れた能力を持っており、しばしば契約や婚姻の場に出て、契約を認証したという(Mashīzī 1990/1991: 271-272)。このように、官職を持たずとも、裁判や契約の認証に関わることが可能であったのである。特に、法的契約の認証はサドル、シャイフル＝イスラーム、カーディーのいずれもが携わる事柄であり、さらに官職のない学識のある法学者も参加しえた。この分野においては、地位の優劣は存在せず、サドルもシャイフル＝イスラームもカーディーも互いに顧客を取り合っていたのである(Chardin 1811: VI 53-54)。

このような宗務・司法組織のあり方は、以下のようにまとめることができる。スンナ派先行諸王朝に倣って、サファヴィー帝国は宗務・司法組織を導入し、それは帝国末期まで続いた。しかし、こうした組織となじまないシーア派法学のあり方は、組織の外に資格を持った法学者が法務を司る余地を生んだ。サファヴィー帝国滅亡後、一九世紀にいたって、国家がカーディーを任命せず、イジュティハードの資格を持ったムジュタヒドが法務を取り仕切る体制が確立するが(Kondo 2017)、その淵源はすでにサファヴィー帝国期に存在したのである。

三、イスラーム法と慣習法

先行研究はイラン高原における中世以降の法を二つに分けて説明している。シャリーアとウルフ(慣習法)の二つである。シャリーアはカーディーやウラマーによって担われるのに対し、ウルフは君主やその代理人によって担われた。また、前者は主に民事案件を扱ったのに対し、後者は主に刑事事件を扱った。理論的にはシャリーア法廷の方が高い地位にあったが、「ウルフ法廷」の方が執行力を伴う分、支配的であった(Lambton 1991; Floor 2009)。フロールはさらに議論を進め、サファヴィー帝国のディーヴァーン・ベギー(訴願の場であるディーヴァーンの長官)に関する専論において、これを「世俗の司法制度」(Secular judicial system)と名付けている(Floor 2000)。これに対して、アビーサアブはシャリーア法廷と「ウルフ法廷」が相互に依存関係にあったことを主張するが、「ウルフ法廷」なる概念はそのまま継承している(Abisaab 2018: 533)。一方、ヴェルナーは欧文史料とペルシア語史料の枠組みの違いを指摘し、「ウルフ法廷」という概念自体が欧文史料から生まれたことを明らかにしている(Werner 2005)。ここでは、アビーサアブやヴェルナーの指摘を、文書を含めたより広い史料から検討したい。

ディーヴァーン・ベギー

先行研究は、ディーヴァーン・ベギーは主要な法務官であり、慣習法(common law)に関わるすべてのこと、特に、刑法に関するすべてについて、君主の代理であったとする(Floor 2000; 2009)。行政便覧史料において、彼の職務は以下のように要約できる。

① 土曜日と日曜日は特定サドルと、水曜日と木曜日は一般サドルと、宮殿の警護所において裁判に出席する。サドル達が下した判決をディーヴァーン・ベギーが執行する。

② 殺人、処女への暴行、歯の損壊、視力剝奪の四大罪は、サドルおよびディーヴァーン・ベギーが出席する裁判で裁かれる。殺人の場合は、サドルの命(taʿlīqa)により、ディーヴァーン・ベギーが遺体洗浄役に検死を依頼する。

③ 月曜日と火曜日は自宅で、道理や慣習に関わる(ḥisābī-i ʿurfī)訴訟を扱う。ただし、税に関わることや文官が一方の当事者である案件は宰相に送り、コルチやグラーム、武官や王室用度部門の職員が一方の当事者である案件は、それぞれの長官に委ねる。税と関わらない町や村の住人の訴訟は自ら裁く。(Anṣārī 2018: 6-7, 36-38)

ここで明らかなのは、サドル達の判決の執行役として、警護所の裁判に出席するのが週四日の職務であり、自宅でディーヴァーン・ベギー自身が行う裁判は、週二日と限定的なものであったことである。つまり、ディーヴァーン・

ベギーの最も重要な職務は、サドルの判決を執行することで、自宅でのそれは副次的なものだったのである。

別系統の行政便覧も、やはり警護所にサドルとともに着席すること、サドルの判決を執行することを述べている。加えて、この官職成立の背景を述べる。元来、君主自身がディーヴァーンに座り、自ら人々の訴えを裁いていた。しかし、遠征が重なり、君主の仕事も増えてくると、自ら裁くことができなくなり、シャー・アッバースがこの官職を新たに定め、君主の代理としてディーヴァーン・ベギーが人々の訴えを聞くこととなったのである(Rahīmlū 1998: 23)。もっとも、イスマーイール二世時代の一五七六年に、ディーヴァーン・ベギーが週二日、人々の訴えを裁いたという年代記の記述があるのに対し(Qummī 1984: 623-624)、アッバースやさらにはアッバース二世(在位一六四二―一六六年)、スルターン・フサインに至るまで、君主自ら裁くという慣行も残っていた。

一六一一年の勅令によって、ディーヴァーン・ベギーとサドル同席のもとでの訴願者は三つに分けられたという。第一はシャリーア関係であり、サドルの決定をディーヴァーン・ベギーが実行した。第二はウルフ関係であり、税に関することがこれにあたり、君主へ奏上した。第三は官による不正・圧政(マザーリム)であり、サドルの承認のもと、ディーヴァーン・ベギーが決定した(Yazdī 2019/2020: 530-531)。サドルは単に同席するだけではなく、二つの部門の決定に関わっていたのである。

先述のように、先行研究は、サファヴィー帝国には主に刑事を扱った慣習法による「ウルフ法廷」と宗教および民事を扱った宗教的なシャリーア法廷の二つがあったとする。しかも、四大罪に触れる際に、「これらの裁判には、サドルも、また、同席するものと考えられていたが、実際には、ディーヴァーン・ベギーの法廷で裁かれた」と何の根拠を示さずに述べている(Floor 2000: 11, 24)。しかし、史料からはシャリーアを司るサドルは四大罪も含めた多くのことに関わり、決定を下していたこと、「ウルフ」という用語が税務を主とする場合とそうでない場合があり、曖昧なものであったことが読み取れるのである。

さらにフロールが主な論拠としている欧文史料も、通説とは微妙に異なることを述べている。特に、ディーヴァーン・ベギーが扱う分野については、民事とするもの（Olearius）、民事・刑事の両方だとするもの（Chardin, Kaempfer）があり、刑事が主であるという通説に反している。オレアリウスは「民事事件は、通常、ウルフと呼ばれる世俗裁判官のもとで裁かれる。彼らは彼らのやり方による法曹家であり、彼らにはディーヴァーン・ベギーという長がいて、この人物はマホメットの法にも熟達していなければならない」と述べ、ディーヴァーン・ベギーにとってのシャリーアの重要性をも指摘しているのである（Olearius 1666: I 668）。

さらに、ディーヴァーン・ベギーの配下で、刑事事件を扱うイスファハーンのダールーガの職務について行政便覧史料は次のように述べる。

> 市の内外の治安を維持し、非道（khilāf-i ḥisāb）、不正や諍いを誰も起こさないよう、また、シャリーアに反する（khilāf-i sharʿ）事柄、すなわち、売春や酒、賭け事やその他の違法（nā-mashrūʿ）行為を禁じ、誰もこれを犯さないようにする。（Anṣārī 2018: 97-98）

ここで、「非道」とされているのが慣習法的なものであったと考えられるが、少なくともウルフという言葉は用いられていない。一方でシャリーアに反する行為の取り締まりもダールーガの職務に含まれていたことは明らかである。

これらのことから、ディーヴァーン・ベギーがシャリーアにも深く関わっていたことは疑いなく、刑事を主とする慣習法の世俗の裁判官という先行研究の見解は不適切であると言える。

ディーヴァーン・ベギーにかかわる勅令

先行研究では見落とされているが、ディーヴァーン・ベギーに関連した勅令が残っている。特徴は、「起草の印章」、すなわち勅令上部に押される印章の銘文に、君主の名前とともに「至高のディーヴァーンによって起草された印章」

(muhr-i musavvada-i dīvān-i aʿlā)という文言が入っていること、書き出しの定型句（トグラー）が赤字で「〔以下のことが〕世界が従うべき命となった」(ḥukm-i jahān-muṭāʿ shud)という二点である。前者の「起草の印章」は任官や俸給を定める勅令にも用いられた(Jaʿfariyān 2009: 38)。「世界が従うべき…」という定型句は黒字で書かれればラカムという勅令にも見られるが、行政便覧史料によれば赤字のそれはディーヴァーン・ベギーによって準備されるものにのみ用いられた(Dabīr-i Siyāqī 1989/1990: 24; Jaʿfariyān 2009: 30)。

筆者が参照できたこの種の勅令は、刊行されているものを中心に一六一三年から一七〇四年の日付を持つ四一通である。このうち、ウラマーのファトワーに基づいて発行されたものが一三件、臣民の訴願に対して発行されたのが二八通である。

ファトワーを含んだこの種の勅令の例として、一六六七年六／七月のサフィー二世のものを取り上げよう(Kostikyan 2005: 451-453)。ファトワーの質問は以下のようなものであった。エレヴァン北西約二〇キロメートルのムグニー所在の歴史的な聖ゲヴォルク修道院が荒廃しており、修理の必要がある。シャリーアにおいて、キリスト教徒がこの状況で石材や煉瓦、漆喰や石灰を用いて修理することはできるか。これを是とするウラマーの返答が、質問の右側欄外にあり、さらに質問の上にこれを追認する別のウラマーの認証がある。残念ながらこの二つについては印が不鮮明で押印者を特定できない。そして、認証とほぼ同じ高さの右側欄外に、当時の一般サドルであったミールザー・アブー・サーリフが「聖なるシャリーア(qānūn-i sharʿ)にしたがって実施せよ」と書き込み、それを受けて、勅令が発せられた。勅令の文面はほぼ定型であり、用紙の下部にあるウラマーのファトワーに従って実行すること、ファトワーの内容に反してはならないこと、シャリーアのみを規範と知り、シャリーアに反することは忌避すること、その地方のシャリーア法官と行政官はシャリーアに則って法的な援助をすべきことを述べている。すなわち、ディーヴァーン・ベギーによって準備されたにもかかわらず、ファトワーを根拠とし、サドルが勅令発行の指示を出し、勅令の内容もファトワーやシャリーアに従うように、というものであった。

一方、臣民の訴願にもとづくこの種の勅令は形式が少し異なっている。一六五九年一／二月のアッバース二世のものを例にとろう（Farmān-i Shāh 'Abbās-i Duvvum 1659）。訴願が勅令の下部に記されている。訴願者はミール・シャー・ミールという（おそらく銃兵隊の）千人長の相続人であった。テヘラン郊外北西の二つの地区は以前、訴願者の父のトユール（徴税権を持つ地域）であったが、数年前より税の一部を臣民が滞納している、勅令をシャフリヤール地方のダールーガとレイ地方の行政官（カラーンタル）宛に発行して、調査の上、滞納分を我々に引き渡すよう彼らに命じて欲しい、という訴願であった。これに対する書き込みが訴願の右側欄外にあり、ディーヴァーン・ベギーであったサフィー・クリー・ベグの名前で「必要な内容の勅令をシャフリヤール「知事」とレイのカラーンタル宛に発せよ」と指示している。この指示に従って勅令が発せられたのである。勅令はシャフリヤール地方のダールーガ宛で、内容は訴願に沿っていた。すなわち、ダールーガはシャリーアの専門家とレイ地方の行政官の同席のもと事実を吟味し、訴願人の債権を二つの地区の臣民から取り立てるようにというものであった。ここでも、ダールーガの吟味の際にシャリーア関係者が同席するよう命じている。

さらにこの勅令の裏面中央部には三つの印影があるが、左端のやや高い位置にあるのが宰相ムハンマド・ベグ（後述）、中央が一般サドルのミールザー・ムハンマド・マフディー、右端がディーヴァーン・ベギーのサフィー・クリー・ベグのものである。すなわち、シャリーアとあまり関わらないトユールの支払いに関する勅令にも、サドルが押印しているのである。このように、宰相、サドル、ディーヴァーン・ベギーの三名で押印している訴願に応える形式の勅令は少なくともあと一〇通は確認でき、明確に勅令裏面の印影が確認できるもののほとんどがこの形式である。特にシャリーアと関わらない案件でも、訴願に応える勅令においてはサドルの承認が必要だったのである。

以上のことから、ファトワーや訴願に応えるディーヴァーン・ベギー関連の勅令の発行には、サドルが大きな役割を果たしていたこと、ファトワーがある場合はもちろん、トゥールのようなシャリーアと関わらないような問題の吟味にも常にシャリーア関係者が同席していたことが明らかとなる。

法体系の確立

「世俗の裁判官」とされてきたディーヴァーン・ベキーがシャリーアと深く関わっていたならば、シャリーアと慣習法という二つの法が並立していたという考え方自体に疑問が生まれてくる。むしろ二つの法が切れ目なく繋がっている、あるいは一つの法体系として運用されていたという理解の方が事実に即しているように思われる。

　ここでは、後者の考え方を取りたい。なぜなら、ウルフという言葉の用法がシャリーアを補完するものと理解できること、運用面では常にシャリーア関係者の同席が求められ、両者の区分が強く意識されているようには見えないからである。前者については、以下のような記述が当時の証書起草指南書の離婚の章にある。

> 子どもの成年前に、前述の夫が前述の妻のもとにその子を連れて行った場合、待婚期間における養育費は、慣習〔ウルフ〕か、取り決めによって定めよ。要はすべて決まったこと、定まったことはシャリーアに適っていなければならない。(Jaʿfariyān and Rizāyī 2021: 82)

上位の法としてシャリーアがあり、それを補完するものとしてウルフがあるのである。ならば、二つの法が並立するというより、シャリーアを主とし、ウルフをも含むような法体系が確立していったと考えるのが妥当であろう。もちろん、先行研究も述べるように、君主や地方総督およびその配下に執行権はあったのだが、それを根拠にウルフが支配的であったとするのは、次元の違うものを無理に比較しているようにしか見えない。

　久保一之はティムール朝期までのディーヴァーンを、イラン的伝統であるマザーリム法廷とトルコ・モンゴル的伝統であるヤルグ法廷の両方に用いられる場としている(久保 二〇一六：六四頁)。サファヴィー帝国期のヤルグ法廷の事例は極めて限定されており、その伝統が残存していたとしても、ウルフという形で表現されていたのであろう。そうだとするならば、かつては「ヤサ」などの言葉で表現されたトルコ・モンゴル的慣習法も、サファヴィー帝国期にはシャリーアを補完するウルフという位置づけに変わったことになる。すなわち、ヤサもシャリーアを主とする法体系のなかに取り込まれていったのである。これは、いわゆる君主の発布する法令集『カーヌーン・ナーメ』がシャリーアに近づいていくというオスマン帝国による変化と並行する現象であると見なすことができる。

シーア派法の導入によって、サファヴィー帝国は二つの特徴を持った。第一に官制の外に法学者が活躍する余地が残されており、彼らの中から法務を司るものも現れたこと、第二に、シャリーアを主とする一元的な法体系が確立し、トルコ・モンゴル的慣習法もこのなかに取り込まれていったことである。そして、これらの特徴は後代に大きな影響を与えるのである。

四、帝国性と法秩序

それではこのような法秩序は、帝国の多様性とどのような関係にあったのであろうか。まず、帝国のあり方を確認しておこう。

多様な民族と宗派

特に後半のサファヴィー帝国は、その版図も現在のイランを越えて、ジョージア(グルジア)、アルメニア、アゼルバイジャン、ダゲスタン、トルクメニスタン、アフガニスタン、バフラインなどの国々の一部もしくは全部を含んでいた。イラン高原は七世紀にアラブの大征服でムスリムの支配下におかれたため、同時代のオスマン帝国やムガル帝国ほどの非ムスリム人口をかかえていたわけではない。それでもなお、帝国は現代のイラン以上の多民族・多宗派国家であったのである。王家はクルド系とされているが、テュルク語を話した。建国当初に軍事力を独占したキジルバシュは、アナトリアを故地とするトルコ系の遊牧民であった。これに対して、行政を担い、官僚を輩出したのは主にペルシア語を用いるイラン系の定住民であった。

帝国の版図は、一八世紀の行政便覧によれば、直轄領、総督(beglarbegī)・知事(ḥākim)領、諸公(vālī)領の三つに分かれていた。世襲の諸公領を支配したのはアラブ系のアラベスターン公、イラン系山岳民ロル人のロレスターン公、キリスト教徒のグルジア公、クルド系のコルデスターン総督、イラン系遊牧民バフティヤーリー族のバフティヤーリー知事という、異なった民族出身の五名であった。キリスト教徒のグルジア人やアルメニア人の中には、特に帝国後半期には、改宗してグラーム(小姓)という名で武官として取り立てられ、出世した者もいた。ルスタム・ハーン(一六四二年没)など帝国軍の総司令官となった者も複数名おり、また、キジルバシュと並んで一三の大州の総督職を得る者も多かった(前田 二〇〇九)。大州の総督と異なり、より小さな地方を治めた知事の多くはさまざまな部族出身者でその職は世襲であったが、南西部シューシュタルのように赴任したグルジア人の知事の一族が世襲した例もあった。帝国軍の中核はキジルバシュから選抜されたコルチと主にキリスト教徒出身のグラームであり、一六三〇年頃の史料で、コルチ軍が五二五七名、グラーム軍が三七六五名、ほかに主にイラン系の定住民で組織した銃兵軍が九七四二名であった。

一方、前述のように行政用語がペルシア語であったことから、文官は全般にイラン系の定住民が多かった。文官の最高位である宰相も、特に帝国前半期はイラン系がほとんどを占める。しかし、後半期にはムスリムに改宗したアルメニア人、移住してきたアラブ・ウラマーの子孫、クルド系の武官、コーカサスのレズギ人、高級官僚化したキジルバシュなど、さまざまな出自の人物がこの職に就いた。ウラマーとしてアラブ系の移住者が活躍したことは、前述の通りである。もちろん、アラビア語が宗務・法務に必要不可欠な言語であったことも関係している。

宗派の面でも帝国は多様であった。帝国末期に反乱を起こしたアフガーン(パシュトゥーン)人やバルーチ人はスンナ派のムスリムであった。キリスト教徒としては、グルジア人やアルメニア人が挙げられる。グルジアやアルメニアが帝国の版図に入っただけでなく、一部は強制的にイラン高原に移住させられた。たとえば、グルジア人は帝国期を通じて二〇万人以上が移住させられたと言われる(Rezvani 2009: 197)。前述のように、国家に武官として仕えた者のほか、マーザンダラーン州やフェレイドゥーン地方などにも入植した。

より有名なのはアルメニア教会に属するアルメニア人の場合である。アルメニア語の史料によれば、一六〇四—〇五年、シャー・アッバースの命で三〇万人のアルメニア人がコーカサス方面からイラン高原に移住させられたという(Ghougassian 1998: 30)。帝都イスファハーンの南郊のアルメニア人地区である新ジョルファーは、このとき、現アゼルバイジャン共和国のジョルファーから移住したアルメニア人のための地区である。インド洋から地中海におよぶ国際交易のネットワークを持つアルメニア人の根拠地として栄え、三万人ほどの人口を擁していた。彼らは帝国で最重要の輸出品である絹の輸出に携わった。

ユダヤ教徒は古代からイラン高原に定着しており、フランス出身の旅行者シャルダンによれば九〇〇〇から一万家族が帝国で暮らしていた(Chardin 1811: VI 133)。イスファハーンにはシナゴーグ(会堂)やユダヤ街、シーラーズのユダヤ商人が荷を下ろす商館などがあった。コーカサス方面からの移住者には一二〇〇家族のユダヤ教徒が含まれ、彼らはマーザンダラーン州の新都ファラハーバードに定着し、ギーラーン州で生産された絹のオスマン帝国への輸出に携わった。

古代イランの宗教を奉じるゾロアスター教徒は、別のフランス人旅行者タヴェルニエによれば、一六五四年の時点でケルマーン州に一万人以上が暮らしていたという(Tavernier 1676: I 431)。イスファハーンへはシャー・アッバースの命で彼らの根拠地であるケルマーンやヤズドから一五〇〇家族以上が移住させられた。彼らの居住地はザーヤンデ川の南側の城外区にあったが、離宮の建設のため新ジョルファーの一番遠いところに移り、人口も三〇〇戸に減少した。彼らの多くが農民やフェルト職人であったという（羽田 一九九六：一六五、一七二頁）。

また、現パキスタンのムルタン出身者を中心とした、主にヒンドゥー教徒のインド商人も帝国の各地に居住していた。欧文史料によれば、イスファハーンには一万人から二万人のインド商人がおり、主に金融業者や布地商人として活躍していた。イスファハーンの商館四三のうち八にはインド商人が関わっており、主に布地の商売をしていた。

以上のように、サファヴィー帝国はさまざまな民族や宗派によって構成されており、その社会は多様性を持っていた。それでは、その多民族、多宗派統治の仕方はどのようなものであったのだろうか。

宗教的少数派の統治

サファヴィー帝国においてシーア派ムスリムについては民族による扱いの差違はなかった。問題となるのは宗教的少数派である。オスマン帝国には「ミッレト制」と呼ばれる制度があり、宗教的少数派の自治が保障された、とかつては考えられてきた。現在では画一的制度が通時代的に存在したという見方は否定されているが、さまざまな宗派の自治が認められてきたことは確かである。それではサファヴィー帝国も同様であったのだろうか。

最も史料の多いアルメニア人の場合、教会の頂点に立つカトリコスはエレヴァン郊外のエチミアズィン大聖堂におり、サファヴィー帝国から任命の勅令を得ていた。一方、新ジョルファーには大主教がおり、制度的にはエチミアズィンのカトリコスに従う立場であったが、ときにはこれと対立した。商業ネットワークを背景に、新ジョルファーの大主教は、一七〇五年以降その管轄をインドやジャワにも拡大した（Ghougassian 1998: 122）。また、新ジョルファーにはアルメニア人から選ばれるカラーンタルという行政官が帝国君主により任命されていた。隣接するタブリーズ出身者の居住区アッバーサバードと同様に住民に課された税金の割り付けや、住民間の争いを裁く権限を持っていたと考えられる。このカラーンタルは毎年一五トマーンの現金を君主に献上していた(Anṣārī 2018: 151, 179)。ジズヤ(人頭税)などアルメニア人からの税収入を管理する専門のヴァズィールと財務官がおり、この収入は最終的にはハーッサ会計に組み入れられ、一部は狩猟長官の収入となった(Anṣārī 2018: 40, 66, 127, 130)。

ユダヤ教徒には各地にカドホダーという長がいた。彼らはそれぞれのユダヤ教徒コミュニティを代表して、帝国権力との折衝にあたった。各地のカドホダーを統括するような者は置かれてはいなかった。後述する一六五七年にユダヤ教徒に改宗の圧力がかかったときも、対応は地方ごとに異なっていた。イスファハーンには「ナスィ」と呼ばれるユダヤ教徒の長がいたが、ラビ(宗教指導者)ではなく、信徒の浄財を集める役割を果たしていた(Moreen 1987: 120-123, 152-153)。

ゾロアスター教徒についても、一七世紀後半には、イスファハーンとケルマーンにそれぞれ、ゾロアスター教徒自身の長が置かれていたことが史料で確認できる。特に後者は王領地で働く労働者の長を兼ねていた(Mashīzī 1990/1991: 218, 326-327)。ただし、やはりすべてのゾロアスター教徒を統括するような長は置かれてはいなかったようである。一五一一年の各地のゾロアスター教徒に言及した史料でも、各地の高位の聖職者(ダストゥール)をそれぞれ複数列挙するのみで、地域を超えるような組織の存在は確認できない(Zartushtiyān n.d.: 486a-b; Ghereghlou 2017: 52-53)。

以上のように、それぞれの宗教的少数派は一定の自治を行っていたと考えられるものの、その単位は地域ごとのコミュニティであって、かつての「ミッレト制」で想定されていたような宗派ごとの全国組織は存在しなかったのである。

宗教的少数派と法秩序

シーア派イスラーム法においてもスンナ派同様、ユダヤ教徒、キリスト教徒などの「啓典の民」はズィンミー(被保護民)として、人頭税を課せられるかわりに国家の庇護を受けられるよう定められている。サファヴィー帝国においては古代からイラン高原に分布していたゾロアスター教徒もズィンミーとされていた。

ズィンミーの法的立場を示す文書として、一六五〇年にサドルが発したミサール(前述)が挙げられる。これによれば、シャリーアは同宗派の被保護民間の紛争や訴訟については、カーディーのもとで、シャリーアに則って裁きを受けることも、あるいは自らの宗教にしたがって、アルメニア人であればカトリコスや大主教の裁きを受けることも、認めていた。アルメニア人の訴えによって発せられたこのミサールは、法に則ってこれ以降、アルメニア人同士の紛争について、カトリコスや大主教の裁きを受けることを認めたものであった。ただし、紛争の一方の当事者がムスリムであるときは、シャリーア法廷で裁くことも明記されている。このミサールの実行を命ずるアッバース二世の勅令がただちに発せられた(Папазян 1956: 559-560)。

アルメニア人については、これ以外でもサドルやディーヴァーンに訴え、法による保護を求めた例がいくつも見られる。たとえば、一六〇四年に発行されたミサールにおいて、訴えを受けて、サドルはあるアルメニア人女性の遺産であるチュフール・サアド州の村の半分の持ち分の所有権を認め、これを侵す行為はシャリーアに反することを強い調子で述べる(Папазян 1956: 468-469)。こうした文書が多数残っていること自体、アルメニア人がシャリーア法廷を含む帝国の法秩序を熟知しており、自らの利益を守るためにこれを賢く利用していたことを示すと言えよう。

一方、別な宗派の事例としては、一六六一/六二年のイスファハーン在住のヒンドゥー教徒についてのものがある。ペルシア湾岸の港町バンダル・アッバースの十分の一税の徴収官(zābeṭ)が、死去した自分の従者が残したインド文字の証文を元に債権をヒンドゥー教徒から強引に回収しようとした。ムスリムが行う誓言のかわりに、熱した油に手を入れる盟神探湯《くかたち》を債務者に強い、拒否した者から債権を取り立てた。ヒンドゥー教徒たちはこれをアッバース二世に訴え、君主は高位の武官を集めて、高位のウラマー三名とともに宮殿の警護所に座り、両者の言い分を聞いて奏上させた。さらにこのウラマー三名にさらに一名を加えて計四名のウラマーにファトワーを求め、それを読んだのち、さらにこれらのウラマーに直接質問した。裁定によってこの債権回収がシャリーアに反することが明らかとなったので、これを返金するよう勅令を発した(Qazvīnī 2005: 826-828; Vālih 2001: 658-659)。この事例は、ディーヴァーンとシャリーアの関係、ウラマーのディーヴァーンへの関与を示しているが、インド文字による証文を書いた債務者をシャリーアによって守ったものと見なすことができる。シャリーアはムスリムだけを守るものではなく、宗教的少数派の権利をも擁護するものとして、存在したのである。

しかしながら、サファヴィー帝国が宗教的少数派にとって条件のよい地であったかというと疑問もある。特に、少数派側の史料は、彼らがしばしば迫害を受け、またイスラームに改宗すべく圧力を受けていたこと主張する。もちろん、シャリーアによれば本人が自主的に行ったのでない限り、改宗は無効である。一六二一年のキリスト教徒の大改宗も、帝国側の論理ではあくまで、君主の勧めにしたがって自主的に行われた改宗なのである。

アッバース二世の宰相ムハンマド・ベグ(在任一六五四―六一年)は、自身がアルメニア教会からの改宗者であったが、宗教的少数派の迫害で知られている。彼はまずイスファハーンの町におけるワインの消費・販売を禁止しようとした。しかし、この禁令はあまり効果がなかった。市内の中心部には旧ジョルファー以外から移住したアルメニア人や他のキリスト教徒、ユダヤ教徒がムスリムと混住しており、彼らの飲酒や酒類の販売は合法だったからである。そこで、ムハンマド・ベグは市内のキリスト教徒を市内から市外へ追放する措置を取った。さらに一六五七年、ユダヤ教徒をも市内から追放しようとし、相応しい代替地も与えなかった。ユダヤ教徒達は捕らえられ、改宗を求められたが、抵抗した。最終的には、ラビが捕らえられ脅迫されたのち、ユダヤ教徒たちはイスラームに改宗した。ほかにも、カーシャーンやシーラーズなどのユダヤ教徒は改宗したが、ファラハーバードやヤズド、ケルマーンのユダヤ教徒は信仰を守った(Arakel 2010: 361-375; Carmelites 1939: I 364)。このとき、サドルは宰相に協力を求められたが、「我らが宗教は誰にも強制改宗を認めていない」といって拒んだという。法は法として存在し、非ムスリムの権利を擁護する側面もあったが、帝国権力がそれを踏み越えて迫害を加える場合もあったのである。

おわりに

サファヴィー帝国は、現在のイラン以上に多民族・多宗派であり、その意味で同時代のオスマン帝国やムガル帝国と比較しうる存在である。ただし、他の二帝国がスンナ派ハナフィー法学派であったのに対し、十二イマーム・シーア派、ジャアファル法学派を奉じたサファヴィー帝国には他とは異なった課題があった。先行諸王朝に倣って宗務・法務組織を編成しつつ、史上初のシーア派帝国としてこの宗派を徐々に浸透させ、その法に基づく法秩序を打ち立てる必要があったのである。そのなかでシーア派の教義に基づいて組織外の法学者にも活躍の余地を残していた。

他の帝国との比較の上で、宗教的少数派について述べるならば、イラン高原はすでに七世紀にムスリムに征服されていたため、非ムスリムの人口に占める割合は他の二帝国よりは小さかった。宗教的少数派に対するシャリーアの保護の原則は法的には保障されていたが、帝国権力がそれを踏みにじる場合もあった。シーア派帝国として常に臣民をシーア派化することに力を注ぎ、その延長で折を見て宗教的少数派にも改宗を迫ったのである。帝国でありながら同質化への志向を持っていたという点で、サファヴィー帝国は特異な性格を持っていたといえるだろう。

参考文献

久保一之（二〇一六）「Niẓām al-mulk 著『統治の書』とティムール朝――イラン・イスラーム的政治文化の継承をめぐって」『西南アジア研究』八五。
羽田正（一九九六）『シャルダン『イスファハーン誌』研究――一七世紀イスラム圏都市の肖像』東京大学出版会。
前田弘毅（二〇〇九）『イスラーム世界の奴隷軍人とその実像――一七世紀サファヴィー朝イランとコーカサス』明石書店。
Abisaab, Rula Jurdi（2004）, *Converting Persia: The Religion and Power in the Safavid Empire*, London, I. B. Tauris.
Abisaab, Rula Jurdi（2018）, “Delivering Justice: The Monarch’s ʿUrfi Courts and the Shariʿa in Safavid Iran”, A. M. Emon and R. Ahmed（ed.）, *The Oxford Handbook of Islamic Law*, Oxford, Oxford University Press.
Arakel of Tabriz（2010）, *Book of History*, G. A. Bournatian（tr.）, Costa Mesa, Mazda.
Anṣārī, Mīrzā Moḥammad Rafīʿ（2018）, *Dastūr al-Molūk: A Complete Edition of the Manual of Safavid Administration*, N. Kondo（ed.）, Fuchu, ILCAA.
Bafqī, Muḥammad Mufīd（1961）, *Jāmiʿ-i Mufīdī*, vol. 3, Ī. Afshār（ed.）, Tehran, Asadī.
Carmelites（1939）, *A Chronicle of Carmelites in Persia*, 2 vols., London, Eyre & Spottiswoode.
Chardin, Jean（1811）, *Voyages du Chevalier Chardin en Perse*, 10 vols., L. Langlès（ed.）, Paris, le Normant.
Dabīr-i Siyāqī, Sayyid Muḥammad（1989/1990）, *Tazkirat al-Mulūk*, Tehran, Amīr-i Kabīr.
Farmān-i Shāh ʿAbbās-i Duvvum（1659）, Kitābkhāna-ʾi Muza-i Millī-i Malik, 1399/31/05815.
Floor, Willem（2000）, “The Secular Justice System in Safavid Persia”, *Studia Iranica*, 29.
Floor, Willem（2009）, “Judicial and Legal Systems: IV. Judicial System from the Advent of Islam through the 19th Century”, *Encyclopaedia Iranica*, Vol. 15.
Ghereghlou, Kioumars（2017）, “On the Margins of Minority Life: Zoroastrians and the State in Safavid Iran”, *Bulletin of the School of Oriental and African Studies*, 80.
Ghougassian, Vazken S.（1998）, *The Emergence of the Armenian Dioceses of New Julfa in the Seventeenth Century*, Atlanta, Scholars Press.
Isfahani, Fazli Beg Khuzani（2015）, *A Chronicle of the Reign of Shah ʿAbbas*, Kioumars Ghereghlou（ed.）, Cambridge, Gibb Memorial Trust.
Jaʿfariyān, Rasūl（2009）, *Munshaʾāt-i Sulaymānī*, Tehran, Kitābkhāna-ʾi Majlis.

Ja'fariyān, Rasūl (2009/2010), *Siyāsat va Farhang-i Rūzgār-i Ṣafavī*, 2 vols., Tehran, Nashr-i 'Ilm.

Ja'fariyān, Rasūl, and Umīd Riżāyī (2021), *Dastūr-i Qavāla-navīsī*, Qom, Muvarrikh.

Kondo, Nobuaki (2017), *Islamic Law and Society in Iran: A Social History of Qajar Tehran*, Abingdon, Routledge.

Kostikyan, K. P. (2005), *Persian Documents of Matenadaran: Decrees*, Vol. 3, Yerevan, Institute of Oriental Studies.

Lambton, Ann K. S. (1991), "Maḥkama 3. Iran", *The Encyclopaedia of Islam*, new edition, Vol. 6.

Mashīzī, Mīr Muḥammad Sa'īd (1990/1991), *Tazkira-'i Ṣafaviyya-'i Kirmān*, Bāstānī Pārīzī (ed.), Tehran, 'Ilm.

Matthee, Rudi (2010), "Was Safavid Iran an Empire?", *Journal of the Economic and Social History of the Orient*, 53.

Moreen, Vera Basch (1987), *Iranian Jewry's Hour of Peril and Heroism*, New York, The American Academy for Jewish Research.

Munshī, Iskandar Beg (1956), *Tārīkh-i 'Ālam-ārā-yi 'Abbāsī*, Ī. Afshār (ed.), Tehran, Amīr-i Kabīr.

Olearius, Adam (1666), *Relation du voyage d'Adam Olearius en Moscovie, Tartarie, et Perse*, Paris, Iean du puis.

Папазян, А. Д. (1959), *Персидские документы Матенадарана: указы II*, Ереван, Академии Наук Армянской ССР.

Qā'im-maqāmī, Jahāngīr (1969), *Yaksad va Panjāh Sanad-i Tārīkhī: az Jalāyiriyān tā Pahlavī*, Tehran, Artish-i Shāhanshāhī-i Īrān.

Qazvīnī, Muḥammad Ṭāhir Vaḥīd (2005), *Tārīkh-i Jahānārā-yi 'Abbāsī*, S. Mīr Moḥammad Ṣādeq (ed.), Tehran, Pazhūhishgāh-i 'Ulūm-i Insānī va Muṭāla'āt-i Farhangī.

Qummī, Qāżī Aḥnad (1984), *Khulāṣat al-Tavārīkh*, I. Ishrāqī (ed.), Tehran, Dānishgāh-i Tihrān.

Raḥīmlū, Yūsuf (1993), *Alqāb va Mavājib-i Salāṭīn-i Ṣafaviyya*, Mashhad, Dānishgāh-i Mashhad.

Rezvani, Babak (2009), "Iranian Georgians: Prerequisites for a Research", *Iran and the Caucasus*, 13.

Rūmlū, Ḥasan Beg (1979), *Aḥsan al-Tavārīkh*, 'A. Navā'ī (ed.), Tehran, Bābak.

Tavernier, Jean Baptiste (1676), *Les six voyages*, Paris, Gervais Clouzier.

Vālih, Muḥammad Yūsuf (2001), *Īrān dar Rūzgār-i Shāh Ṣafī va Shāh 'Abbas-i Duvvum*, M. R. Naṣīrī (ed.), Tehran, Anjuman-i Āṣār va Mafākhir-i Farhangī.

Werner, Christoph (2005), "'Urf oder Gewohnheitsrecht in Iran: Quellen, Praxis und Begrifflichkeit", M. Kemper and M. Reinkowski (eds.), *Rechtspluralismus in der Islamischen Welt*, Berlin, Walter de Gruyter.

Yazdī, Mullā Jalāl al-Dīn Munajjim (2019/2020), *Tārīkh-i ʿAbbāsī*, M. Ṣādiqī (ed.), Tehran: Nigāristān-i Andīsha.

Zartushtiyān (n. d.), *Majmūʿa-ʾi Āsār-i Zartushtiyān*, Kitābkhāna-ʾi Majlis, Tehran, MS no. 13741.

問題群｜*Inquiry*

ムガル帝国における国家・法・地域社会

真下裕之

はじめに

「ムガル」という言葉は「モンゴル人」を意味するペルシア語に由来する英単語(Mughal)であるが、これが英語の一般名詞として用いられると、「有力者、独裁者」という意味になる。『オクスフォード英語辞典』によれば、この用法は『悲劇アウレング・ゼーブ』(一六七六年)という作品でも知られる一七世紀の劇作家ジョン・ドライデンにさかのぼるという。他のヨーロッパ諸語にはない、この独特の語義は、近世・近代の英国がムガル帝国もしくはインドとの間に経験した歴史に、独特のものがあったことを反映しているだろう。

ムガル帝国に関する歴史研究が一八世紀後半に英国人の主導で始まったとき、その内容もこうした独特の状況の制約を受けることになった。英国東インド会社の修史官ロバート・オームの歴史書『ムガル帝国、マラーター、インドにおける英国の事業の歴史断章』(一七八二年)をはじめとして、ジェイムズ・ミル『英領インド史』(一八一七年)、マウントステュアート・エルフィンストン『インド史』(一八四一年)といった代表的なインド通史の歴史書において、ムガル帝国は当時まだ存続していたにもかかわらず過去の存在となり、「英国時代」という、いわば「現代」の前史になっていた。そしてその歴史叙述の中でこの帝国は、デリー・スルターン朝と併せて「マホメット教徒時代」とされていた。つまりそれ以前の「ヒンドゥー教徒時代」に続く時代だったというわけである。

このように、英国人たちがインドの歴史を宗派的に区分した上で、自らを「現代史」の主人公に仕立てる歴史叙述に、英国のコロニアルな意識を読み取ることはもちろんたやすい。「英国時代」の輝きの担い手たちにとって、その直前の「マホメット教徒時代」は英国によって乗り越えられるべき暗黒の時代であったし、またそうでなければならなかった。「ムガル」はたしかに「独裁者」だと見なされたのである。ドライデンの作品は、一七世紀後半に帝国宮廷を訪問したフランス人ベルニエの見聞記を情報源としていたが、この見聞記が伝えた帝国君主のありさまが、のちにマルクスの「アジア的専制」という概念に結びついたことはよく知られている。

一方、英国東インド会社も英領政府もインドの新たな支配者として、この帝国の制度を知り、摂取する必要に迫られていた。アクバル時代の帝国制度誌である、いわゆる『アーイーニ・アクバリー』の最初の英語訳が早くも一七八三年から八六年にかけて作成されたことは、そのような関心の所在を示している。その翻訳者フランシス・グラドウィンは後に、帝国の事実上の共通語であったペルシア語の書記術に関する実用的な手引書『ペルシア語書記官』(一七八五年)も作成することになる。今日の南アジア諸国の行政用語に見られる多数のペルシア語・アラビア語由来の語彙は、英領インドの統治機構に吸収されたムガル帝国の諸制度の残滓が、なお生きながらえていることを示している。

一七八四年、ベンガル知事・総督ウォーレン・ヘイスティングズが主導して、現在まで存続している学術団体ベンガル・アジア協会(現アジア協会)が設立されたこともその流れの中で理解できる。本章で扱う法制度の事柄を重ねるなら、民事高等裁判所(サドル・ディーワーニー・アダーラト)と刑事高等裁判所(サドル・ニザーマト・アダーラト)が設置されたのも、彼の任期中のことであったし(一七七二年)、ムガル帝国時代の法規定集『ファターワー・アルアーラムギーリーヤ』の英語訳の作成が企てられ(部分訳のみ完成)、その後、ハナフィー派の法学注釈書として有名なマルギーナー二ーの『ヒダーヤ』の英語訳(一七九一年)が完成するに至ったのも、彼の在任中における取り組みの結果である。

そしてムガル帝国に関する基礎的なペルシア語史料群の多くは、ベンガル・アジア協会によって刊行された「インド叢書」シリーズ(一八四八年開始)の一部として出版された。早くから史料の原典テキストが整備され、多くの場合英語訳まで伴っていたことは、アジアの他の諸地域に関する歴史研究と比べても、稀有のことがらである。たしかに草創期の史料研究には、現在の水準に照らすと多くの不備がある。また英語訳の便利さがかえって、原典に即した文献研究の発展を妨げた面もある。それでもこれらの出版物は今日なお、研究者にとって不可欠の研究基盤である。

ムガル帝国の歴史研究は以上のように、英国のインド統治にかかわる実用が学術に結びつくという、特有の環境の中から出発した。そして、この帝国に当初投影された「イスラーム教徒の」「独裁者」の国家という二つの性格付けは、帝国における宗派の問題および支配体制の問題という二つの主題となって、歴史研究の方向性を規定してきたのである。

以下では、この二つの主題に即した研究史をおさえた上で(第一節)、この帝国の時代における法の問題が、宗派の問題および国家と各地域社会との関係という問題の交点に位置することを示す(第二節)。その上で、帝国内の宗教者に対する「生計補助」給付文書を例に、帝国の法秩序が多様な諸宗派を包摂する性格を有していたことを示したい(第三節)。

一、ムガル帝国研究の焦点

宗派——帝国とイスラーム

たしかにムガル帝国の歴代君主はイスラーム教徒であったが、この事実は、その帝国がつねにイスラーム的であったことを必ずしも意味しない。帝国の正確な人口統計は存在しないし、地域による偏りはもちろんあるが、帝国支配下のインドにおいてイスラーム教徒が少数派であったこと、そして非イスラーム教徒として多数を占めたヒンドゥー教徒の他、ゾロアスター教徒、ジャイナ教徒、スィク教徒など、多様な宗派の信徒を帝国が擁していたことは事実である。また宗派に対する個々の君主の態度や信条が、それぞれ異なる政策として形を取ることもあった。かような意味での宗派性の強弱という問題意識を念頭に、例えば、第三代君主アクバルと第六代君主アウラングゼーブ(王号はアーラムギール)は対照的な君主として記述されてきた。前者はジズヤ(非ムスリムに課された人頭税)の徴収を廃止し、『マハーバーラタ』をはじめとするインド古典籍のペルシア語訳を推進する一方、ラージプート諸侯を帝国の貴族として多数登用するなどの「リベラル」な政策によって、帝国の確立を導いたとされる。一方後者は、ジズヤの再課税を断行し、音楽の禁令を発し、『ファターワー・アルアーラムギーリーヤ』というイスラーム法典を編纂させるなどの「親イスラーム的」な諸政策によって、他の諸宗派からの反発を招き、帝国の崩壊の端緒を開いたとされるわけである。我が国の世界史教科書などもそうであるが、この二人の君主というアイコンが代表する歴史叙述の裏に、帝国の歴史をおもに宗派の観点から説明しようとする意識が潜んでいることは疑われてよい。

二〇世紀後半の歴史研究は、かくのごとき宗派的な歴史叙述を解体するところに主眼の一つをおいてきた。例えば、ヒンドゥー教の典籍にも深い関心を示していたことで知られる長兄ダーラー・シュコーを破って即位した「厳格なムスリム」たるアウラングゼーブが、実のところ、それ以前の君主たちとさして変わらない数のヒンドゥー教徒貴族たちによって支持されていたことは、M・アトハルアリーによる貴族層(マンサブダール)の研究によって、つとに明らかになっている(Athar Ali 1966)。ジズヤ再課税も、その税収がムスリム宗教者に対する恩給のための特定財源になったことから、アウラングゼーブ自身の信条というよりも、当時(再課税の断行は一六七九年のことで、即位から約二〇年も経っていた)拡大しつつあったデカン戦役に対するムスリム宗教者の支持を得るための政治的妥協の産物だという解釈が定説となって久しい(Chandra 1969)。このように一見宗派的と見える帝国の現象は、政治経済的な要因から解釈し直されてきていたわけである。

二〇世紀後半におけるムガル帝国の研究が、宗派上の諸問題よりも、経済史・制度史の分野に重点を置いたのは、以上のような事情にもよっている。この流れを主導したのはインド共和国の研究者たちであり、イルファーン・ハビーブの大著(Habib 1963)はそのような研究潮流を代表する記念碑的な成果である。未公刊史料の利用という研究方法も含め、この研究の方向性はそれに続く世代にも継承されている(代表例は Moosvi 1987)。

一方、宗教・宗派に関わる論点は、アクバルという目立った事例に研究が集中し、多くは文化史・社会史上の主題として、帝国研究とは別の次元に隔離された。またそうした研究がムガル帝国時代を記述するとき、イスラーム教以外の諸宗派の展開や各々の信徒による文化的所産を幅広く取り扱うことはなかった。あるとすれば、イスラーム教とインド文化との接触や、イスラーム教に生じた「シンクレティズム」など、あくまでイスラーム教に関わる事柄に限られる。近世インドにおける、例えばヒンディー語文化やヒンドゥー教の展開は、帝国の文化史とは別次元に存するかのごとくであった。

宗派を観点とした歴史叙述が再検討されるようになったのは、おおよそ二〇〇〇年代以降のことである。インドの歴史は多様な要素から成り立っており、宗派は、数多ある分析上の指標のひとつに過ぎないということが、問題意識として浮上してきたのである。イスラーム教徒が多数派を占めない社会で、他の諸宗派と共存しつつイスラーム教もしくはイスラーム教徒が一定の存在感を示した状況を説明する用語として、「イスラーム的」Islamicではなく、「イスラーム風」Islamicateとするマーシャル・ホジソンの提案がインドの歴史についてさかんに援用されたのは、こうした問題意識ゆえのことである(Hodgson 1974: 59; 関連研究は例えばGilmartin and Lawrence 2000)。

帝国とペルシア語文化――包摂と威信

ムガル帝国におけるイスラーム的な宗派性の問題を再検討するための観点として注目されてきたのが、言語文化なかんずくペルシア語文化である。ムガル帝国に先行するデリー・スルターン朝のトルコ人支配者たちによって持ち込まれたペルシア語は、その社会において、学術、行政、文芸の媒体として広く通用する事実上の共通語になっていた。この点で、ムガル帝国時代のインドは、それまでにイスラーム教が広く深く定着していた西アジアや中央アジアとともに、ユーラシアにまたがる広大な「ペルシア語文化圏」を構成していたと言える(森本 二〇〇九)。ただし、ペルシア語化の進展はイスラーム化の進展と同義ではない。在来の多様な宗派と言語を擁するインドの場合、非ムスリムがペルシア語を獲得してムスリム君主の宮廷に参与することもあったし、ムスリムの宗教や文芸の所産が、インド諸語(ヒンディー語やベンガル語など)によって書かれたり語られたりすることもあった。帝国の君主アクバルがそうであったように、ムスリムであれ非ムスリムであれ、帝国宮廷の関係者はペルシア語のみならずインド諸語の使用者でもあった。さらにひとくちにムスリムといっても、イスラーム学術に携わる知識人はアラビア語をも使用したし、ムガル帝国の王族は自らの家内言語としてトルコ語を一八世紀に至ってもなお、維持していた。帝国時代の文書資料には、後述する地域社会の法廷記録証書「マフザル」(もしくは「マフザル・ナーマ」)のごとく、ペルシア語の本文を備えた文書にヒンディー語やマラーティー語の注記を備えた例も多数伝世しているし、地域社会におけるペルシア語文書の作成者は少なからず、非ムスリムのペルシア語書記官であった。またペルシア語やアラビア語、トルコ語由来の語彙は多数、近代インド諸語に借用されている。さらに、インド諸語による個々の所産と帝国との緊密な関係があらためて指摘される一方、アクバルからジャハーンギール時代にかけての有力ムスリム貴族アブド・アッラヒームのようなペルシア語文化の担い手によるインド諸語の所産についても、事例の掘り起こしが進んでいる(Busch and de Bruijn 2014; Talbot 2015; Truschke 2016; Hossain and Ray 2017; 長崎 二〇一四、長崎 二〇一七)。

また、インドの「ペルシア語文化圏」はペルシア語を基軸とした多元的・複合的な言語環境であって、ペルシア語が共通語として用いられる状況は、他の在来諸言語を排除して生じたわけではない。こうした意味で、ペルシア語が優位を占めた社会を概念化するための用語として、「ペルシア語の」Persian ではなく「ペルシア語風」Persianate を用いる研究者が増えている。米国の研究者リチャード・イートンは同じ文脈で、インド学の研究者シェルドン・ポロックのいう「サンスクリット語コスモポリス」を念頭に、「ペルシア語コスモポリス」という概念を提唱している(Eaton 2018)。

このようにインドにおけるペルシア語は、宗派や出身地、帰属集団を異にする多様な人々を包摂する媒体であり、たしかにその所産はムガル帝国における多様な文化・集団の共存を反映している。例えばアクバル時代に帝国の施策として、『マハーバーラタ』、『ラーマーヤナ』などインドの古典籍が多数、ペルシア語に翻訳されたことはその代表例であるとされる。このことをもって、アクバル時代の帝国がとりわけ「リベラル」で「寛容」な社会であったと性格付ける余地は確かにある。しかし帝国宮廷の教養であったペルシア語詩文をヒンドゥー教徒貴族が嗜んだ例のように、帝国の事実上の公用語であったこの言語が帯びていた、帝国の威信という側面を見のがすわけにはいかない。また古典籍の翻訳はペルシア語への翻訳がほぼ全部を占めていたのであり、ペルシア語からインド諸語への翻訳が行われた例はごく少数に留まる。このような非対称性を備えていたペルシア語文化はやはり、帝国の多様な諸要素の共存というよりも、帝国の秩序にそれらを包摂し再編成するという志向性を備えていたと考えられる(真下 二〇二〇)。

支配体制――「中央集権的な専制」国家と地域社会

ペルシア語文化を通した統合の側面は、ムガル帝国の支配体制の性格付けとも関わる問題である。この帝国を「中央集権的な専制」国家とみなす考え方の淵源については冒頭に触れたが、二〇世紀後半の研究を主導したインド共和国の研究者の間でも、それはなお主流を占めた。すなわちムガル帝国は、マンサブ(帝国の貴族に君主が授与した位階)制度とジャーギール(分与地)制度を基軸として、おもに農村社会に強力な収奪を及ぼした中央集権的な支配体制として理解されてきた。そして一八世紀以降における帝国の解体は、地租制度の機能不全、厳しい収奪を受けた農民の反乱、在地有力者層(ザミーンダール)の台頭などによって顕在化した「ジャーギールの危機」と「農業の危機」こそがその本質であるとされた(Habib 1963)。

一九八〇年代以降、この従来の理解に疑問を呈するようになったのは、帝国の解体に伴い、インド各地に成立した各地方政権の研究者たちであった(例えばBayly 1983; Alam 1986)。従来の図式に従えば、帝国の解体の始まりはインドの混乱と停滞の始まりであり、その後の「英国時代」の準備であったことになるが(この点、インド共和国における主流説は冒頭に示したコロニアルな時代区分に即している)、各地方における商業活動の発展を明らかにしたそれらの研究は、その解体の時代にむしろインドの社会経済が活況を呈していたことを重視した。こうして帝国の消長と社会の展開との関係性に疑義が浮上すると、それまで強力に地域社会を統制していたという帝国の中央集権的な支配体制にも再検討の余地が生じることになる。帝国の支配体制はさほどに強固であったか、またその画一性はいかほどであったか、というあらたな問題意識は、その支配体制の実態が「床一面のカーペット」だったか、「パッチワークのキルト」だったか、という問いにも開かれることになったわけである(Alam and Subrahmanyam 1998)。

この問いに択一的に答えることはさして生産的と考えられないが、ムガル帝国の社会制度を、帝国側による単方向的な支配の側面のみから説明する図式には、修正が加えられてよい。そのような問題意識に根ざした研究の例としては、帝国の州を構成したパンジャーブ地方における農業の展開と在地有力者層の動向、都市の発展といった地域社会の微細な諸相から、帝国の地方統治を記述しようとしたチェータン・スィングの著作、グジャラート地方のアフマダーバード、キャンベイ、スーラトといった都市における、帝国と地域諸社会との関係に焦点を当てて、「下からの国家形成」という問題提起におよんだファルハト・ハサンの著作、帝国君主の王子とその家政の内実に焦点を当てることで、「専制君主」が君臨した中央集権的国家という帝国の性格づけへの再検討を迫ったムーニス・ファールーキーの著作などがある(Singh 1991; Hasan 2004; Faruqui 2012)。後述するとおり、ムガル帝国の法秩序に関する近年における諸研究も、このような帝国の社会制度を問い直そうとする研究史の流れのなかに位置づけられる。

なお、法に関する研究も含め、各々の地方史研究が帝国史研究に還流するというこの新しい状況をもたらした要因は、ひとつには各地域に伝世していたペルシア語もしくは諸地方語(ヒンディー語、マラーティー語、ラージャスターニー語など)の文書記録にもとづくミクロな研究の進展である。この点で、その種の研究に従事できる研究者に限っては、冒頭に述べたような、原典に即した文献研究の弱体化という状況を克服しつつあるのが現状である。

二、ムガル帝国における法

本節では、帝国政府における司法の制度的側面を考察し、帝国の法秩序におけるイスラーム的な側面を検討した上で、地域社会における法運用とその意味を最近の研究にもとづいて考察する。これによって、ムガル帝国における法という主題が、前節で確認した帝国の宗派性、および国家と地域社会の関係性という二つの主題の交点に位置することが明らかになる(ムガル帝国時代の法に関する研究史については(Pirbhai 2015)が便利である)。

宗務庁と帝国の司法

帝国の中央政府は宮内、財務、軍務、宗務の四部門から構成された。司法はこのうち、宗務の部門に属する業務であった。その部門の組織たる官庁は宗務庁(ディーワーン・アッサダーラト。「サドル業務の官庁」の意)であり、その長官はサドル・アッスドゥールと呼称された(Ibn Hasan 1936; Ahmad 1941)。「サドルたちのうちのサドル」というこの呼称は、後述するごとく、帝国各州の州政府にもサドル職が置かれていたことによっている。実際、この宗務庁長官は帝国全土のサドルたちの筆頭者として、叙述史料においては「ヒンドゥースターン全国のサドル」、もしくは「神護の諸邦のサドル」と記されることもある。そして、カーディー(法官)の任免と俸給を宗務長官たるサドルが管掌していたことから、司法は宗務庁の管轄であったといえるわけである。

サドルのもと、宗務庁に属していた官職を史料からは多数引き出せる。アブル・ファズルは『アーイーニ・アクバリー』のなかで、カーディーとミール・アドル(公正官)を並記している(AA: I, 198, 283)。カーディーたちは後述するとおり、帝国内の各地域において法秩序を担う役割を果たしていた。ただしこの二つの官職の具体的な役割について、アブル・ファズルの文飾にまみれた説明は残念ながら要領を得ない。同所の英語訳はそのくだりをカーディーが「判断を下し」、ミール・アドルが「実行に移す」と訳しており、ここから前者を裁定者、後者を執行者と各々別個の職務を分担したものと考える研究者もいるが、十分な根拠はない(Bilgrami 1984: 168)。

むしろ後者については、その「アドル」(公正)という語が含む意味を、ジャハーンギールが即位直後に首都アーグラーの城砦に取り付けさせた「公正の鎖」から推測すべきだろう。君主に直に訴願を申し立てたい「被抑圧者」(マズルーム)が、この純金製の鎖に取り付けられた六〇丁の鐘を鳴らすことができるようにしてあった(JN: 5)。実際、ジャハーンギール宮廷の座談会の様子を活写した史料は、君主臨席のもと行われた一連の会合が、確かに君主に直々の裁定を求める訴願の場でもあったことを示している(Lefèvre 2017)。その上で、ミール・アドルの職名がシャー・ジャハーン時代以降、「公正監督官」(ダルガ・イ・アダーラト)という用語にしだいに置き換わっていくという展開をふまえて、アウラングゼーブ時代には従来の「公正の法廷」(ディーワーニ・アダーラト)が「マザーリムの法廷」(ディーワーニ・マザーリム)と呼ばれるに至っていた(MAlm: 460)ことを考慮すれば、『アーイーニ・アクバリー』におけるカーディーとミール・アドルの並記は、カーディーの管轄するシャリーア法廷と、行政裁判所としてのマザーリム法廷の並立を含意していたものと読み取ることができよう。

両職もしくは両法廷がサドルのもと、宗務庁に付属していることの意味を他地域・他王朝の例と比較・検討する用意は筆者にないが、少なくとも形式的には、ムガル帝国は、イスラーム世界の歴史のなかで形成されてきていた法制度の要素を備えていたと解することができる。

さらに、諸史料の記事からは、イスラーム社会において法裁定を担う法学者たるムフティー、および市場監察・風紀監督を担う役職たるムフタスィブの存在も引き出すことができる。実際、アウラングゼーブ時代に書かれたとされる「業務要領書」(ダストゥール・アルアマル)は、宗務庁に属する官職として、サドルを筆頭に置き、カーディー、ミール・アドルに並記して、この二つの官職を挙げている(Add. 6599: f. 38r)。

ただしムフティーの具体的な職務ははっきりしない。「御軍のムフティー」(ムフティー・イェ・アスカル)や「至高の陣営のムフティー」(ムフティー・イェ・ウルドゥー・イェ・ムアッラー)が、「御軍」「至高の陣営」という文飾が指示する君主の宮廷に付属するムフティーであることは明らかだが、他方、「アーグラーのムフティー」「ラホールのムフティー」「スーラト市外のムフティー」のごとく、帝国の制度に位置づけられる官職というより、各々の地域社会における地位を示す呼称かと疑われる例もある。

ムフタスィブについてはもちろん、イスラーム社会で形成されてきていた「ヒスバ」という公益監督の概念も、その業務の担い手であるムフタスィブという役職も、デリー・スルターン朝時代の史料から検出できる。ムガル帝国においても、アクバル時代の文書様式集に「ヒスバ業務の地位の委任に関する布令書」の文例が挙がっていることから、ムフタスィブが帝国制度に位置する何らかの官職であったことは確かである(MN: f. 103v)。しかし帝国の歴史上、この官職が目立って浮上するのはアウラングゼーブ時代のことである。ムフタスィブの選任はこの君主の即位直後のことであったが、当時の史料においてその施策は、従来行われてきていたイラン太陽暦元日の祝祭であるノウルーズの祝宴を、聖法からの「逸脱」(ビドア)だとして廃止した施策と併せて記述されている(AlmN: 389-392; MirA: I, 156-157)。この時ムフタスィブには、酒の飲用や禁止薬物の服用の取り締まりが命じられたとされており、これもアウラングゼーブ特有の「イスラーム的」な施策の一つと解せそうではある。ただし、先に言及した同じ時代の業務要領書はムフタスィブの任務を「計量されたものが持ち込まれたら、それに自分の印を捺す」(Add. 6599, f. 38r)と、公正取引の維持に限定しており、叙述史料がこの官職に与える宗派的な色彩は割り引いて考えるべきかもしれない。

帝国の「イスラーム的」法秩序

以上のごとく、ムガル帝国の司法にかかる諸官職については、その機能の内実に不明な点は多々あるものの、少なくとも形式面においては「イスラーム的」な様相を呈していると見なすことができる。この帝国が複合的な性格を帯びていたことは確かであるが、宗務庁のもとに置かれた官職や諸制度に、在来社会もしくは非ムスリム社会の要素――例えばヒンドゥー教徒担当法官なり、ヒンドゥー法に基づく法廷など――が組み込まれていた形跡はない。

しかしこの形式面のみをもって、この帝国の法秩序を「イスラーム的」と性格付けることは難しい。たとえば、「イスラーム的」な宗派性が顕在化したものと考えられてきたジズヤ課税という政策については、帝国の法判断の経過も根拠も不明である。ジズヤは一般にムスリム支配者の庇護(ズィンマ)を与えられた非ムスリムに賦課される人頭税であって、アクバルがこれを停止し、アウラングゼーブがこれを再課税したというが、そもそもインドの偶像教徒をズィンマの対象とできるのかということ自体、議論を要する法的問題であった(Friedmann 1972)。ジズヤとハラージュ(土地税)の区別もデリー・スルターン朝時代の初期には曖昧で、ジズヤが先のような意味での人頭税を意味する用語としてインドで確立したのは、一四世紀後半、トゥグルク朝君主フィールーズ・シャーの時代である、という説もある(Auer 2017)。なおアウラングゼーブによるジズヤ再課税について、王朝年代記は「聖法の数々の規定に即して」ジズヤの徴収を命じたと伝えるのみで、その規定を具体的には知らせていない(MAlm: 174)。後代の史料はいかなる典拠によってか、ジズヤ再課税に関する所伝を拡張し、法学者たちがアウラングゼーブに上申したジズヤ関連の法学説を九箇条にわたって記録しているが、それらの内容の多くはマーワルディー『統治の諸規則』の第一三章「ジズヤとハラージュの課税」に見出せる古典学説である。法学者たちの直接の典拠がマーワルディーであったか否かはともかく、一連の箇条をジズヤ再課税にかかわる帝国の細則と見なすことはできない(MAlm: 296-297)。

帝国のイスラーム法典としては、アウラングゼーブが編纂させた『ファターワー・アルアーラムギーリーヤ』がよく知られている。その内容は書名に反して、ファトワー(法的勧告)集ではなく、ハナフィー派の法規定集である。インド各地から招聘された法学者の委員会が編纂した同書は、インドでそれまでに編纂されていた複数の法規定集を踏まえつつ、きわめて包括的に従来の法学説を網羅した大著である。それゆえ同書は、その後の時代の規範的な法典となったし、インドを代表するイスラーム法典として『ファターワー・アルヒンディーヤ』(「インドの法規定集」の意)の別名で称されることもあった(Guenther 2003)。なお、他宗派の信徒の法的地位やイスラーム改宗などインドでとりわけ鮮明に生じる諸問題について同書は、より融和的かつ現実的な法規定を導き出すべく、依拠する法学説を取捨しているとする研究もある(Khalfaoui 2011; Khalfoui 2011)。このような柔軟性を内蔵した同書は一応、帝国公認の法典と見なせようが、実際の法判断においては、その内容が参照されない場合が多かったと考えられている(Guenther 2003: 223-224; Chatterjee 2020: 189)。このことは、帝国の権威的な法が、インド社会の個別の事案に適用されなかったことを意味する。さらにこれを帝国と地域社会との関係に即して考えれば、帝国の「上からの」法が、個々の地域社会の秩序として必ずしも強固に機能したわけではないという見通しが得られることになるだろう。

地域社会と法

ムガル帝国時代の各地域社会における法運用の実態については、研究の蓄積が乏しい。その理由の一つは史料の乏しさである。ムガル帝国の場合、オスマン帝国などのごとく、政府機関が蓄積した法廷文書のアーカイブは残っていない。インド国立公文書館やウッタルプラデーシュ州、ラージャスターン州、テランガーナ州(旧アーンドラプラデーシュ州)等の州立公文書館に所蔵されているムガル帝国時代の古文書資料は、帝国のアーカイブに由来するものではなく、個別の家伝の文書群や偶然回収された一括文書群の数々である。最近明らかになった、インド中部マールワー地方の在地有力者一族の文書群のごとく、別の機関に所蔵されている複数の別個の文書群と見えたものが、実は一体をなす家伝の文書群だったことが判明した例もある(Chatterjee 2020)。またフランス国立図書館に所蔵される、いわゆる「スーラト文書集」(SD)のごとく、地域社会で作成された文書の写しを集録した文例集(インシャー)から、売買証書、結婚証書、奴隷解放証書、訴訟記録などの法的文書のテクストを採集できる場合もある(Hasan 2004; 真下 二〇〇九:四八―五〇頁)。しかしこれらはいずれにせよ、司法や法運用の実態を体系的に復元するための材料にはならず、むしろ個別事例の研究を積み重ねるしかないのが現状である。

二〇〇〇年代以降、それまでに蓄積されていた文書研究を基盤として、そうした個別研究が進展している(Hasan 2004; Chatterjee 2014; Chatterjee 2016; Guha 2017; O'Hanlon 2019; Chatterjee 2020; Hasan 2021)。これによって、各地域に任命されたカーディーの働き、カーディーが陪席する地域社会の法廷(マジュリス)、カーディーが認証した法廷記録証書(マフザルもしくはマフザル・ナーマ)などが、地域社会での法運用に関する研究の対象として浮上してきた。そうした知見を本章の論旨に即してまとめれば、大略以下のごとくである。

マジュリスという言葉は「集会」を意味し、マラーター時代のマジュリスの実態を考慮した小谷汪之はこれに「地域社会集会」という用語を与えた(小谷 一九八九)。案件が持ち込まれると、当事者および当事者の親類、当該地域の郡長や村長、その他の関係者など地域社会の代表者と、カーディーを含む国家の役人たちが対面で参加するマジュリスが開催される。事実の証言と認定がマジュリスにおいて行われ、その結果を記録した証書としてマフザルがカーディーの認証を経て作成され、参加者は各々これに署名する。マジュリスで扱われる案件は紛争とは限らず、紛議のない財産移転の案件などもあった。

マフザルの言語はムガル帝国時代の場合、ペルシア語が通例であったが、ヒンディー語やマラーティー語などの地方語で書かれた場合もあるし、ペルシア語とそれらの地方語の両方が用いられたマフザルもある。署名は、アラビア文字以外の文字系で記される場合がさらに多く、書字をなせない参加者が自分固有のマークを記入した例もある。

地域社会の法的調停や認証を担う組織は必ずしもマジュリスには限られず、例えばデカンにおいてはバラモンが主宰する同様の組織ダルマサバーがあった。ただし、それらは当事者の属する宗派によって使い分けられていたわけではない。非ムスリムがマジュリスに案件を持ち込み、カーディーが認証した事例は数多い。例えばグジャラート地方では、一六五七年、都市キャンベイでヒンドゥー教徒女性二名が家屋を売却した案件など、在地のカーディーが「シャリーアの規定にもとづき」認証した例は複数知られている(Hasan 2004: 72-73)。またアーディル・シャーヒー朝(ビジャープル王国)時代のデカン地方の事例ではあるが、一六一一年、同地方の農村の村長職をめぐる紛争を近隣のマジュリスで争ったムスリム商人の一族が、その裁決を不服として、遠隔地のダルマサバーに提訴した例もある。そのダルマサバーはムスリム商人一族の申し立てを却下する裁決を下したという(Eaton 2005: 145-150)。この「法廷漁り」は、法廷の選択にあたって、訴人の宗派の所属が無関係であったことを示している。こうした事実を踏まえて、ナンディニー・チャッテルジーは「ムガル帝国下の非ムスリムが「刑事」事案を除いては、自らの案件をバラモンの評議会に持ち込んでいたという根拠なき通念」を厳しく批判している(Chatterjee 2020: 9-10)。

このように、地域社会の法秩序において、宗派の所属は決定的な重みをもたなかったし、宗派に根ざしたイスラーム法なりヒンドゥー法なりの権威的な法典がマジュリスの裁決において援用された形跡も乏しい。むしろ有意だったのは、各地域において各社会集団(家族、同業者集団など)が維持していた慣習や慣行であった。

一七世紀前半、ベンガル地方を旅行していた一人のムスリムが、通りかかった村で見つけた孔雀を捕まえて食べてしまったことを、ヒンドゥー教徒の村人が見とがめて、その地の帝国当局に訴え出た。ヒンドゥー教徒にとって孔雀は神聖な鳥だからであるが、この訴えを受けた当局は、地域の慣習は尊重されねばならない、という理由でこのムスリムを処罰したという(Chatterjee 2014: 405; Hasan 2021: 52)。

マフザルに署名した者が八五名にも及んだ例さえあるほどに(Chatterjee 2016: 401-402)、マジュリスには地域社会の多数かつ多様な人々が宗派を問わず関与し、法判断の形成に参加した。地域の慣習・慣行はこうして再確認・再生産されていく。カーディーをはじめとする帝国の当局者の主たる機能は、マジュリスにおいて、こうした地域社会の法秩序の契機を追認することであったといえよう。右の孔雀案件は、当局者のそうした基本姿勢を反映したものである。それゆえ、帝国における法を、地域社会に対する帝国支配の装置と捉えるだけでは十分でない。むしろ地域社会の多様な秩序の束が当局者によって公証され、帝国の支配の内実を充塡していくという、地域社会と国家の相互的な関係をそこに見出すべきである。

なおハサンによると、ムガル帝国時代、とりわけ一七世紀末以降において、地域の法的紛争がマジュリスに持ち込まれる例が増加するという。帝国の政治的解体と各地域の社会・経済の活発化という状況の中で、さらに動きを増した地域社会はかえって、多様な法秩序を調停する場として帝国の装置を必要とするようになった(Hasan 2021)。ハサンのいう「下からの国家形成」が活況を呈したゆえに、国家の存在感がむしろ浮上してきた、というわけである。この一見矛盾した現象についてはさらに検討を重ねる必要があるものの、ムガル帝国が政治的には解体しながらも、一八世紀を通じた「長い衰退」の時代に存続した原因の一つとして、今後の研究の注意点になりそうである。

三、ムガル帝国における諸宗派への「生計補助」

「生計補助」の諸相

帝国政府の宗務庁長官たるサドルは宗教者に給付される俸給を管理する権限を有していた。これらの俸給は「生計補助」(マダディ・マアーシュ)と総称され、現金もしくは土地の税収の分与という方式で給付された。おそらく後者の方式が主流であったと考えられ、これは、身分上軍人であったマンサブダールに給付されたジャーギールとは区別された。「生計補助」は史料上、恩賞を意味するモンゴル語起源の用語で「ソユルガル」と呼称されることもある。

アクバル時代の統計に従うと、「生計補助」に割り当てられた分与地は、課税評価額ベースで、帝国の税収全体の二%あまりを占めていた。ただしこの統計には現金給付の分が含まれない。さらに後述する文書にも見られる「農作に適した荒蕪地《こうぶち》であって、課税評価額の定められていない土地」という定型文に示されるとおり、「生計補助」として免税地が給付される例も散見され、これが課税評価額ベースの統計には反映されないことを考慮すると、「生計補助」が帝国の財政に占めた比重はもう少し高い可能性もある(Bilgrami 1984: 200-207)。しかもこれを州ごとに見れば、デリー州は約五・五%、イラーハーバード州は約五・二%、アワド州は約四・二%と高い数値を示す州もあるし、これを州の構成単位である県(サルカール)のレヴェルに細分してみれば、その偏差はさらに大きくなる。つまり地域によっては「生計補助」とその受給者の重みがかなり高い存在感を示した場合もありえるということである。

一七世紀後半から一八世紀にかけてのアワド州の事例に関するムザッファル・アーラムの研究は、そうした側面を切りとってみせている。地方のカーディーたちが「生計補助」の給付地を集積して在地領主と化し、カーディー職も次第に世襲されるようになる一方、在来のザミーンダールとの軋轢《あつれき》も顕在化する。この場合、新興の領主たちに「生計補助」を与えた帝国は、在来の地域社会と摩擦を来したことになる。ただしアーラムが注意を促しているとおり、ザミーンダールにはヒンドゥー教徒ばかりでなくイスラーム教徒も含まれていたので、この軋轢は、あくまで帝国と地域社会という関係のなかで生じたものであり、宗派対立と見なされるべきではない(Alam 1986: 110-122)。

さて、アクバル時代の一五八〇年初頭、帝国が州(スーバ)に編成されると、各州に任命された州総督(スーバダール)のもと州政府が置かれ、財務官(ディーワーン)、軍務官(バフシ)とともに宗務官(サドル)も置かれた。地方の州政府に宮廷業務を司る部門がないという当然のことを別とすれば、州政府の構成は中央政府のそれのコピーであった。ただし州宗務官の職掌は判然としない。同時代の王朝史には「生計補助」地の給付を遅延させぬよう、各地に宗務官が任じられたとする記事があるが(AN: III, 371)、後述する古文書資料(君主が発給した勅令書やその写し)は、郡(県を構成するパルガナ)のカーディー任命に際して、「生計補助」の給付が中央政府の宗務長官の決裁を得て行われたことを示している。

「生計補助」給付文書にみる形式

以下では、新任カーディーへの「生計補助」給付を下命する勅令書の一例を取り上げ、その様式を確認する。その様式は、形式上、「生計補助」の給付にかかる宗務庁の「イスラーム的」な慈善給付の論理を可視化したものであるはずだが、本節のねらいは、その論理が帝国の制度の中で、イスラーム教徒以外をも包摂していたことを示すことにある。ここで取り上げるのは、一六二九年九月に発給されたシャー・ジャハーンの勅令書である(大英図書館 Or. 11697)。

勅令書表面の最上部には「神は偉大なり」というアラビア語の文言が頭書として配され、その下方に「アブー・アルムザッファル・シハーブ・アッディーン・ムハンマド・サーヒブ・キラーニ・サーニー・シャー・ジャハーン・バードシャーフ・ガーズィーの勅令書」というペルシア語の文言が方形に図案化されて示される。研究者の用語で「トグラ」と呼ばれるこの文言の右隣に、シャー・ジャハーンの方形の玉璽が捺印されている。この玉璽の銘文がシャー・ジャハーンからティムールまでの王家の系譜を文章化したものであることは既知の定式である。以上の頭書、トグラ、玉璽はその内容のみならず、配置も定式どおりであり、その直下に始まる本文の冒頭二行が行の半分まで字下げされているのも勅令書の形態上の定式に従っている。以下では、表面《おもて》本文の内容にも定式が貫かれていることを確認するため、全訳を示す。元来のテクストに段落分けはないが、説明の便宜上、筆者が段落分けを施し、それぞれに番号を付した。

① アワド州ラクナウー県マッラーワーン郡のカーディー職はカーディー・バー・ザイドに委ねられていたが、彼が死去した旨、至聖の御聴聞に届いたので、この度、世界が従うべき天のごとく高き王命が、発布の栄誉・発出の栄光を得た。

② 同郡のカーディー職は、上記故人の子にして、聖法の返り所・学徳の獲得者たるカーディー・バルフルダールに帰せしめられるように。そして同人は、同職の懸案・案件にしかるべく従事し、取引・係争の解消・解決、申し立てや争いの除去・解決、後見人を伴う婚姻および伴わない婚姻の締結、遺産分割、証書・台帳の記録におい

て、シャリーアの正道と正統の信仰からの逸脱を許容してはならない。

③また次のごとき王命も出た。同郡に属する、農作に適した荒蕪地であって、課税評価額の定められていない土地一〇〇ビーガー相当が、巳年の秋作期の初めから、同人の生計補助として、別記のとおり確定・付託されるように。そうして同人は毎作期・毎年、その収益を使い、永遠なる王朝の永続のための祈りに従事するように。

④現在・将来の吏員たち、徴税人たち、ジャーギールダールたち、カローリーたちは、この至聖至高の王命の維持・安定に尽力し、上記の土地を計測して区界を設定し、同人の用益に供し、それに改変・変更を一切生じさせないようにしなければならない。また、旅行手当、上納金、測量手数料、税額登記人手数料、収税人手数料、捺印手数料、ダルガ手数料、無償用役、狩猟用役、五分徴収、村長手数料、郡書記の二分徴収のごとき諸税・諸経費を理由として、また区界が設定された後から毎年の税額登記を理由として、また耕作の繰り返しを理由として、そして官憲のあらゆる義務や国家のあらゆる賦課を理由として、同人に面倒をかけないようにしなければならない。またこの件に関して、毎年新たな勅令書や指令書を要求しないようにしなければならない。またもしどこかの地区に同人が別の地所を持っていたなら、それを認めないようにしなければならない。御命じあったところから、逸脱・違反を犯さないようにしなければならない。

⑤第二年の神聖なるシャフリーヴァル月一五日に記された。

この勅令書のごとく、帝国君主の名において郡レヴェルのカーディーを任命する旨の勅令書の実例は複数伝世しており、それらと併せ検討すると、この本文が、かなり確立された様式に則っていることを確認できる(大英図書館IO 4370(一六七七年);同Or. 11698(一六九一年))。

①は文書発給の原因を記述する。この文書の場合は、州↓県↓郡の行政区分を特定して、当該郡のカーディーの死

去をその原因としているが、他の伝世例ではカーディーの異動が原因となっている場合もある。

②は下命の第一件であり、後任の当該郡カーディーを特定するものである。カーディーの任命を伴わず、新たな俸給の給付や従来の俸給の再確認を目的とする文書では、この要素はむろんない。「同職の懸案・案件にしかるべく従事し」に続く文言はカーディーの職務を列挙しているが、これはかなり様式化された定型文であるから、郡レヴェルにおけるカーディーの活動の実態を知るための史料として用いる意味はない。ただしアウラングゼーブ時代の文例においては、その列挙に「シャリーアの普及」と「人々に対する敬神・信仰の推奨・奨励、金曜礼拝・集団礼拝の挙行、ハッド刑・タアズィール刑の執行、無主もしくは孤児の財産の調査、相続人の指定、公平の確立」が加わったものが定型文となっている(大英図書館IO 4370; 同Or. 11698)。そうなると君主の治世によって様式が異なる可能性、ひいては君主の統治の個性が様式に反映した可能性もある。勅令書ではなくサドルの指令書(パルヴァーナチャ)の例ではあるが、アウラングゼーブ治世の初期に下命されたカーディーへの俸給給付(一六六二年)においても、この拡大された様式とほぼ同文が用いられているので、その様式はやはりアウラングゼーブの治世全体に特徴的なものだと考えられよう(Khan 1958: 30-32)。さらに筆者は現物を確認できていないが、カタログの記載に従うことを許されるなら、ムハンマド・シャーおよびアフマド・シャー時代におけるカーディー任命の通知書複数の文例もこの拡大版のテクストとほぼ同じである(Shakeb 1990: 52-53, 56, 60-61)。そうなると、アウラングゼーブ時代に定式化された様式は、その後の君主の治世にも継承された、と言えそうである。

③は下命の第二件であり、「生計補助」の内容を特定するものである。本例では当該カーディーに対する俸給として免租地が給付されているため、その地積も記載されているが、当該の地所から見込まれる収益の金額を特定する例もある。いずれにせよ、十二支の動物暦年と春作期・秋作期のいずれかを記した上で、給付の開始時期を指定するという定型に、本例も従っている(SD: ff. 10v-11r, 38v-39r, 45r-46r, 100r-100v)。この定型は、カーディー以外の受給者

にかかる「生計補助」の給付文書についても同様であるし(アリーガル・ムスリム大学図書館 Jawahir A7(一六二〇年);テランガーナ州立博物館 H. M. p. 943(一六四九年);インド国立公文書館 no. 1250(一六六七年))、ジャーギールの給付文書もこの書き方に従う(SD: ff. 87v-88r(年代不明); Anonym. (1950): 158-160(一六四五年))。但し「生計補助」の文書にあっては、このくだりが本例のごとく、受給者が帝国の「永続のための祈りに従事するように」という定型文で結ばれるのが特徴である。

④は当該地の役人たちに、下命の遵守と不当な課税や誅求を禁止する内容であり、いずれの事項も、同種の文書に共通する定型表現によって書かれている。この禁止命令が向けられている「吏員」(ハーキム)、「徴税人」(アーミル)、「ジャーギールダール」、「カローリー」の羅列もこの種の文書の定型であり、当該文書の内容と具体的な関係は乏しいので、個々の用語の語釈は省略する。また「旅行手当」以下「郡書記の二分徴収」までの「諸税・諸経費」に羅列された税目も同様の定型文であり、個別に追究する必要はない。ただし「旅行手当」(コナルガ)、「無償用役」(ビーガール)、「狩猟用役」(シカール)の語が、白羊《アクコユンル》朝時代およびサファヴィー帝国時代のイランで作成されたソユルガル給付文書にも、同様に禁止さるべき税目として現れていることは注意されてよい(Minorsky 1939: 930, 933; Horst 1955: 292, 294)。また「ビーガール」の語はマラーティー語文書にも借用されている例がある(深沢 一九八七:一八二頁)。一方、「村長手数料」(ムカッダミー)や「郡書記の二分徴収」(サド・ド・イェ・カーヌーンゴーイー)は、在地社会の村長を「ムカッダム」、郡書記を「カーヌーンゴー」とする、インドの用語法の定式を踏まえてこそ成り立つ用語だと考えられる。要するに、この税目の羅列の定型が成立するに至る経緯は分からないものの、それがインドのみならず、周辺地域の文書様式の要素をも吸収して出来上がっていることは明らかである。

⑤に示されるとおり、本文はシャー・ジャハーン治世第二年のイラン太陽暦第六月たるシャフリーヴァル月一五日(西暦一六二九年九月六日)に筆記されている。この日付が、一連の文書処理の中途に位置していることは、勅令書の裏

面への記入から分かる。

勅令書の裏面に書き込まれた複数の覚書と関係官僚の署名・捺印も、文書発給の手続きに従った定型的なものである。それによると、この案件(前任カーディーの死去)が君主シャー・ジャハーンに上申されたのは同じ西暦一六二九年六月か七月(日付が読み取れず確定できない)で、新カーディーの任命は八月四日に当時の宗務長官ムーサヴィー・ハーンによって起案されている。その覚書に即して、表面の本文が前記のごとく九月六日に作成された後、同月一八日に財務庁に回送され、宮廷の事録と対照されている。同月二四日に宗務庁に回送され宗務長官が捺印した後、一〇月九日には出納官(ムスタウフィー)の官房に送られ捺印、翌一〇月一〇日には財務庁に送られ、当時の財務長官アフザル・ハーンの捺印を受けている。翌一〇月一一日、翌々日一〇月一二日にそれぞれ何らかの官房をこの文書は通過しているが、十分には記入を解読できず、いずれの官房であるかは分からない。ただそのうちいずれか一つは、アウラングゼーブ時代の給付文書を参考にすれば、「対面検査」(タウジーフ)の官房かと推測できる(大英図書館 Or. 11698)。実際、この文書の裏面には、当該カーディーの人相書が記されている。「生計補助」の給付文書に人相書が記される類例を筆者はほかに知らないが、『アーイーニ・アクバリー』が伝える文書作成の規定は、「生計補助」の給付文書が、「対面検査」の官房を通過することになっていたと読み取れる(AA: I, 194-195)。ともかく、この文書の作成過程にはなお不明な部分が残るにせよ、「生計補助」給付文書として、これが宗務庁の職掌どおり、たしかに宗務長官の起案と決裁をへて作成されており、これが財務長官、出納官、対面検査の官房を通過したのも、所定の手続きどおりであった。つまりこの文書は、その内容も作成過程も、ムガル帝国が備えた制度の形式に則していたということになる。

非ムスリムに対する「生計補助」給付文書の形式

さてこの種の「生計補助」給付文書を一覧すると、その給付対象がカーディーのようなムスリムに限らなかったことは注意されるべきである。ヒンドゥー教、ゾロアスター教、ジャイナ教といった非ムスリムに対して「生計補助」を給付する旨の文書が多数伝世しているが、それらはいかなる形式に即して、帝国から給付されていたであろうか。以下では、様式についての検討に堪える例をいくつか示す。

パンジャーブ地方の村ジャクバル(現インド共和国パンジャーブ州パターンコート市近郊)所在のシヴァ派ヒンドゥー教僧院の主宰者一族に対して、同地近くの土地を「生計補助」として給付する旨の勅令書がある(Goswamy and Grewal 1967: 76-93)。ジャハーンギール治世第一年ティール月三〇日(西暦一六〇六年七月二〇日)付け。当時の当主バンダール・ナートが君主ジャハーンギールに拝謁して、先代アクバルの時代にすでに給付されていたその土地の再確認を請願した結果、この文書が発給された。起案は同月八日(西暦一六〇六年六月二九日)のことで、当時、ジャハーンギールは、反乱を起こしてパンジャーブ地方に逃亡した長男ホスロウを追撃したあとラホールに滞在中だった。この文書は、先に示した五つの要素のうち②以外を同順に備えており、個別の数値等を別とすると、カーディーへの給付文書が示す定型を踏襲していることがうかがえる。またこの文書は当時の宗務長官サドル・ジャハーンの決裁を経ており、財務長官イゥティマード・アッダウラ(後のジャハーンギール妃ヌール・ジャハーンの父)の決裁も付されている。この文書が「生計補助」の対価として求めているのは「勝利の王朝の永続のための祈り」であった。

イラーハーバード州に属するベナレス(ワーラーナスィー)近郊の土地を、同地のヒンドゥー教団「ジャンガムの衆徒」への「生計補助」として給付する旨の勅令書がある(Ansari 1984: 24-25, text 8)。前記の②以外の要素を備える定型は右の例と同様。表面本文は日付を欠くが、裏面の記入により、シャー・ジャハーン治世第二年ティール月二四日(西暦一六二九年七月一五日)に起案されたことが分かる。また裏面に、その土地がかつてアクバル時代に給付され、ジャハーンギール時代に王子パルヴィーズの下令書(ニシャーン)によって当時の当主マリク・アルジュン・ジャンガムの「生計補助」として確認されたと記されていることで、本件がその従来の土地の再確認であることが分かる。この文書の起案は当時の宗務長官ムーサヴィー・ハーンであり、当時の財務長官(この文書ではアフザル・ハーン)の決裁を経ていることも裏面の記入から読み取れる。この文書が「生計補助」の対価として求めているのも「永遠なる王朝の永続のための祈り」であった。

ジャイナ教徒の商人シャーンティダース一族がアフマダーバード近郊に従来から保有していた井戸付きの土地を「恵与」(インアーム)として、従来どおりに再確認する勅令書の写しがある(Commissariat 1940: 37-39, plates VIII, VIII-A; 近藤 二〇〇三:一五三頁)。「生計補助」という文言ではないが、この場合はおそらく同義であろう。前記の②以外の要素を備える定型は同様。ヒジュラ暦一〇五七年サファル月八日(西暦一六四七年三月一五日)付け。裏面の記入により、前年一〇五六年ズー・アルヒッジャ月に起案された案件で、当時の宗務長官サイイド・ジャラールの決裁を得ていることが分かる。またその時点での財務長官(この文書ではサアド・アッラー・ハーン)の決裁が併せて付されている点も前記の諸例と同じである。なおこの文書には損壊があり、一部のテクストが失われている。「王朝永続の祈り」の文言が見られないのは、そのためかもしれない。とはいえ同じ文書群に属する別の文書には「祈り」の文言があるので、ジャイナ教徒に対しても、前述のヒンドゥー教徒と同様の文書様式が用いられていたと考えてよいだろう。

以上のごとく、非ムスリムに対する給付文書の様式は、その形態においても、その本文の定型においても、ムスリムに対するそれと相違がない。また文書作成の手続きとそれに対応する帝国政府の管轄部局にも違いはない。形式上の「イスラーム的」帝国は、非ムスリムに対する宗教的慈善の制度において、ムスリムとは別個の回路をもたなかったことになる。そしていずれの宗派の信徒であれ、給付の対価として帝国が受給者に求めたのは「王朝の永続のための祈りに従事する」ことであった。そこにはいずれの宗派の「祈り」かという問題意識はない。

このような非宗派性は、これらの文書が、宗務長官のみならず、財務長官の決裁をも必須としていた事実に通じるものと思われる。つまり「生計補助」は宗教的慈善であると同時に、すぐれてプラクティカルな財政案件であった。

その給付にあずかる宗教者はいずれの宗派であるかを問わず、帝国財政の恩沢に浴する臣下であったことになる。このような非宗派性に潜んでいるのは、多様な諸集団を包摂する帝国の支配体制の原理であって、宗派的「寛容」という非歴史的な概念によって説明すべき事柄ではない。

その上で、法秩序に関する研究が示すとおり、帝国と地域社会とが相互的な関係にあったという問題意識に即するなら、「生計補助」の給付文書からうかがえる帝国の全体的・包括的な側面は、帝国の側から地域社会の様々な受給者たちに対して投げかけられた支配的な包摂の現れであると見なせよう。

参考文献

小谷汪之(一九八九)『インドの中世社会――村・カースト・領主』岩波書店。

近藤治(二〇〇三)『ムガル朝インド史の研究』京都大学学術出版会。

長崎広子(二〇一四)「アブドゥル・ラヒーム・カーンカーナー著『バルヴァイ詩集』――ムガル廷臣のクリシュナ讃歌」『印度民俗研究』一三。

長崎広子(二〇一七)「アブドゥル・ラヒーム・カーンカーナー作『都市の輝き』――ムガル帝国期の女の恋模様」『印度民俗研究』一六。

深沢宏(一九八七)『インド農村社会経済史研究』東洋経済新報社。

真下裕之(二〇〇九)「インド洋海域史における一七世紀前半インド西海岸の港市 Surat の一側面」『海洋都市文化交渉学』創刊号。

真下裕之(二〇二〇)「帝国のなかの福音――ムガル帝国におけるペルシア語キリスト教典籍とその周辺」齋藤晃編『宣教と適応――グローバル・ミッションの近世』名古屋大学出版会。

森本一夫編(二〇〇九)『ペルシア語が結んだ世界――もうひとつのユーラシア史』北海道大学出版会。

Ahmad, Muhammad Basheer (1941), *The Administration of Justice in Medieval India: A Study in Outline of the Judical System under the Sultans and the Badshahs of Delhi*, Aligarh, Aligarh Historical Research Institute.

Alam, Muzaffar (1986), *The Crisis of Empire in Mughal North India: Awadh and the Punjab*, Delhi, Oxford University Press.

Alam, Muzaffar, and Sanjay Subrahmanyam (1998), "Introduction", Muzaffar Alam and Sanjay Subrahmanyam (eds.), *The Mughal State, 1526-1750*, Delhi, Oxford University Press.

Anonym. (1950), *Selected Documents of Shāh Jahān's Reign*, Hyderabad, Daftar-i-Dīwānī.

Ansari, M. A. (1984), *Administrative Documents of Mughal India*, Delhi, B. R. Publishing.

Athar Ali, M. (1966), *The Mughal Nobility under Aurangzeb*, London, Asia Publishing House (Revised Edition: Delhi, Oxford University Press, 1997).

Auer, Blain (2017), "Regulating Diversity within the Empire: The Legal Concept of Zimmi and the Collection of Jizya under the Sultans of Delhi (1200-1400)", Thomas Ertl and Gijs Kruijtzer (eds.), *Law Addressing Diversity: Pre-Modern Europe and India in Comparison (13th-18th Centuries)*, Berlin, De Gruyter Oldenbourg.

Bayly, C. A. (1983), *Rulers, Townsmen and Bazaars: North Indian Society in the Age of British Expansion, 1770-1870*, Cambridge, Cambridge University Press.

Bilgrami, Rafat (1984), *Religious and Quasi-Religious Departments of the Mughal Period 1556-1707 AD.*, New Delhi, Munshiram Manoharlal.

Busch, Allison, and Thomas de Bruijn (eds.) (2014), *Culture and Circulation: Literatures in Motion in Early Modern India*, Leiden, Brill.

Chandra, Satish (1969), "Jizyah and the State in India during the 17th Century", *Journal of the Economic and Social History of the Orient*, 12-3.

Chatterjee, Nandini (2014), "Reflections on Religious Difference and Permissive Inclusion in Mughal Law", *Journal of Law and Religion*, 29-3.

Chatterjee, Nandini (2016), "Mahzar-namas in the Mughal and British Empires: The Uses of an Indo-Islamic Legal Form", *Comparative Studies in Society and History*, 58-2.

Chatterjee, Nandini (2020), *Negotiating Mughal Law: A Family of Landlords across Three Indian Empires*, Cambridge, Cambridge University Press.

Commissariat, M. S. (1940), "Imperial Mughal Farmans in Gujarat", *Journal of the University of Bombay*, 9-1.

Eaton, Richard M. (2005), *The New Cambridge History of India, I. 8. A Social History of the Deccan, 1300-1761: Eight Indian Lives*, Cambridge, Cambridge University Press.

Eaton, Richard M. (2018), "The Persian Cosmopolis (900-1900) and the Sanskrit Cosmopolis (400-1400)", Abbas Amanat and Assef Ashraf (eds.), *The Persianate World: Rethinking a Shared Sphere*, Leiden, Brill.

Faruqui, Munis D. (2012), *The Princes of the Mughal Empire, 1504–1719*, Cambridge, Cambridge University Press.

Friedmann, Yohanan (1972), "The Temple of Multān: A Note on Early Muslim Attitudes to Idolatry", *Israel Oriental Studies*, 2.

Gilmartin, David, and Bruce B. Lawrence (eds.) (2000), *Beyond Turk and Hindu: Rethinking Religious Identities in Islamicate South Asia*, Gainesville, University Press of Florida.

Goswamy, B. N., and J. S. Grewal (1967), *The Mughals and the Jogis of Jakhbar: Some Madad-i-ma 'ash and Other Documents*, Simla, Indian Institute of Advanced Study.

Guenther, Alan M. (2003), "Hanafi Fiqh in Mughal India: The Fatāwá-i 'Ālamgīrī", E. M. Eaton (ed.), *India's Islamic Traditions, 711–1750*, New Delhi, Oxford University Press.

Guha, Sumit (2017), "The Qazi, the Dharmadhikari and the Judge: Political Authority and Legal Diversity in Pre-Modern India", Thomas Ertl and Gijs Kruijtzer (eds.), *Law Addressing Diversity: Pre-Modern Europe and India in Comparison (13th–18th Centuries)*, Berlin, De Gruyter Oldenbourg.

Habib, Irfan (1963), *The Agrarian System of Mughal India (1556–1707)*, London, Asia Publishing House (Third Edition: New Delhi, Oxford University Press, 2014).

Hasan, Farhat (2004), *State and Locality in Mughal India: Power Relations in Western India, c. 1572–1730*, Cambridge, University of Cambridge Oriental Publications.

Hasan, Farhat (2021), *Paper, Performance, and the State: Social Change and Political Culture in Mughal India*, Cambridge, Cambridge University Press.

Hodgson, Marshall G. S. (1974), *The Venture of Islam: Conscience and History in a World Civilization, Vol. 1: The Classical Age of Islam*, Chicago, University of Chicago Press.

Horst, Heribert (1955), "Ein Immunitätsdiplom Schah Muḥammad Ḫudābandäs vom Jahre 989/1581", *Zeitschrift der Deutschen Morgenländischen Gesellschaft*, 105–2.

Hossain, Shakeel and Deeti Ray (eds.) (2017), *Celebrating Abdur Rahim Khan-i-Khanan: Statesman, Courtier, Soldier, Poet, Linguist, Humanitarian Patron*, Ahmedabad, Mapin Publishing.

Ibn Hasan (1936), *The Central Structure of the Mughal Empire*, Oxford, Oxford University Press.

Khalfaoui, Mouez (2011), "From Religious to Social Conversion: How Muslim Scholars Conceived of the Rites de Passage from Hinduism to Islam in Seventeenth-Century South Asia", *Journal of Beliefs and Values*, 32-1.

Khalfoui, Mouez (2011), "Together but Separate: How Muslim Scholars Conceived of Religious Plurality in South Asia in the Seventeenth Century", *Bulletin of the School of Oriental and African Studies*, 74-1.

Khan, Yusuf Husain (1958), *Selected Documents of Aurangzeb's Reign, 1659-1706 A.D.*, Hyderabad, Central Records Office, Government of Andhra Pradesh.

Lefèvre, Corinne (2017), "Beyond Diversity: Mughal Legal Ideology and Politics", Thomas Ertl and Gijs Kruijtzer (eds.), *Law Dddressing Diversity: Pre-Modern Europe and India in Comparison (13th-18th Centuries)*, Berlin, De Gruyter Oldenbourg.

Minorsky, V. (1939), "A Soyūrghāl of Qāsim b. Jahāngīr Aq-quyunlu (903/1498)", *Bulletin of the School of Oriental and African Studies*, 9-4.

Moosvi, Shireen (1987), *The Economy of the Mughal Empire c. 1595: A Statistical Study*, New Delhi, Oxford University Press (Revised and Enlarged Edition: New Delhi, Oxford University Press, 2015).

O'Hanlon, Rosalind (2019), "In the Presence of Witnesses: Petitioning and Judicial 'Publics' in Western India, circa 1600-1820", *Modern Asian Studies*, 53-1.

Pirbhai, M. Reza (2015), "A Historiography of Islamic Law in the Mughal Empire", Anver M. Emon and Rumee Ahmed (eds.), *The Oxford Handbook of Islamic Law*, Oxford, Oxford University Press.

Shakeb, M. Z. A. (1990), *A Descriptive Catalogue of the Batala Collection of Mughal Documents, 1527-1757 AD*, London, The British Library.

Singh, Chetan (1991), *Region and Empire: Panjab in the Seventeenth Century*, Delhi, Oxford University Press.

Talbot, Cynthia (2015), *The Last Hindu Emperor: Prithviraj Cauhan and the Indian Past, 1200-2000*, Cambridge, Cambridge University Press.

Truschke, Audrey (2016), *Culture of Encounters: Sanskrit at the Mughal Court*, New York, Columbia University Press.

【史料】

AA: Abū al-Faḍl, *Ā'īn-i Akbarī*. H. Blochmann (ed.), 2 vols., Calcutta, Asiatic Society of Bengal, 1867-1877.

Add. 6599: [Dastūr al-ʻAmal-i ʻĀlamgīrī], OIOC Collection, British Library.

AlmN: Muḥammad Kāẓim, *ʻĀlamgīr Nāmah*. Khādim Ḥusayn and ʻAbd al-Ḥayy (eds.), Calcutta, Asiatic Society of Bengal, 1865-1868.

AN: Abū al-Faḍl, *Akbar Nāmah*. Mawlawī Āghā Aḥmad ʻAlī and Mawlawī ʻAbd al-Raḥīm (eds.), 3 vols., Calcutta, Asiatic Society of Bengal, 1877-1886.

JN: Jahāngīr, *Jahāngīr Nāmah*. Muḥammad Hāshim (ed.), Tihrān, Bunyād-i Farhang-i Īrān, 1359 Sh.

MAlm: Musta ʻidd Khān, *Ma'āthir-i ʻĀlamgīrī*. Āghā Aḥmad ʻAlī (ed.), Calcutta, Asiatic Society of Bengal, 1870-1873.

MirA: Bakht-āwar Khān, *Mir'āt al-ʻĀlam*. Sajida S. Alvi (ed.), Lahore, Research Soceity of Pakistan, 2 vols., 1979.

MN: Abū al-Qāsim Namakīn, *Munsha'āt-i Namakīn*. Farsiyyah (3), Nathr nos. 26, 27, University Collection, Mawlana Azad Library, Aligarh Muslim University.

SD: [Surat Documents]. Supplément 482 (Manuscrit persan. Anquetil 51), Bibliothèque Nationale de France.

コラム | *Column*

シャルダンの見た東方の三つの帝国

羽田 正

フランスのパリで新教徒(ユグノ)の宝石商の家に生まれたジャン・シャルダン(一六四三―一七一三年)は、その生涯に二度東方諸地域への大旅行を敢行した。この旅の体験を記した旅行記を読むと、現代の私たちが共通の特徴を持ったひとまとまりの空間として捉えがちなオスマン・サファヴィー・ムガルという東方(オリエント)の三つの帝国が、必ずしも同じように西ヨーロッパの人々と向き合っていたわけではないということが分かり、興味深い。その違いを簡単に説明しよう。

オスマン帝国の都イスタンブルには、一七世紀後半の段階で、すでにヨーロッパ諸国の大使が常駐し、貿易の拠点であるイズミルやアレッポには多くの国がその臣民保護のために領事を置いていた。オスマン帝国と西ヨーロッパ諸国の間では外交関係が確立し、儀礼や慣習もある程度は共有されていた。シャルダン自身、イスタンブルに到着した際フランス大使の外交官特権を使って、ペルシアに運ぶその商品を無税で陸揚げしている。

オスマン帝国と西ヨーロッパ諸国の間では、地中海を介した商業活動も盛んだった。三〇〇人を越える数のイングランドの商人たちが共同で会社を設立し、活発に貿易を行っていた。帝国全土に散らばるフランス人の数はおびただしく、イズミルだけでも一〇〇人を越えていた。そのほとんどはプロヴァンス地方の出身者で、旅籠や居酒屋の経営者を含め、あらゆる職業に従事していたという。

世界広しと言えども、トルコ人ほど騙しやすい人びとはなく、また実際に騙されてきた人びともいない。〔中略〕キリスト教徒は、絶えず彼らに無数のぺてんを働き、ひどい目にあわせてきた。(シャルダン『ペルシア紀行』佐々木康之・澄子訳、岩波書店、一九九三年、一七頁)

この文章に見られるように、西ヨーロッパの人々は、オスマン帝国ではある程度自分たちのペースで貿易を行うことが可能だった。

これに対して、サファヴィー帝国の状況は、大きく異なっていた。この国と西ヨーロッパ諸国との間に恒常的な外交関係はなく、国を代表する大使も居住民を保護し、その便宜を図る領事も駐在していなかった。居住する西ヨーロッパ出身者の数は限られていた。一六七三年六月に都のイスファハーンに到着したシャルダンは、到着後のわずか二日でこの町に住むヨーロッパ人全員と会ったという。具体的な数字は記されていないが、三、四〇人を越えることはなかっただろう。

何か問題や交渉事が起きれば、サファヴィー帝国の慣習に従い、その都度大使が仕立てられ、仰々しい儀礼を経て具体的な交渉が時間をかけて行われることになっていた。当時西ヨーロッパ諸国とサファヴィー帝国の間の貿易のほとんどは、各国の東インド会社を介して行われていた。会社は各国政府から東インドにおける外交・軍事の権限を委譲されていたので、結果として、東インド会社の商館員がしばしば「大使」役を務めることになった。

シャルダンは、西ヨーロッパとは異なる現地の商慣習にしばしば驚愕・当惑しつつ宮廷財務長官や金銀細工師頭らに相対し、持ち込んだ宝飾品を買いたたかれながらも何とか商談を進めた。旅行記のハイライトともいえるこの話は、サファヴィー帝国では、現地の人々が商取引のイニシアティヴを持ち、西ヨーロッパの人々は基本的に現地の慣習に従うしかなかったという状況を如実に示している。

ジャン・シャルダンの肖像
（出典：Jean Chardin 1739. jpg）

ムガル帝国の状況も、サファヴィー帝国とそれほど変わらなかったと見てよい。インドの港町に商館を置いて貿易を行っていたのは、ヨーロッパ諸国の東インド会社だったので、外交交渉の多くは、現地政権と東インド会社の間で行われた。また、商取引が現地の慣習に従って行われていたことは、次の文章を読めば明らかである。

> 東方諸国ではどこの国でも商取引の際には同じように吝嗇くさい、浅ましいやりとりの応酬のうちに行われるのが常で、いわば世界の富を集める中心ともいうべきあの大ムガール帝国の宮廷では、このペルシア宮廷よりはるかにひどい場面にも出会ったことがあった。（『ペルシア紀行』五二二頁）

オスマン帝国が既知の空間だったとすると、サファヴィー・ムガル両帝国はそれとは異なり、西ヨーロッパの人々にとってまだよく理解できず自由にふるまうことができない未知の空間だった。シャルダンの旅行記は、近代ヨーロッパの価値や知、制度が世界を構造化していく直前の、「もう一つの世界」の姿を生き生きと描く貴重な書物である。

焦　点 | *Focus*

焦点 | *Focus*

オスマン王権とその正統性
――血統、聖性、カリフ

小笠原弘幸

近世イスラム世界の三帝国たるオスマン、サファヴィー、ムガルのうち、もっとも強靭な王権を築いたのはオスマン帝国であった。しかし、この三王家を比較したとき、オスマン王家が建国当初から保持していた正統性は、血統的にも宗教的にも脆弱なものにすぎなかった。それではオスマン王家は、どのようにみずからの正統性を彫琢していったのだろうか。

本章ではその過程を、サファヴィー帝国やムガル帝国と比較しつつ、血統と聖性[1]という視点から検討する。本巻が対象とする時代は一六世紀以降であるが、オスマン帝国における血統や聖性に基づく正統性は一五世紀より形成され始めるため、本章では一五世紀の事例にも適宜言及することをお断りしておきたい。また、オスマン帝国君主の正統性にとって重要な役割をはたしたカリフという称号の内実が、一六世紀中葉以降、変容してゆくさまも取りあつかう。

一、高貴な血統の追求

ムガル帝国とサファヴィー帝国における血統

王権の正統性を保証する要素のうち、血統はその筆頭に挙げられる。貴顕の血筋であることは、君主にわかりやすいカリスマ性を与えたからである。三帝国の君主たちも、三者三様の形で、優れた血統を主張した。

三王家のうち、もっとも確かな系譜を持つのがムガル王家であった。一五二六年にムガル帝国を建国したバーブルは、父方がティムール、母方がチンギス・ハンの血を継いでいた。トルコ・モンゴル系遊牧世界においては、比類なき貴種と言うべき血統の保持者である。ただし、より重視されたのは、ティムールの血筋であった。ムガル王家の系譜が語られるさいは、ティムールより始めるのが常とされ（真下 二〇〇〇）、チンギスは母方ということもあってか強調されることはなかった。

サファヴィー帝国の成立は、一五〇一年、イスマーイール一世によるものである。しかし、この国の母体となったサファヴィー教団の歴史は、さらに二〇〇年ほどさかのぼる。サファヴィー帝国下で著された歴史書において書かれた、いうなれば公式の系譜によれば、教団の創始者サフィーウッディーンは、ムーサー・カーズィムの子孫であった。ムーサーは、シーア派の分派である十二イマーム派の、第七代イマームとされる人物である。歴代イマームはアリーの子孫であるから、サファヴィー王家は必然的にサイイド（預言者ムハンマドの子孫）ということになる。この系譜は、一四六〇年代にはすでに知られており、一方で、異説があることも伝えられていた（Morimoto 2010）。そこから、公式の系譜の成立はサファヴィー帝国時代より古いこと、そしてそれが唯ひとつの真正な系譜として流布していたわけではなかったことがわかる。いずれにせよ、帝国成立後はこの系譜が定着し、サファヴィー王権の正統性の強化に寄与したのである。

オグズ族の王たるカユ氏族という主張

それでは、オスマン帝国はどうか。ムガルとサファヴィー両王家に比して、オスマン王家の血統は、はるかに曖昧なものであった。建国者オスマン一世（在位一二九九頃―一三二四年頃）の父がエルトゥールルであることは、史料間にほとんど相違がない。しかし祖父が誰かということになると、異説があり確定できない。すなわち、オスマン王家の系譜は、建国者の祖父の段階ですでに混乱が見られるのである。

こうしたなか、オスマン王家は、権威ある始祖に自分たちを結び付けようと試みた。その際に重要視されたのは、オグズ・ハンの二四人の孫のうち、いずれの人物の後裔に属するかということであった。オグズ・ハンとは、オグズ族(イスラム世界で活動したトルコ系集団)の伝説的な始祖である。オグズ・ハンの事績を伝えるオグズ伝承によれば、オグズ・ハンの二四人の孫がそれぞれオグズ族を構成する二四氏族の名祖となった。イスラム世界のトルコ系諸王朝は、この二四族のいずれかに属するとされる。

一五世紀以降のオスマン王家の年代記では、オスマン王家はオグズ族のカユ氏族に属するという説が主張された。カユ氏族は、オグズ・ハンの長子の長子であるカユ・ハンを名祖にした集団である。オスマン帝国の史書は、カユ氏族はオグズ族の王となるべき存在であると主張した。この系譜操作は、トルコ系の人々にたいして、オスマン王家の支配の正統性をアピールするのに有効だったはずである。カユ氏族説に対しては異説もあったが、一六世紀初頭には定着した(小笠原 二〇一四)。

王権を神授された始祖の追求と失敗

オグズ族の王たるカユ氏族出身という権威は、帝国周辺に複数のトルコ系侯国が併存していた一五世紀末までは、有効に機能したであろう。しかしそれらは一六世紀初頭には一掃されたし、一五世紀後半から一六世紀にかけて、オスマン帝国は世界帝国として大きく飛躍した。そのため、より普遍的な価値観から、新たに権威ある始祖が必要とされた。

一般的にオグズ・ハンは、『旧約聖書』に登場する預言者ノアの息子、ヤペテの子孫だとされる。イスラム世界における歴史認識では、トルコ系の人々は、みなヤペテの子孫とされるからである。しかし、一五世紀末に著されたオスマン王家の系譜をさかのぼると、イサクの息子エサウにいきつく。エサウは、ノアの息子セムの子孫であるから、ヤペテの子孫であるという通説と完全に矛盾する。

なぜ、エサウという新しい始祖が登場したのか。オスマン帝国の年代記によれば、イサクは息子エサウに王権を、もうひとりの息子ヤコブに預言者性をあたえたという。すなわち、エサウを始祖とするオスマン王家は、神によって王権を授けられた存在なのであった。さらに、エサウはカユとも同一視され、オグズ伝承とイスラム伝承の融合すら行われた。エサウ＝カユを祖とする見解は、一六世紀初頭に王命によって著されたふたつの年代記、『八天国』と『ケマル・パシャザーデ史』に記されたことから、この見解が君主によって支持されたことがわかる。

しかし、トルコ系であるはずのオスマン王家がエサウ裔であるというのは、当時の一般的な歴史観から言って、受け入れがたいものだったようだ。というのも、一六世紀半ば以降に記された系譜においては、エサウ説ではなくヤペテ説が採用されているからである。つまり、オスマン王家は系譜操作によって、オグズの王たる地位を獲得することに成功したが、王権を神与のものとすることには失敗したのである（Ogasawara 2017）。

始祖に頼らない血統の称揚

一六世紀以降も、系譜による正統性主張の試みは続く。一六世紀から一八世紀にかけて、オスマン帝国では、多数の系譜書が作成された。最初の人間アダムから始まり、主要な預言者や王の系譜が図示され、最後にオスマン王家が大きく扱われるという作品である。重要人物の肖像画が付された写本や、豪華な大型写本も作成された。視覚的に楽しみやすいためか、外交のさいの贈り物として用いられることもあった。

系譜書におけるオスマン王家の祖先たちのあつかいは、この時代における祖先認識の変化をよく示している。帝国成立前の祖先の名前は小さく記され、名の周辺に飾りが付されることも、肖像が描かれることもない。オグズ・ハンやカユ・ハンすらも、その他大勢と同様の扱いであり、とりたてて強調されてはいないのである。系譜書の伝えたいことは、個々の祖先を誇ることではなく、預言者と王たちの系譜がパノラマ的に続き、その掉尾にオスマン王家の君主たちが満を持して登場するという、展開そのものだったと考えられる。オスマン王家のもつ血統の偉大さは、もはや特定の祖先に依存するものではなく、帝国成立以降の君主たちだけで自足するものになっていたのである。

二、終末の到来と救世主

聖性を付与された王権

血統とならんで王権の正統性の源泉となるのが、宗教的な権威である。三帝国いずれの王権も、イスラム的な、とくにイスラム神秘主義思想に基づいた聖性をまとっていたことが知られている。

三帝国のうち、もっとも明確な形で聖性を帯びていたのは、神秘主義教団を母体とするサファヴィー王家であろう。建国者イスマーイール一世自身、神の化身にしてマフディー（救世主）であると自負していた。この極端な主張は、第二代君主であるタフマースブ一世以降影を潜めていくが、神秘主義思想に基づく宗教的カリスマが、サファヴィー帝国の建国期をまとめていたといってよい。

ムガル帝国においても、聖性は重要な王権の強化方法だった。ムガル君主は、「サーヒブ・キラーン」（後述）という、神に嘉《よみ》された世界征服者を意味する称号を用いた。また、第三代君主アクバルは、「神の宗教」や「完全なる平和」という、イスラム、キリスト教、ヒンドゥー教を融和させる特異な政策をとったが、これは神秘主義思想に強い影響を受けたものであった。

オスマン帝国と終末論

オスマン帝国も、成立当初より神秘主義者の名士や教団と深い関係を持っていた。オスマン王家は、サファヴィー王家のように直接、神秘主義教団にルーツを持ってはいなかったが、神秘主義に重きを置く環境のなかで成長を遂げていったのである(東長・今松 二〇一六)。

オスマン帝国君主の聖なる顔をもっともよく示す称号が、マフディーである。この語は、もともと「神に導かれし者」という意味である。ウマイヤ朝では神に導かれた理想の君主という意味でマフディーという語が用いられた一方、シーア派においてはマフディーを黙示録的な救世主とみなす認識が発展した(菊地 二〇〇九)。スンナ派における終末論やマフディー観の整理・理論化は、シーア派に比べると十分とは言えなかったが、時代が下ると、神秘主義思想と結びついて展開する。とくにイブン・アラビーの思想は、マフディー論や後述する神秘主義的カリフ論に影響を与えた。ポスト・モンゴル時代のアナトリアでは、神秘主義教団の活動と影響力が増すのに並行して、神秘主義的理解を経たマフディーのイメージが社会に浸透していった。

オスマン帝国において終末が喫緊の問題としてとらえられたのは、メフメト二世(在位一四四四―四六年、五一―八一年)の時代である。彼は、文字に神秘的な意味を読み込み、終末論的思想を奉じるフルーフィー教団に一時期傾倒したとも伝わる(ただし、のちに弾圧に転じた。同教団の終末論については、(角田 二〇二二))。一四五三年、ビザンツ帝国の首都コンスタンティノープルの攻略に着手した彼は、二カ月におよぶ攻防戦のすえに征服をなしとげ、この町を帝国の都とした。

コンスタンティノープルの征服は、ムスリムに大きな衝撃をもたらした。なぜなら、「コンスタンティノープルの征服は終末の予兆である」というハディースが伝わっていたからである。しかもそのハディースは、権威ある『真正集』(ムスリム編)に収録されたものであった。オスマン帝国の年代記『オルチ史』(一五世紀後半成立)には、このハディースがやや改変された形で収録されると同時に、メフメト二世をマフディーであると位置づけている。

しかし、征服前後に色濃かった終末が近いとする認識は、征服後は徐々に和らいでいく(Emecen 2012; Şahin 2010)。一般に、終末の到来は動乱期や変革期において待望されるが、国家体制や社会が安定すると忌避される傾向にある。オスマン帝国においても、コンスタンティノープル征服という大事件が終わって体制が安定すると、終末的雰囲気も徐々に後退していったのであろう。

スレイマン一世とマフディー

終末は近いという切迫感は遠のいたものの、なお終末論の影響は継続した。フルーフィー教団と関係を持つ宗教家ビースターミーによる終末論『集められし予見への鍵』(一四四〇年)の写本が多数作成され、「ベストセラー」というべき存在となるのは、スレイマン一世(在位一五二〇―六六年)治世の前半である(Fleischer 2001)。君主をマフディーとみなす認識も続いていた。一六世紀初頭に著された、イブン・アラビーの著作に擬せられた『オスマンの栄光における赤い樹』には、オスマン王家が最後の支配者であり、最後の審判に先立つ普遍的な帝国を打ち立てる、とある(Fleischer 2009)。

オスマン帝国において、マフディーであることをもっとも強くその身に帯びた君主は、スレイマン一世である(Flemming 1987)。彼は、即位してから一〇年のあいだに、ベオグラード、ロドス島、ハンガリーを立て続けに征服し、一五二九年にはハプスブルク帝国の主要都市ウィーンを攻囲した。スレイマン一世がキリスト教世界に対して破竹の進撃を続けたことは、彼がマフディーにしてサーヒブ・キラーンであり、理想の世界を実現する君主であるという認識を、オスマン人士にもたらした。スレイマン一世がウィーンに進軍したまさにその年に著されたのが、ハルヴェティー教団の導師メヴラーナー・イーサーによる韻文のオスマン史書『秘事の集成』である。それによれば、イスラムを革新する者（ムジャッディド。ここではマフディーたるスレイマン一世を示唆している）はイスラム暦九六〇年（西暦一五五二／五三年）に到来するという。さらにこのときこそ、サーヒブ・キラーンが現れる「合《ごう》」（後述）なのだとされた。

スレイマン一世のマフディー性が強調されたのは、サファヴィー帝国の建国者イスマーイール一世が、みずからを神の化身にしてマフディーであると主張していたこととも関係しよう。過激なシーア派を奉じるイスマーイール一世は、そのカリスマ性により、クズルバシュ（キジルバシュ）と呼ばれるトルコ系遊牧集団を惹きつけていた。アナトリアでも、中央集権化を進めるオスマン帝国政府よりも、イスマーイール一世にシンパシーを感じる者は少なくなかった。一五一一年には、イスマーイール一世を支持するシャークルと呼ばれる人物——彼もまたマフディーを自称していた——が率いる大きな反乱がアナトリアで起きている。一五一四年のチャルディランの戦いで破れて以降、イスマーイール一世がオスマン帝国に直接介入することはなくなったが、アナトリアのトルコ系遊牧民の不満は払拭されたわけではなく、長期にわたってくすぶり続けた。スレイマン一世のマフディー性が主張されたのには、こうした「真のマフディーをめぐる戦い」が背後にあったのである。

三、神に嘉された世界征服者

サーヒブ・キラーンとティムール

君主をマフディーとみなす観念は、しばしばサーヒブ・キラーンという称号と結びついて表明された。サーヒブ・キラーンとは、「合の持ち主」という意味である。占星術において、木星と金星が重なるときが「合」であり、このときに誕生した人物は特別な幸運を授かるとされた。

イスラム世界において、この称号を自己のものとし、後代に大きな影響を与えたのはティムールである。ティムールは、もともとモンゴルの後裔チャガタイ・ハン国の将軍であった。軍事指揮官として卓越した能力を持った彼は、チャガタイ・ハン国の実権を握り実質的な支配者となったが、みずから即位することなくチンギス・ハンの子孫を傀《かい》儡《らい》の王に据えた。これは、チンギス・ハンの子孫のみがハン位につけるという、モンゴル系王朝の慣例を尊重したためであった。そのため、チンギス・ハンの係累ではないティムールとその後継者たちは、サーヒブ・キラーンという称号による権威強化を図ったのである。ティムールの存命中からすでにこの称号は用いられていたが、積極的に利用されるようになるのは、彼の後継者たちの時代になってからである(川口 二〇一四)。

このサーヒブ・キラーンという称号は、ティムール朝が滅びたのちもさまざまな王朝に受け継がれ、神に嘉された世界征服者であるという主張に加え、メシア的、神秘主義的な観念と結びついた王号として機能した。とくにムガル帝国の君主たちは、ティムールの後裔であるという自意識も手伝ってこの称号を積極的に用い、たとえば第五代君主シャー・ジャハーンは第二のサーヒブ・キラーンを称した。サファヴィー王家は、直接的にはティムールとの血縁関係を持たないが、やはりこの称号を重んじた。サファヴィー帝国の史家たちは、イスマーイール一世を「最後のサーヒブ・キラーン」と褒め称えている(Moin 2012)。

スレイマン一世とサーヒブ・キラーン

スレイマン一世は、さきのメヴラーナー・イーサーの著作にあるとおり、マフディーであるのみならず、サーヒブ・キラーンでもあるとみなされた。当時を代表する文人で国璽尚書であったジェラールザーデ・ムスタファは、その史書において、歴史上のサーヒブ・キラーンとして、アレクサンドロス大王、チンギス・ハン、ティムールの名を挙げた。そして、マムルーク朝を滅ぼしアラブ地域を征服したオスマン帝国君主のセリム一世(在位一五一二―二〇年)

について、もし彼が長命であれば、サーヒブ・キラーンとなったであろう、と続ける。ジェラールザーデは、スレイマン一世をサーヒブ・キラーンとして称賛しているから、すなわちオスマン帝国における初のサーヒブ・キラーンは、スレイマン一世なのであった。

また、スレイマン一世の宮廷には、一五三〇年代より占い師ハイダルと呼ばれる人物が出入りしていた。彼は、神秘主義的な予言でもってスレイマンの寵愛を得たらしい。ハイダルは、スレイマン一世はイスラム暦一〇〇〇年(西暦一五九一年)まで生きるだろうと予言し、サーヒブ・キラーンにしてサーヒブ・ザマーン(「時の持ち主」の意。サーヒブ・キラーンと対で用いられることがある)として、物質世界と精神世界を統《す》べる存在だとした(Fleischer 2001)。

スレイマン一世は、サーヒブ・キラーンという称号を、世界に並ぶものなき帝王という意味で認識していたようである。彼がハプスブルク帝国への遠征を起こした理由のひとつは、カール五世やフェルディナント一世がサーヒブ・キラーンを僭称しているためであった(Şahin 2013)。もちろん、カール五世やフェルディナント一世がイスラム世界の占星術に由来する称号を用いたわけではない。スレイマン一世は、みずからが世界でもっともすぐれた王であると自任していたから、彼らが「ローマ皇帝」のような、格の高い王号を自称することを不遜とみなしたのであろう。

四、カリフ概念の変容

聖性の喪失

オスマン帝国の王権は、マフディーやサーヒブ・キラーンという称号に見られるように、神秘主義に基づいた、神により聖性を付与されたカリスマ的な権威を帯びることで形成されていった。

こうした、王権の聖性が頂点に達したのは、スレイマン一世治世の中葉であった。しかし、スレイマン一世がマフディーであるという主張は、治世末期の一五五〇年代に急速にトーンダウンする(Fleischer 1992)。『集められし予見への鍵』がトルコ語訳(一五九〇年)されたさい、終末は遠い未来であると改変されたことに象徴されるように(Yılmaz 2018)、オスマン帝国君主が終末に君臨するマフディーであるという正統性は、一六世紀後半には重要性を喪失してゆく。君主がサーヒブ・キラーンであるという認識も、レトリック以上の意味を持たなくなっていった。

王権への神秘主義的な影響は、ムラト三世(在位一五七四—九五年)が夢解釈に傾倒するなど、すぐに失われたわけではなかったし、支配者層と神秘主義教団とのかかわりは、近代になるまで継続した。イスラム暦一〇〇〇年の到来(西暦一五九一年)も、一定の怖れをオスマン帝国の人々に与えたようである(鈴木 一九九六)。とはいえ、君主の聖性が徐々に脱色されていったのは間違いない。こうした変化の理由は、君主が遠征に赴かず首都に常駐するようになり、帝国の拡大が停滞するなか、そのカリスマ性を失っていったからだと考えられる。

神秘主義的カリフから歴史的カリフへ

聖性が失われるのと相前後して、王権の正統性を担保すべく登場したのは、オスマン帝国君主が、正統的なスンナ派政治理論に基づいた支配者であるという認識である。その変化を象徴的に現すのが、カリフという称号の解釈であった。

カリフとは、預言者ムハンマドの死後、スンナ派のムスリム共同体の指導者が帯びた称号である。正統カリフの時代、この位は、合議に基づいて選出される第一人者という性格が強かった。しかしウマイヤ朝とアッバース朝の時代になると、カリフは実質的に君主の称号として用いられた。こうしたなかスンナ派の法理論では、カリフの位に就任するためには、五体満足であらねばならない、あるいは預言者ムハンマドと同じクライシュ族の出身でなくてはならない、などの条件が整備されていった(このようなカリフ位を、以下、ユルマズに従い「歴史的カリフ」と呼ぶ)。

オスマン帝国君主は、遅くとも一五世紀初頭から、数ある称号のひとつとしてカリフを名乗ってきた。ただしこのカリフは、神秘主義的理解に基づいた称号であり、前述のマフディーやサーヒブ・キラーンと同じように、聖性を帯びたカリスマ的な王という意味で用いられ、歴史的カリフとは別のものであった(Yılmaz 2018)。

しかし、スレイマン一世治世の末期、オスマン帝国君主はスンナ派の法理論に適合的な、すなわち正統カリフやウマイヤ朝・アッバース朝のカリフと同じ歴史的カリフたる存在である、という議論が現れる。大宰相も務めた知識人リュトフィーは、一五五四年に著した小論において、公正な統治を実現するならば、カリフはクライシュ族出身でなくとも構わない、すなわちオスマン帝国君主はカリフたりうる存在であると主張した。また、帝国におけるイスラム法の普遍化に尽力し、イスラム長老を務めたエビュッスウード(在任一五四五—七四年)は、神秘主義的なカリフ像を提示しつつも、歴史的カリフ(=オスマン帝国君主)とイスラム法との関係を調整すべく法意見を積み重ねていった(Imber 1997)。

オスマン帝国君主が、歴史的にウマイヤ朝やアッバース朝の後継者であるという意識は、歴史認識にも反映された。国璽尚書を務めたキュチュク・ニシャンジュによって著された『偉大なる預言者たちの伝記と、高貴なるカリフたちの状況と、オスマン王家の事績』(通称ニシャンジュ史。一五六二—七一年のあいだに成立)は、帝国においてもっとも多数の読者を獲得した史書のひとつである。この史書においてオスマン帝国は、ウマイヤ朝やアッバース朝に始まり、ファーティマ朝、アイユーブ朝、マムルーク朝といったアラブ地域におけるムスリム王朝の後継者として位置付けられたのである。

歴史的カリフの定着と強調

このように、オスマン帝国君主がスンナ派ムスリムを教導する歴史的カリフであるという認識は、徐々に既成事実となっていった。一六世紀後半以降、君主の持つ聖性が失われたあとも、君主が実質的に歴史的カリフの役割を担ったことは、王権の正統性を支えるようになってゆく。

ただし、外交の場などで、オスマン帝国君主のカリフとしての側面が積極的に主張されるようになるのは、一八世紀後半以降のことである。一七七四年、オスマン帝国はロシアとの戦争で大敗し、キュチュク・カイナルジャ条約を結ぶ。この条約の結果、クリミア・ハン国がオスマン帝国の庇護を離れることになった(まもなくロシアに併合)。一五世紀以来の属国であったムスリム王朝を失うという事態に直面したオスマン帝国は、同国への宗教的な影響だけでも確保しようと、君主のカリフ性を強調したのである。「セリム一世が、一五一七年にエジプトのマムルーク朝を征服したとき、同地に亡命していたアッバース朝カリフの末裔よりカリフ位を禅譲された」という歴史的事実とは異なる言説が流布するようになるのは、このころからである。

属人的正統性からの脱却

こうしてオスマン帝国の王権は、一六世紀後半以降、「君主が帯びた聖性に基づく正統性から、伝統的イデオロギーに基づいた正統性へ」という変容を経験した。これは、第一節で論じた「特定の始祖の個性に依存するのではなく、帝国の君主たちそれだけで充足する」系譜的正統性の変化とも呼応する。要約すれば、「属人的な正統性からの脱却」といえようか。

注目すべきは、オスマン帝国だけが、こうした変化を志向したわけではない、ということである。初期のサファヴィー帝国においては過激なシーア派が信奉され、建国者イスマーイール一世は神の化身にしてマフディーであると自任したことは前述した。しかし、次代のタフマースブ一世治世より、シーア派のなかでも穏健な十二イマーム派の普及が図られ、第五代君主アッバース一世の時代には極端な宗教的主張は一掃される(前田 二〇二二)。これも前述したように、ムガル帝国では君主のサーヒブ・キラーンとしての聖性が強調され、アクバルは「神の宗教」に象徴される特異な神聖王権を作り上げた。だが「神の宗教」は一代限りで放棄され、第六代アウラングゼーブの治世には、スンナ派にもとづく統治が追求されるようになる。

しかし、オスマン帝国が新たな正統性への脱皮に成功した一方、ムガル帝国とサファヴィー帝国においては、君主のカリスマ的権威の喪失が、そのまま国力の決定的な減衰へとつながったように思われる。属人的な正統性を、より安定したものへと転換させることに成功しえたのが、三帝国のうちオスマン帝国のみだったとするならば、その理由は奈辺にあるのだろうか。今後の比較研究が待たれる。

注

（1）ここでいう「聖性」という観念を、史料中の用語に求めるならばワラーヤ（トルコ語ではヴェラーイェト）であろう。しかし本章では史料用語としてではなく、「政治学や法学など伝統的なイスラム思想ではなく、イスラム神秘主義の理解に基づき王権に正統性を与える要素」という広い意味で「聖性」という用語を用いる。これは、モインやユルマズなど、聖なる王権について検討した先行研究で共有されている用法だと思われる（Moin 2012; Yılmaz 2018）。

参考文献

小笠原弘幸（二〇一四）『イスラーム世界における王朝起源論の生成と変容――古典期オスマン帝国の系譜伝承をめぐって』刀水書房。

川口琢司（二〇一四）『ティムール帝国』講談社選書メチエ。

菊地達也（二〇〇九）『イスラーム教「異端」と「正統」の思想史』講談社選書メチエ。

鈴木董（一九九六）「イスラーム暦千年を迎えるオスマン社会」蓮實重彦・山内昌之編『地中海 終末論の誘惑』東京大学出版会。

角田哲郎（二〇二二）「フルーフィー教団における終末論の一断片――サイイド・イスハーク・アスタラーバーディーの「時の終わ

り」に関する見解」『史林』一〇五巻第一号。
東長靖・今松泰(二〇一六)『イスラーム神秘思想の輝き――愛と知の探究』山川出版社。
前田弘毅(二〇二二)『アッバース一世――海と陸をつないだ「イラン」世界の建設者』山川出版社。
真下裕之(二〇〇〇)「一六世紀前半北インドのMugulについて」『東方學報』七二冊。
Emecen, Feridun M. (2012), *Fetih ve Kıyamet 1453: İstanbul'un Fethi ve Kıyamet Senaryoları*, Istanbul, Timaş.
Fleischer, Cornell H. (1992), "The Lawgiver as Messiah: The Making of the Imperial Image in the Reign of Süleymân", Gilles Veinstein (ed.), *Soliman le Magnifique et son temps: Actes du colloque de Paris, Galeries nationales du Grand Palais, 7-10 Mars 1990*, Paris, La Documentation française.
Fleischer, Cornell H. (2001), "Seer to the Sultan: Haydar-ı Remmel and Sultan Süleyman", Jayne L. Warner (ed.), *Cultural Horizons: A Festschrift in Honor of Talat S. Halman*, Istanbul, Syracuse University Press.
Fleischer, Cornell H. (2009), "Ancient Wisdom and New Sciences: Prophecies at the Ottoman Court in the Fifteenth and Early Sixteenth Centuries", Massumeh Farhad and Serpil Bağcı (eds.), *Falnama: The Book of Omens*, London, Thames & Hudson.
Flemming, Barbara (1987), "Sāhib-Kirān und Mahdī: Türkische Endzeiterwartungen im ersten Jahrzehnt der Regierung Süleymāns", György Kara (ed.), *Between the Danube and the Caucasus*, Budapest, Akadémiai Kiadó.
Imber, Colin (1997), *Ebu'su'ud: The Islamic Legal Tradition*, Edinburgh, Edinburgh University Press.
Moin, Azfar A. (2012), *The Millennial Sovereign: Sacred Kingship and Sainthood in Islam*, New York, Columbia University Press.
Morimoto, Kazuo (2010), "The Earliest 'Alid Genealogy for the Safavids: New Evidence for the Pre-dynastic Claim to the *Sayyid* Status", *Iranian Studies*, 43-4.
Ogasawara, Hiroyuki (2017), "The Quest for the Biblical Ancestors: The Legitimacy and Identity of the Ottoman Dynasty in the Fifteenth-Sixteenth Centuries", *Turcica*, 48.
Şahin, Kaya (2010), "Constantinople and the End Time: The Ottoman Conquest as a Portent of the Last Hour", *Journal of Early Modern History*, 14-4.
Şahin, Kaya (2013), *Empire and Power in the Reign of Süleyman: Narrating the Sixteenth-Century Ottoman World*, New York, Cambridge Universi-

ty Press.

Yılmaz, Hüseyin (2018), *Caliphate Redefined: The Mystical Turn in Ottoman Political Thought*, Princeton, Princeton University Press.

コラム｜*Column*

王権の象徴としての首都と宮殿

川本智史

君主のすまいである宮殿とそれが置かれる首都は、様々な儀礼を媒介として臣下や外国使節に権威を誇示する象徴的な場である。オスマン・サファヴィー・ムガルの三つの帝国も、それぞれ独自の建築と都市文化を発展させて帝都を造営したが、興味深いことにいずれもティムール朝の宮殿と首都の影響を大きく受けている。直接の後継者だったムガル帝国は当然として、軍事的に対立していたオスマン帝国も職人や知識人、俘虜などの交流を通して東方の建築文化を受容したのである。ティムール朝宮廷は、トルコ・モンゴル系の王朝の伝統にならって都市郊外に巨大な庭園をいくつも築いてその中に天幕群を設営し、儀礼的な宴会を行うことを常としていた。またシャフリサブズには巨大な中庭とイーワーン(半開放のヴォールト空間)を持つ幾何学的な構成の宮殿が建設され、手前が公的領域、奥が私的領域だったと推測される。

市内の宮殿と郊外の庭園という類型を最もよく継承したのがサファヴィー帝国である。一六世紀末からアッバース一世はイスファハーンに遷都して都市の大改造を行い、旧市街の外縁部に王の広場を建設した。周辺にはすでに庭園と宮殿があったと考えられ、これを利用して広場とそこに隣接する宮殿複合体が作られた。普段市民が出入りする王の広場は、時にポロや儀式が行われる王権の空間になる。宮殿の入り口にはアーリー・ガープー(「高い門」)が聳え、広場に向かって開かれた閲覧台や玉座の間として用いられた。そこから西に進むと庭園の中にチェヘル・ソトゥーン(「四十柱宮」)がある。後方に大きな謁見の間をもつこの建物は、前方にターラールという開放的な列柱空間を置き、二〇本の柱がその前の大きなプールに映し出されて四〇本の柱があらわれるのである。君主が宴会する様子が壁画に描かれているように、サファヴィー帝国においては宴会が王権の象徴として大きな意味をもった。また宮殿から南郊に向かって延びる大通りは、一・六キロメートル四方のヘザール・ジャリーブ庭園へと至る。ここにはヨーロッパのバロック都市にも似た、都市スケールでの王権の表象を見ることができる。

一方オスマン帝国では、征服直後のイスタンブルに築かれたトプカプ宮殿が、一九世紀

イスファハーン王の広場(出典：File: Naghshe Jahan Square Isfahan modified.jpg)

トプカプ宮殿の至福門（1789年セリム3世の即位式，出典：*Ottoman Sultan Selim III* (1789).jpg）

まで主宮殿としての地位と機能を保ち、常に宮廷生活と儀礼の中心にあった。宮殿は、かつてビザンティオンのアクロポリスがあった金角湾とボスポラス海峡を見下ろす半島部分の突端部に位置し、壁で囲われた緑豊かで広大な敷地を有している。一五世紀以前の中世アナトリアの宮殿は、一般に権力の規模に比例してごく小さいものだったが、オスマン帝国はおそらくシャフリサブズの宮殿に啓発されてエディルネに大きな中庭を持つ宮殿を築くと、この様式を踏襲したトプカプ宮殿が新都にも出現した。トプカプ宮殿の核となるのは第二中庭で、ある時期までここで頻繁に開催された直属軍団と君主との謁見こそが、最も重要な宮廷儀礼だった。古くはアッバース朝の諸宮殿も兵士が屹立して使者を迎える中庭や大広間から構成されており、強大なオスマン王権と、それを支える軍団および官僚機構が誕生することで、再び中庭型の宮殿が造営されたといえる。その一方で壮麗な謁見の間は建設されず、中庭から内廷を結ぶそれほど大きくない至福門の庇下に玉座が据えられたため、建築としての象徴性には欠ける。それでも、イスタンブル内外に離宮が多数建設されたのちも、重要な閣議や謁見は必ずトプカプ宮殿で行われていたことから、ここが王権にとって欠かすことのできない場として認識されていたことは明らかである。

　ムガル帝国では頻繁な遷都にともなって、アグラ、ラホール、デリー、ファテープル・スィークリーと、各地に宮殿ないし宮殿都市が新造され、ティムール的要素とヒンドゥー的要素が混淆した空間と儀礼が生まれた点に特徴がある。複数の中庭を核とする各宮殿は、時代が進むほど幾何学性が高まってティムール朝の空間文化からの強い影響が感じられる一方で、現地の建築文化からはチャトリ(亭)や柱梁構造などが受容された。君主を太陽になぞらえるヒンドゥー的な思想も取り込まれて、日の出とともに宮殿のバルコニーに姿を現す儀礼が毎朝行われていた点も興味深い。宮殿以外でも幾何学性の重視は、タージマハルに代表される王族の墓廟が水路を巡らせた巨大な四分庭園の中に置かれたことにも看取することができる。宮殿では公的領域の中庭とそれに面する謁見の間が中心的な位置を占める。謁見の間はトプカプ宮殿の至福門よりはるかに壮麗な建物で、アグラとラホールの謁見の間の前面には、やはりチェヘル・ソトゥーンと呼ばれる四十柱の空間が配されている点はサファヴィー帝国とのつながりも感じさせる。

焦点｜*Focus*

シーア派世界の深化（一六世紀―一八世紀）

藤井守男

はじめに

シーア派世界は、サファヴィー帝国のシャー・イスマーイール王（在位一五〇一―二四年）による十二イマーム派（以下ではシーア派とする）の国教化（一五〇一年）以降に新たな展開をむかえる。サファヴィー帝国成立以前のイランも、様々なシーア派運動が起きたが、シーア派の勢力は、圧倒的なスンナ派の支配下の中で限定的なものであった。

シーア派は、預言者ムハンマドに帰されるとされる「我（預言者）は知の町、アリーはその門」などの伝承に基づき、神の聖なる知識は、預言者ムハンマドを通じて直接的に、アリー（六六〇年没。預言者の従弟で、娘のファーティマの夫。のちの第四代正統カリフ）に伝えられ、神は預言者の啓示の周期に続くイマーム（スンナ派でいうカリフ）の周期を開示したとする。シーア派（アリーの党派）は、イマームこそが預言者亡きあとの神の証であるとし、イマームは神に選ばれたという点で、罪や過ちを犯すことのない無謬《むびゅう》なる超越的人間であり、その時代で最も完全な精神的、霊的指導者とされる。

預言者に付与された神の啓示の知は、シーア派初代イマーム・アリーを通じ、アリー以下、一二人の直系の子孫

（十二人のイマーム）にのみ、イマームによる指名によって引き継がれ、一二人目の最後のイマームは八七四年以降、姿を隠し（ガイバ）、「隠れイマーム」としてシーア派信徒を導き、やがて最後の審判の前に、この世にマフディー（救世主）として再臨（ラジュア raj'a）する、とするのがシーア派中の主流派、十二イマーム派である。アリーは預言者の真なる相続人であることから、シーア派は、イマーム・アリー（およびすべてのイマームたち）は、最後の審判に際しての預言者の「とりなし」shafā'a の権能を引き継ぐと主張する。

また、シーア派は、預言者の教友（サハーバ）の中でも特に、預言者の後継に選定された最初の三人のカリフ（アブー・バクル、ウマル、ウスマーン）を、アリーの神与の権利の簒奪者であるとみなし、呪詛の対象とする。一方で、預言者ムハンマドと、アリー以下の一二人のイマームたちは「お家の人々」Ahl al-Bayt（「サイイド」Sayyid の家系）として格別の権威をもち、崇敬の対象とされる。したがって、ハディース（預言者、イマームたちの言葉）に関しても、シーア派は、預言者の教友を通じて伝えられたハディースに権威を認めず、イマームたちが伝える預言者の言葉とイマームたち自身の言葉がシーア派ハディースとして編纂された。

サファヴィー神秘主義教団を淵源として、アナトリアの過激シーア派の遊牧民キジルバシュ族に支えられて登場したサファヴィー帝国は、第七代イマーム・ムーサー（七九九年没）の末裔（つまりはサイイド）として、さらには、イマーム・マフディーの出現（再臨）の先駆けとして民衆から迎えられた。

神秘主義（スーフィズム）は、預言者の教友への敬意を重視するスンナ派伝承の中で発展してきた側面があるのに加え、イマームの精神的権威を主軸におくシーア派と、信徒の精神的修養を導く導師（ピール、ムルシド）を土台とする神秘主義の間には、元来、微妙な緊張関係（時に、敵対関係）が存在した。一方で、双方が共有する精神的源泉としての「ワラーヤ」walāya（アリーへの敬愛）は、イラン領域で支配的であったスンナ派の世界にシーア派が浸透する上で重要な因子となり、モンゴル政権樹立後、一三世紀以降こうしたシーア派と神秘主義の相互浸透が進む中で、シーア派の神秘主義教団が徐々に登場する。

サファヴィー教団の教主サフィーウッディーン・アルダビーリー(一三三四年没)は元来、スンナ派であったといわれるが、彼のもとに生まれたサファヴィー教団は、後継者のジュナイド(一四六〇年没)以降に、過激なシーア派思想を帯びるようになったとされる。シーア派を国教化する過程においても、その君主が「完全なる導師」Murshid-i Kāmil と称されたように、サファヴィー帝国は当初、神秘主義的要素を濃厚に反映した政権であった。しかし、徐々に、「神の影」とされる国王の強い指導によって十二イマーム派の正統性に基づく体制固めが進められ、神秘主義的体制からの脱却が図られる過程で、シーア派の浸透に影響力をもった神秘主義そのものが、台頭するシーア派ウラマー(法学者・神学者・ハディース学者)の激しい批判の標的とされることになった。

本章では、まずサファヴィー帝国期のシーア派ウラマーのスーフィー批判の特徴を考察し、次に、一七世紀のシーア派の文化環境に生まれたシーア派独自の思想潮流に触れた後で、民衆のシーア派化のための教化の問題に光をあて、一六世紀から一八世紀の、イラン領域におけるシーア派の浸透と定着の背景の検証を試みる。

一、シーア派ウラマーと神秘主義――『シーア派の園』*Ḥadīqat al-Shī'a* の神秘主義批判

シーア派ウラマーの神秘主義との関係について考察する『シーア派の園』の本体の部分は、ムカッダス・アルダビーリー(一五八五年没)の著作とされるが、神秘主義批判の部分は一六四八―五〇年の間に別に執筆された可能性があり、この部分の執筆者は現時点で確定されていない(Anzali 2017: 39-40)。ここではこの神秘義批判の部分も含めて『シーア派の園』として、議論の対象とする。

『シーア派の園』は神秘主義のセクトを二一に分類したうえで、神秘主義に共通する「ジャブル」(決定論的世界観)

的志向を批判しつつ、サマーゥ(音楽や舞踏を通じて忘我の境地に向かうスーフィーの修養法)などの音楽や踊りに没入する人々を「無信仰者」bī-dīnān と容赦なく断罪する。イブン・アラビー(一二四〇年没)が説いた「存在一性論」については、スーフィーたちが哲学者の醜悪な言葉を借用して修正したものだとして批判する(Ardabīlī 2007: 560-561, 574)。世界を「純粋存在」なるものの様々なレベルでの顕現と捉える「存在一性論」は、導師に倣い集団で修養を進めつつ内面の浄化を図る実践型の神秘主義とは相違し、理念としての絶対者の直覚をめざす神秘主義思想であるが、ここでは哲学との関わりで批判の対象とされている。

第一八番目のスーフィーの一派として挙げられている「ジューリーヤ派」(jūriya)に関する部分では『シャー・ナーメ』(王書)*Shāhnāma* 語りが、意図的に「gabrān」(ゾロアスター教徒)の物語と結び付けられて否定的に扱われている(Ardabīlī 2007: 564,574,578)。「我は神なり」と公言して処刑されたスーフィーのハッラージュ(九二二年没)が自らを「隠れイマーム」と主張したことに対する、アブー・サフル・ナウバフティー(九二三年以降に没)の対応は、スーフィーとシーア派の間の最初期の深刻な衝突として伝えられるが(Moussavi 1996: 107)、この事例についても、『シーア派の園』では醜悪なスーフィーの行状として紹介されている(Ardabīlī 2007: 565)。『シーア派の園』は、当時のシーア派ウラマーからするスーフィー(神秘主義者と同義)批判の典型が読み取れるペルシア語の著作であるが、スーフィー批判とともに、『アブー・ムスリム物語』の主題が取りあげられている点でも注目すべき著作である。

サファヴィー帝国成立以前からシーア派は宗教的民衆譚と深い関わりがあり、ウマイヤ朝を打倒したアッバース朝革命で活躍したアブー・ムスリム(七五五年没)や、イマーム・フサイン(六八〇年没)の異母兄弟で死後マフディーとしての再臨が信じられたムハンマド・イブン・ハナフィーヤ(七〇〇年没)にかかわる物語が、特にアナトリアやイランの民衆の人気を博していた。

『アブー・ムスリム物語』や『ムハンマド・イブン・ハナフィーヤ物語』は、サファヴィー教団に連なるアルダビールの放浪のスーフィーたちによって語られていたとされるが(Zarrīnkūb 1983: 228)、イマーム・フサインがムハンマド・イブン・ハナフィーヤを次のイマームとして指名したとする、正統的な十二イマーム派とは異なる系列の物語が民衆に語られていた点は興味深い。過激シーア派のキジルバシュ族は、フサインとアブー・ムスリムの信奉者たちに鼓吹され、シャー・イスマーイールの祖父ジュナイド(一四六〇年没)もイブン・ハナフィーヤの化身だとして戦に立ち上がったという(Anzali 2017: 32-33; Ja'fariyān 2019: 521)。

『アブー・ムスリム物語』とシーア派ウラマー

『シーア派の園』ではアブー・ムスリムは徹底的に否定的な姿として記述されている。アブー・ムスリムは、スンナ派のアッバース朝に加担した人間として、第六代イマーム・ジャアファル・サーディク(七六五年没)に敵対し、アリーのイマーム性を否定したが故に無信仰者(カーフィル)であり、地獄の住人であるが、スンナ派やスーフィーはこうした人間を好む、アブー・ムスリムを称える者はわれらのシーア派ではない、スンナ派はアッバース家に媚びを売るため、スーフィーは「フルール」ḥulūl(神の性質を帯びる受肉説)を喧伝するために彼を好む、といった言葉が並ぶ。そこでは、スーフィーとスンナ派とが意図的に一体化され、その意味でシーア派は神秘主義と無縁であることが強く打ち出されている。神秘主義の宗派を受け入れているのはスンナ派であるから、神秘主義者はスンナ派に属する宗派である、シーア派信徒はスンナ派に欺かれてはいけない、という批判が、イマームたちの言葉を引用しつつ語られる(Ardabīlī 2007: 551-557)。シーア派側がスーフィーを批判する理由の一つが「スンナ派としてのスーフィー」への強い警戒感であったことがわかる。

シャー・タフマースブ一世の時代(在位一五二四―七六年)以降、『アブー・ムスリム物語』に対してウラマーたちからファトワー(法的勧告)が出され、有力なシーア派ウラマー、アリー・カラキー(一五三三年没)も、シーア派信徒は

『アブー・ムスリム物語』を呪詛するようにと布告を出した。さらに、一七世紀中葉以降、強硬な神秘主義批判で知られるシーア派ウラマー、ミール・ラウヒー(一六七一年没)は正統的な十二イマーム派の立場から、より広範な形で『アブー・ムスリム物語』批判を展開している(Anzali 2017: 36)。しかし、サファヴィー帝国末まで『アブー・ムスリム物語』や『ムハンマド・イブン・ハナフィーヤ物語』は民衆を引きつけたといわれる(Zarrīnkūb 1983: 228-229)。

サファヴィー帝国側は国家の基盤を固める上で、また、シーア派側はシーア派化を進める上で、民衆の間に影響力をもった宗教的民衆譚、とりわけ、『アブー・ムスリム物語』に対する攻撃を政治的に利用した。特に、グラート(過激シーア派)的要素を濃厚に反映し、かつスーフィーを通じて民衆間に浸透した『アブー・ムスリム物語』への批判的対応は、シーア派ウラマーにとって、それが正統的な十二イマーム派の基盤の強化、さらには民衆レベルでの神秘主義の封じ込めに繋がるという意味合いをもっていた。

他方、サファヴィー帝国期には、シーア派信徒の内面に受難の情念を醸成した、ウマイヤ朝初代カリフの息子ヤズィードによる第三代イマーム、フサインのカルバラーでの殺害(六八〇年ムハッラム月一〇日)の主題が、イマーム・フサインの殉教を物語る集会(Rawḍa-khānī)の形をとって現れる。サファヴィー帝国成立以前、スンナ派のナクシュバンディー教団に属するワーイズ・カーシフィー(一五〇四年没)がペルシア語で執筆したカルバラーでの殉教者たちの物語『殉教者たちの園』*Rawḍat al-Shuhadā'* には、毎年ムハッラム月に「お家の人々」を愛する人々が集まりイマーム・フサインを哀悼するという記述がある(Wā'iẓ-i Kāshifī 1955: 12)。イラン領域のスンナ派地域での集会は最初の三人のカリフへの敵意を現さない形で行われたという(al-Shaybī 1980: 326)。

「隠れイマーム」の教義は一〇世紀から一一世紀にかけて、その土台が築かれ、十二イマーム・シーア派のウラマーの間では、イマーム不在期間中のムジュタヒド(法的解釈の資格を持つ学者)の権限をめぐり、合理的推論を容認する立場(ウスール学派)と伝承(アフバール、すなわちハディース)への依拠を主張するアフバール学派との対立が既に現れていたが、サファヴィー帝国成立後、二つの立場の対立が先鋭化する。

二、シーア派思想の新たな地平

シーア派ウラマーによる神秘主義批判によって、サファヴィー教団も含めたスーフィーたちの活動が減衰するなか、スーフィーの社会的立場は急激に悪化した。シーア派ウラマーがさらに神秘主義批判を強める一方で、一七世紀イランには、他のイスラーム領域には類を見ないシーア派思想の展開が見られた。

元来、シーア派は、その根本教義の法源の一つに「理性」を挙げ、歴代のイマームたち、とりわけ、第六代イマーム、ジャアファル・サーディクの言葉には知的活動への強い関心が読み取れるとされ(松本 一九八五：九〇、九七一一〇〇頁)、スンナ派の合理主義的神学ムウタズィラ派との親和性も認められる。こうした知的背景をもったシーア派の安定した文化環境の下で、知識人の哲学的営為が「シーア派哲学」の姿で豊かな成果を生み出すことになる。

サファヴィー帝国成立以前から、とりわけ、照明学派のヤフヤー・スフラワルディー(一一九一年没)が説いた照明哲学や、イブン・アラビーの神秘思想が知識人に注目されていた。照明哲学は、イブン・スィーナー(一〇三七年没)のアリストテレス流の合理主義的論証のみでは実在に至らないとする考えから、哲学者の内面に実在の光が照りだすという精神的照明の必要性を説く哲学思想である。サファヴィー帝国期には、照明哲学やイブン・アラビー流の神秘思想などの思想潮流が、シーア派伝承から明らかになるイマームたちの叡智を土台として綜合され、「ヒクマト(叡智)哲学」と呼ばれる哲学潮流が生まれた。哲学者たちは、禁欲と節制による霊魂の浄化を経ることがこの「ヒクマト」に与る条件であると考えた(Zarrīnkūb 1983：245)。

サファヴィー帝国成立以前から、イブン・アラビーの神秘主義的洞察のもとにシーア派と神秘主義との一体性を説いたハイダル・アームリー(一三八五年没)や照明哲学の思想的発展に貢献したイブン・アビー・ジュムフール(一四九九年没)などは、サファヴィー帝国期のシーア派思想の展開に大きな役割を果たした。

イスファハーン学派の知識人の相貌

一七世紀サファヴィー帝国の中心地イスファハーンで活躍したシーア派の思想家を代表する、ミール・ダーマード(一六三一年没)や、その弟子で「神智学の筆頭」と称されたモッラー・サドラー(一六四〇年没)の著作には照明学派やイブン・アラビーの教説の濃厚な影響が読み取れる。

ミール・ダーマードは、イスファハーン学派の創始者とされ、神の超越的世界における時間の問題など、難解な哲学的主題を論じた哲学者であったが、むしろ禁欲的で敬虔な信仰者としての姿が伝えられている(Naṣrābādī n.d.: 149)。

ミール・ダーマードの弟子で「ヒクマト哲学」の代表者、モッラー・サドラーは、イブン・アラビーの存在論に依拠し、個々の事物(の実体)は、純粋存在(絶対者)の不断の自己顕現の動きを受け、一瞬ごとに刻々と変容し、絶えざる更新の過程にある(鎌田 一九八五:二〇一頁)とする洞察(実体運動説)を軸に、彼独自の哲学的終末論を構築した。人間は死後、「中間世界」(バルザフ)と呼ばれる霊魂の世界に入るが、そこでは現世での肉体とは別の、「イメージから成り立つ微細な身体」が生前の言葉と行為に応じた姿形で現れ(tajassum)、霊魂はこの霊的肉体を獲得することで、最終的に、本源としての神的実在(純粋存在、絶対者)へと移行(帰還)するとした。彼は、物質性から解放されていながら、微妙な形で身体性を保持するとすることで、イスラームの正統教義でいう「肉体の復活」の条件を充たしつつ、哲学者の説く「霊魂の精神的復活」との調和をはかったともいえる(鎌田 一九八五:一九九—二〇〇頁)。来世は彼にとって刻々と生起する新たな創造に他ならなかった。一八世紀末から一九世紀初頭にかけて活動したシーア派セクトのシャイヒー Shaykhī 派の教義にはモッラー・サドラーの終末論の影響がみられる(Bayat 1982: 37-58)。

モッラー・サドラーは『無明時代の偶像の破壊』*Kasr al-Aṣnām al-Jāhilīya* の中で、同時代の俗化したスーフィーを批判しているが、スーフィーたちの中には、ここでのスーフィー批判はむしろ真なるスーフィーの称揚なのだと理解する者たちもいた(Nāyib al-Ṣadr n.d.: vol. I. 182)。同時代のスーフィーたちに対する批判的な対応は、アラブ出身の文人学者で、神秘主義的傾向をもったサファヴィー帝国期を代表するシーア派知識人シャイフ・バハーイー(一六二一年没)にも共通している。

モッラー・サドラーの義理の息子となった二人の弟子の内、アブドゥッラザーク・ラーヒージー(一六六一年没)はシーア派神学の発展に大きな貢献をしたが、彼はペルシア語の主著『望まれたる宝物』*Gawhar-i Murād* の中で、師(モッラー・サドラー)が説いた「実体運動説」は受け入れられないとしながら、終末論については、師の説が最も正しいと断言している(Lāhījī 1993: 133-136, 646)。シーア派の神学者で哲学的傾向が顕著であったナスィール・トゥースィー(一二七四年没)の『信条の精髄』*Tajrīd al-ʿAqāʾid* に対するラーヒージーの注釈『直観の輝き』*Shawāriq al-Ilhām* には、哲学と神秘学の融合にかかわる「理性を超えた領域」ṭawr warāʾ al-ʿaql への言及があり(al-Lāhījī 2011: vol. I. 186, 463)、ラーヒージーの神秘哲学への傾斜が看取できる。「理性を超えた領域」は、スンナ派の大学者、ムハンマド・ガザーリー(一一一一年没)の『誤りから救うもの』*Munqidh min al-Ḍalāl* の啓示にかかわる箇所に現れる表現であり(al-Ghazālī n.d.: 145)、この時期のシーア派思想家におけるガザーリーの影響が窺われる所である。

三、シーア派定着への道筋――シーア派文化醸成のための思想的基盤の構築と民衆の教化

モッラー・サドラーの高弟の一人ファイズ・カーシャーニー(一六八〇年没)は、十二イマーム派の教説と「ヒクマト哲学」との融合を完成させたシーア派神秘哲学者として知られる一方で、『光輝の大海』*Biḥār al-Anwār*、『シーア

派の手段』*Wasā'il al-Shī'a* とならぶサファヴィー帝国期の三大シーア派ハディース集の一つである『完全なるもの』*al-Wāfī*（一六五七年執筆）を執筆するなど、サファヴィー帝国期の伝承学の最高峰とも評された。特に、ファイズの『「再興」の修正のための輝ける道』*al-Maḥajjat al-Bayḍā' fī Tahdhīb al-Iḥyā'*（一六三六年脱稿。以下、『輝ける道』とする）は、ムハンマド・ガザーリーが自らの信仰の危機の克服を目指し、神秘主義的倫理思想を主軸に据え、執筆に六年をかけた著作（青柳 二〇〇五：六〇─六一頁）、四〇書（四部）から成る『宗教諸学の再興』*Iḥyā' al-'Ulūm al-Dīn*（以下、『再興』とする）をシーア派教義に沿う形で修正、改変した著作として注目される。ファイズは、ここで同時代の信仰への強い危機感をガザーリーと共有しながら、『再興』の中で議論の典拠とされたハディースをシーア派の視点で批判的に検討している。

　ファイズは『輝ける道』で、『再興』のほぼ四分の三はガザーリーの文言をそのまま採用しているが、第二部中の「サマーゥ（音楽）と忘我の書」は、「お家の人々」にはそぐわないとして全文削除し、その代わりに第二部末にあたる箇所（『輝ける道』第四巻）に、新たに「イマームたちの性質とシーア派の作法」kitāb akhlāq al-a'imma wa ādāb al-shī'a を加えている。ファイズが修正せずに採用している箇所は、ファイズが同意しているという点でファイズの考えとしてよいであろう。また、冒頭で、ガザーリーは同書執筆の段階ではスンナ派であったが、晩年はシーア派となったとも明言している（al-Fayḍ 2007: vol. I. 49）。同時代の法学者を「人間の猛獣」sibā' al-ins（al-Ghazālī 2002: vol. III. 348）と呼び、その俗物的な行動を激しく批判している部分は、『輝ける道』でも全く修正されていない（al-Fayḍ 2013: vol. VI. 770）。『再興』冒頭の二書、特に「信仰箇条」の部分は、シーア派ハディースを引用しつつ、ほぼ書き換えられている。また、ファイズは理性を土台とするシーア派の立場から中庸と中間的立場に強い共感を示し（al-Ghazālī 2002: vol. III. 52-58）、神秘主義の度を越した「禁欲」に嫌悪感を露わにしている（al-Fayḍ 2013: vol. V. 187）。『再興』第二部の「旅の作法」には、サファヴィー帝国期に強化されるシーア派のイマームたちの墓地への巡礼が組み込まれる。

『シーア派の園』(前出)には、サファヴィー帝国期に強く奨励されたイマームたちの子孫(イマームザーデ)の墳墓への巡礼に関連して、かつてのスーフィーやスンナ派の学者たちの墓地をシーア派のものとして詣でているシーア派信徒が多かったとする記述がある(Ardabīlī 2007: 594-595)。イマームたちの墳墓への巡礼(ズィヤーラト)の慣習について、ファイズはハディースに依拠しながら、特にアリーの霊廟のあるナジャフへの参詣についてその儀礼的側面を詳細に記している(al-Fayḍ 2007 : vol. IV. 575-584)。

この「旅の作法」で展開されるガザーリーの同時代の似非スーフィーたちの実態を告発するかのような激しいスーフィー批判は、ファイズの考えをそのまま反映しているといえる(al-Ghazālī 2002: vol. II. 225; al-Fayḍ 2007: vol. IV. 542-543)。

『輝ける道』第五巻(『再興』では第三部)の「霊魂の規律」ではシーア派的主張がスンナ派との対比の中で説かれている。

ガザーリーは、信徒(ムリード)と神の間には四つの障壁があり、それは、財産と地位と盲目的模倣と罪であるとし、財産や地位から己を遠ざける必要性を説き、己の模倣的信仰の最大の崇拝対象が欲望そのものであることが明らかにされる。信仰の信従(タクリード)の拘りは信者を拘束するが、信者の条件は特定の宗派に帰属するものではない(al-Ghazālī 2002: vol. III. 68)、とする。ファイズは、これに対し、我らは「お家の人々」の堅固な綱により神への導きを得るとし、信徒にとって正しき道は、栄光ある神から無謬性(イスマ ʿiṣma)が認められている無謬なるイマームやイマームの教えを我々に伝授することが許されている方々による以外にはなく、修養の方法については、我々にはイマームたちからの伝承が伝えられており、ムハンマド・ガザーリーが引用する伝承の大半は我々には必要がない、と結論している(al-Fayḍ 2013: vol. V. 146)。

『輝ける道』は、神秘主義的倫理思想を土台とするスンナ派的規範のシーア派への転換の内実をみるに格好の知的源泉といえるが、同書は、また倫理思想にかかわるシーア派の思想的成果としても評価さるべき著作であるといえる。

バーキル・マジュリスィーと民衆の教化

一七世紀イランにおけるシーア派の定着を考える上で、民衆レベルでのシーア派の教化・教導に影響力をもったとされるのが、シーア派伝承のイラン社会への浸透である。一〇世紀から一一世紀にかけて編纂されたシーア派四法学伝承集の中でも最も権威あるクライニー(九四一年没)の『十全なる集成・原理編』*Uṣūl al-Kāfī* の注釈活動が、伝承主義的法学派アフバール学派の隆盛の内に積極的に進められる一方で、十二イマーム派の根本教義が、一般民衆向けにアラビア語からペルシア語に翻訳されて普及した。一七世紀末に大きな影響力をもった伝承学者、法学者のバーキル・マジュリスィー(一六九九年没)は自ら企図した厖大なハディース集成『光輝の大海』の編纂を通じて得た知見を、民衆教化を目的としてペルシア語の著作の中に盛り込んだ。『生命の源泉』*ʻAyn al-Ḥayāt* と『確たる真理』*Ḥaqq al-Yaqīn* はその点で興味深い。『生命の源泉』は、シーア派がみとめる数少ない教友アブー・ザッル(六五二年没)への預言者の遺言に関する注釈という形をとる。そこでは、神秘主義に対抗して、シーア派が考える「ズフド」zuhd(禁欲主義)の正しい姿が呈示される一方で、スーフィーたちが生み出したとされる「ズィクル」dhikr(神を想起し、神の名を唱える修業法)が特に批判の対象とされる。同書の神秘主義批判には、スンナ派のナクシュバンディー教団の活動を牽制する意図も看取できる。『生命の源泉』では、サファヴィー帝国期に民衆の間に本格的に普及し始めたイマーム・フサインの哀悼の服喪儀礼に関連して、それが、スーフィーの集会を連想させる、声を出す音曲にかかわるという点で、シーア派法学者の間で意見が分かれていたことが、それぞれの立場を明らかにしつつ紹介されている(Majlisī 1998: 231)。

『確たる真理』はより教義論的側面が強く押し出されており、アリーの立場の簒奪者三人のカリフへの呪詛が議論の前面に出されるとともに、終末、特に、死後の地獄の描写が延々と続くなど民衆の教化を十分に意識した構成になっている。とりわけ、サファヴィー帝国の現出によって、より現実味を帯びる主題となった「隠れイマーム」の再臨について、イマーム再臨を願う民衆に応えるため、『確たる真理』では、お隠れになった状態にあるイマームが、雲の陰に隠れ、神の命令によって動き出すのであるから、敢えてそれ以上を知る必要はない、とする説明がなされる。神が示す道を待望することこそがシーア派信徒にとっての「救い」faraj であることが民衆に訴えかけられる(Majlisī 1999: 330-333, 491-532)。

ここには一七世紀に入って、イラン社会にシーア派の規範の定着が図られる過程で、シーア派的な生活慣習の土台を提供するペルシア語の書物が民衆の間に徐々に普及し、シーア派教義がイラン社会に浸潤する様が読みとれる。

マジュリスィーがシーア派の日常生活の慣習について一六九五年に執筆したペルシア語の著作『復活の糧食』*Zād al-Ma'ād* は、イランのシーア派の民衆の生活に浸透し、大きな影響力をもった。同書は、執筆から時を経ても、一八二八年から一九五八年の間に少なくとも三二版を重ねているという(Amanat 2017 : 121)。アフバール学派の頑迷な伝承主義者として、また、その激しい神秘主義批判で知られるマジュリスィーのこの著作の冒頭の部分には、神秘主義的傾向が顕著であるし、シーア派教義が神秘主義的な表現を反映していると思われる言葉も数多く見て取れる。『生命の源泉』には、ルーミー(一二七三年没)の神秘主義詩『マスナヴィー』*Mathnawī*(その決定論的思想が同書で批判されている)の一節が「アリー」を知るための喩えとして使われている(Majlisī 1998: 136)。マジュリスィーの神秘主義批判は、総じて、同時代のスーフィーたちの逸脱的な傾向に対するもので、神秘主義のめざす内面の浄化それ自体を非難するものではなかったといえる。

哲学にも批判的であったマジュリスィーは、『確たる真理』の終末論で死後の「中間世界」的なものを認めており、ここでは人間は死後、元の肉体ではなく、「イメージとしての肉体」badan-i mithālī に結び付き、神の審判をうけるとしている。マジュリスィーは、これはシーア派に限らずハディース上、十分に認められるとしているが、哲学的な方向性が見て取れる議論である(Majlisī 1999: 369-380, 412-413)。また、『確たる真理』にはムウタズィラ派教義に対する批判的言辞が見られ(Majlisī 1999: 468-469)、シーア派と同派との新たな関係を示すものともいえる。

一般民衆の神秘主義の逸脱的教説への傾斜に対峙するため、イマームたちの教えの言葉の蒐集に力を傾注した(Jaʻfariyān 1991: 256)とするマジュリスィーの言葉は、マジュリスィーの民衆教化への強い意志を伝えるものである。法学的にはマジュリスィーは、もっぱら伝承に依拠し、解釈の行使に否定的であるとされるが、本人は自らを法学的には中間的な立場にいるとしており、ウスール学派でいう「法的解釈」(イジュティハード)に対して、儀礼や説教に重きをおく「独自のウスール学派」というほうが適切だという見解もある(Moussavi 1996: 126)。

サファヴィー帝国末期、イラン社会における活力を失い、衰退したスーフィーに代わって、為政者に阿《おもね》らぬ高潔なスーフィーたちの「ズフド」を引き継ぎ、スーフィーたちに帰される奇跡(カラーマート)の持ち主のシャイフ(導師)として民衆から崇拝されるシーア派法学者も現れ始める。彼らの下には、スーフィーの導師のように、弟子が集まり、また奇跡の持ち主として民衆から崇拝されたという。一八世紀末以降、こうしたシーア派法学者の具体的な事例が多くなる(Zarrīnkūb 1983: 245, 263, 313-314)。

本来スーフィーたちが担ってきた民衆の精神的指導者としての役割を兼ねるようなシーア派法学者の登場は、イラン社会における民衆レベルでのシーア派の定着の一端を物語るものであろう。

シーア派法学の主流は一八世紀以降、伝承主義的傾向から、法学者の法的解釈を容認するウスール学派へと移行するが、その中心部にいたのがムハンマド・アリー・ビフバハーニー(一八〇一年没)である。彼は、一八世紀にイランでの活動を再開したシーア派のニーマトゥッラーヒー神秘主義教団に属したスーフィーたちに対する激しい対応で「スーフィーの殺し屋」ṣūfī-kush と称されたウラマーであった。一八世紀半ばから一九世紀初頭にかけてのアフバール学派とウスール学派同士の激しい論争についてはスーフィーがその不毛を憂いている(Shīrwānī 2010: vol. I. 28)。

結びにかえて――インドにおけるシーア派思想瞥見

インドにおいて公な形で最初にシーア派信徒としての信条を表明した学者はヌールッラー・シューシュタリー(一六一〇年没)であるとされる(Terrier 2020: 33)。彼は、一五世紀半ば以降、徐々にシーア派に転じたヌールバフシュ神秘主義教団に属し、シーア派普及のために一五八〇年代にイランのマシュハドからインドに移住したが、一時期シーア派政権が成立した南インドのデカン地方ではなく、パンジャーブ地方のラーホールの裁判官となった(ヌールバフシュ教団はカシミール地方へのシーア派の普及でも知られる)。当初、スンナ派の四法学派に沿って法的解釈を行使し、ファトワーを出していたシューシュタリーは、「タキーヤ」(危機的状況における信仰の隠蔽を認めるシーア派教義)をやめてシーア派を公表したことでスンナ派側からの非難を浴び、ムガル帝国のジャハーンギール大帝(在位一六〇五―二七年)の裁可により処刑された。『ユースフとの往復書簡』*As'ila-yi Yūsufīya*は、合理的推論を認めるウスール学派のシューシュタリーと、議論の根拠をシーア派伝承におくミール・ユースフ・アスタラバーディー(一六〇〇年初頭に没)との間で交わされた、「預言者の人心の読み取り能力」をめぐる議論の記録であるが、注目すべきは、数ある主題の中で、『言明の説教』*Khuṭbat al-Bayān*が議論の対象となっている点である。イマーム・アリーに帰される言葉の集成であるこの説教自体の真偽は判明しないが、アリーの超越性を秘めた深淵な世界は、ハイダル・アームリー(前出)やシャムスッディーン・ラーヒージー(一五〇七年没)のような神秘主義的傾向を見せるシーア派の知識人にも影響を与えていた。同書ではアフバール学派側から積極的にこの説教の意味合いが説かれている。

参考文献

青柳かおる（二〇〇五）『イスラームの世界観――ガザーリーとラーズィー』明石書店。

鎌田繁（一九八五）「シーア派の発展――モッラーサドラーを中心として」中村廣治郎編『講座イスラム　イスラム・思想の営み』第一巻、筑摩書房。

松本耿郎（一九八五）「イスラムの神学と哲学」中村廣治郎編『講座イスラム　イスラム・思想の営み』第一巻、筑摩書房。

Amanat, Abbas (2017), *Iran: A Modern History*, New Haven and London, Yale University Press.

Anzali, Ata (2017), *Mysticism in Iran*, South Carolina, University of South Carolina.

Bayat, Mangol (1982), *Mysticism and Dissent: Socioreligious Thought in Qajar Iran*, Syracuse, Syracuse University Press.

Moussavi, Ahmad Kazemi (1996), *Religious Authority in Shi'it Islam from the Office of Mufti to the Institution of Marja'*, Kualalumpur, The International Institute of Islamic Thought and Civilization.

Nasr, Seyyed Hossein (1986), "Spiritual Movements, Philosophy, and the Safavid Period", *The Cambridge History of IRAN*, vol. 6.

Rizvi, Sajjd H. (2007), *Mulla Ṣadrā Shīrāzī: His Life and Works and The Sources for Safavid Philosophy*, Oxford, Oxford University Press.

Terrier, Mathieu (2020), "The Defence of Sufism among Twelver Shi'i Scholars of Early Modern and Modern Times: Topics and Arguments", Denis Hermann and Mathieu Terrier (eds.), *Shi'i Islam and Sufism: Classical Views and Modern Perspectives*, London, I. B. Tauris in Association of Institute of Ismaili Studies.

Ardabīlī, Muqaddas (1386 A. S./2007), Karīm Fayḍī (ed.), *Ḥadīqat al-Shī'a*, Tihrān, Nawīd-i Islām.

al-Fayḍ al-Kāshānī, Muḥammad ibn Murtaḍā, 'Alī Akbar Ghiffārī (ed.), *al-Maḥajjat al-Bayḍā' fī Tahdhīb al-Iḥyā'*, Qum, al-Nashr al-Islāmī, vol. I & II (1428 A. H./2007), vol. III & IV (1428 A. H./2007), vol. V & VI (1435 A. H./2013), vol. VII & VIII (1429 A. H./2008).

al-Ghazālī, Abū Ḥāmid (1424 A. H./2002), *Iḥyā' 'Ulūm al-Dīn*, 4 vols., Beirut, Dār al-Kutub al-'Ilmīya.

al-Ghazālī, Abū Ḥāmid (n. d.), *Munqidh min al-Ḍalāl*, Beirut, Dār al-Andalus.（中村廣治郎訳『誤りから救うもの』筑摩書房、二〇〇三年）

Ja'fariyān, Rasūl (ed. 1388 A. S./2009), *As'ila-yi Yūsufīya*, Tihrān, Mūza wa Markaz-i Asnād-i Majlis-i Shawrā-yi Islāmī.

Ja'fariyān, Rasūl (1370 A. S./1991), *Dīn wa Siyāsat dar Dawra-yi Ṣafawī*, Tihrān, Anṣāriyān.

Ja'fariyān, Rasūl (1398 A. S./2019) *Ṣafawīya dar 'Arṣa-yi Dīn, Farhang wa Siyāsat*, 3 vols., Qum, Pazhūhishgāh-i Ḥawza wa Dānishgāh.

Lāhījī, 'Abd al-Razzāq (1372 A. S./1993), Zayn al-'Ābidīn Qurbānī (ed.), *Gawhar-i Murād*, Tihrān, Sāzmān-i Wizārat-i Farhang wa Irshād-i Islāmī.

al-Lāhījī, 'Abd al-Razzāq (1433 A. H./2011), al-Shaykh Akbar Asad 'Alīzāda (ed.), *Shawāriq al-Ilhām fī Sharḥ Tajrīd al-Kalām*, vol. I, Qum, Mu'assasat al-Imām al-Ṣādiq.

Majlisī, Muḥammad Bāqir (1378 A. S./1999), *Ḥaqq al-Yaqīn*, Tihrān, Islāmīya.

Majlisī, Muḥammad Bāqir (1377 A. S./1998), *'Ayn al-Ḥayāt*, Tihrān, Islāmīya.

Majlisī, Muḥammad Bāqir (1392 A. S./2013), *Zād al-Ma'ād*, Qum, Jilwa-yi Kamāl.

Mullā Ṣadrā (Ṣadr al-dīn Shīrāzī) (1381 A. S./2002), Muḥsin Jahāngīrī (ed.), *Kasr al-Aṣnām al-Jāhilīya*, Tihrān, Bunyād-i Ḥikmat-i Islāmī-yi Ṣadrā.

Naṣrābādī, Mīrzā Muḥammad Ṭāhir (n. d.), Waḥīd Dastgirdī (ed.), *Tadhkirat al-Naṣrābādī*, Tihrān, Furūghī.

Nāyib al-Ṣadr (Muḥammad Ma'ṣūm-i Shīrāzī) (n. d.), Muḥammad Ja'far Maḥjūb (ed.), *Ṭarā'iq al-Ḥaqā'iq*, vol. I, Tihrān, Sanā'ī.

al-Shaybī, Kāmil Muṣṭafā (1359 A. S./1980), *Tashayyu' wa Taṣawwuf* (tarjuma-yi 'Alīriḍā Dhakāwatī-yi Qarāugzlū), Tihrān, Amīr Kabīr.

Shīrwānī, Zayn al-'Ābidīn (1389 A. S./2010), *Bustān al-Siyāḥa*, vol. I, Tihrān, Ḥaqīqat.

Surūsh, 'Abd al-Karīm (1388 A. S./2009), *Qiṣṣa-yi Arbāb-i Ma'rifat*, Tihrān, Ṣirāṭ.

Wā'iẓ-i Kāshifī, Ḥ. (1334 A. S./1955), Muḥammad Ramaḍānī (ed.), *Rawḍat al-Shuhadā'*, Tihrān, Khāwar-i Tihrān.

Zarrīnkūb, 'Abd al-Ḥusayn (1362 A. S./1983), *Dunbāla-yi Justujū dar Taṣawwuf-i Īrān*, Tihrān, Amīr Kabīr.

焦点｜*Focus*

デカン・南インド諸国家の歴史的展開

太田信宏

はじめに

本章では、一七世紀からイギリス植民地化の時代までのデカン・南インド[1]の政治と社会の変化を、世界的な交易の成長とムガル帝国の軍事的拡張という歴史的背景の中におき、前後の時代とのつながりに留意して辿る。

ムガル帝国の国制の基礎を築いたアクバル帝(在位一五五六―一六〇五年)が一六〇五年に没した時、同帝国の版図はナルマダー川流域以南のデカン高原にはほとんど拡大していなかった。デカン・南インドには、さまざまな政体が存在していた。デカン高原の北部から中部には、ニザーム・シャーヒー朝／アフマドナガル王国、バリード・シャーヒー朝／ビーダル王国、アーディル・シャーヒー朝／ビジャープル王国、クトゥブ・シャーヒー朝／ゴールコンダ王国という四つのムスリム王国が健在であった。さらにその南にはヴィジャヤナガル王が盛期を過ぎたとはいえ、各地の「ナーヤカ」と呼ばれる地域支配者の上に君臨していた。また、南部のアラビア海沿岸マラバール地方には、海上交易で賑わう港市を支配下におく比較的小規模な王国が分立していた。

一七世紀末までに、マラバール地方の諸王国を除いて、これらの政体はムガル帝国によって征服されるか従属を余儀なくされた(2)。しかし、アウラングゼーブ帝(在位一六五八―一七〇七年)没後にムガル帝国が弱体化すると、デカン・南インドではマラーター王国が勢力を急速に回復、拡大させるとともに、ムガル帝国の地方長官や、それまで帝国に恭順の姿勢を示してきた在地勢力が自立化した。デカン・南インドは自立的な政体が各地に割拠する状況に戻り、一八世紀後半からは領域支配の拡大を目指すイギリスも加わって勢力争いを繰り広げることになる。

一七世紀以降のムガル帝国の軍事的拡大はデカン・南インドの政治史を大きく書き換えたが、帝国の権力中枢によるデカン・南インド統治は名目的なものにとどまった。帝国衰退後に各地に分立した地域政権は、それぞれのかたちでムガル帝国の制度や政治文化を引き継ぐとともに、先行するデカン・ムスリム諸王国やヴィジャヤナガル王国の「遺産」も継承した。本章では、デカン・南インドの諸王国・政権の盛衰を概観した後、それらの政体の多くに共通した特徴として、統治と交易との緊密な結びつき、在地有力者層の重要性に着目する。最後に、権力の正当性にも深く関わる文化や権威の問題に触れる。

一、ムガル帝国の拡張と地域政権の成立

ムガル帝国のデカン進出と衰退

一七世紀初頭、アフマドナガル王国が名宰相マリク・アンバル(?―一六二六年)のもとで復興をとげ、ムガル帝国のデカン進出はしばらく停滞したが、一六二六年にマリク・アンバルが没してアフマドナガル王国が弱体化すると、ムガル帝国のデカン進出が再開された。一六三〇年代前半、ムガル軍がアフマドナガル王国を滅ぼしてその北半分を帝国領に組み入れ、三六年には、ムガル皇帝シャー・ジャハーン(在位一六二八―五八年)が、ビジャープル王とゴールコンダ王に対する自らの宗主的地位を認めさせた。両王国は名目的にはムガル帝国に服属することになったが、実質

図1　16-18世紀のデカン・南インド

的な独立は保たれ(Fischel 2020: 241-242)、ムガル帝国との関係安定化により北方からの軍事的・政治的圧力が弱まったことを利として、南方のヴィジャヤナガル王国領への侵攻を本格化させた。ヴィジャヤナガル王国では一六一〇年代に大規模な王位継承戦争が起こり、以後、王権の退勢と各地のナーヤカの自立化が顕著になっていた。攻め込んできたムスリム軍に一致団結して対抗することもなく、逆に一部のナーヤカはムスリム軍を招き入れて自らの勢力拡大を図った。ヴィジャヤナガル王は都を遷しながら命脈を保っていたが、一六四九年頃、ヴェールールを攻略され、ヴィジャヤナガル王国は滅亡した。マラバール地方を除く南インドは、ビジャープル王国とゴールコンダ王国によって二分されたが、両王国の南インド支配はゆるやかなものにとどまり、ナーヤカなどの既存の勢力が名目的にはムスリム王に従属しつつ各地に存続した。マラーター王国初代国王シヴァージー(在位一六七四–八〇年)の父シャハージー(一五九四–一六六四年)はビジャープル軍の部将として活躍し、ベンガルールとその周辺地域を領地として与えられた。

ビジャープルとゴールコンダの両王国の版図が史上最大に拡大した頃、ムガル帝国が両王国への政治的・軍事的圧力を再び強め、また、ビジャープル王国では、シャハージーの男子シヴァージーが謀反の動きを本格化させた。シャハージーの没後、その南インドの領地を引き継いだシヴァージーの異母弟エーコージー(ヴャンコージー、一六三〇頃–八六年)はビジャープル王国から自立化し、タミル地方の主要なナーヤカ政権のひとつを滅ぼしてその都であったタンジャーヴールに拠点をおいた。一方、シヴァージーは一六七四年、古式に則った即位灌頂式を挙行して、王としての即位=王国の樹立を宣明した。

ムガル皇帝アウラングゼーブは、皇子アクバルの謀反を契機にデカン制圧を決意し、一六八六年にビジャープル王国を、その翌年にゴールコンダ王国を相次いで滅ぼした。さらに、シヴァージーの男子でその跡を継いでいた第二代マラーター王サンバージー(在位一六八〇–八九年)を八九年に捕らえて処刑したが、サンバージーの弟ラージャーラーム(在位一六八九–一七〇〇年)が南インドに逃れてシェンジの城塞に立て籠もり、ムガル軍への抵抗を継続した。デカンではマラーター軍が軽騎兵部隊によるゲリラ的戦術で、重装騎兵を主体とするムガル軍を苦しめた。一七〇七年にアウラングゼーブが没すると、マラーター王国はデカンでの支配地域を回復、拡大させていった。一三年に宰相(ペーシュワー)に就任したバーラージー・ヴィシュヴァナート(一六六〇頃―一七二〇年)は、王国の再興に手腕を発揮し、その死後も、彼の子孫が宰相位を世襲してマラーター王国支配の拡大と強化を指導した。

アウラングゼーブ没後、ムガル帝国が衰退に向かうと、各地で高官が自立的な政権を樹立した。南インドでもタミル地方を中心とした地域を管轄するアルコットの地方長官が、一七一〇年頃から自立化した。ほかにもサヴァヌール、カダパ、カルヌールをそれぞれ拠点として、アフガン系のムガル帝国高官が自立的な政権を樹立した。これらの継承国家の君主は一般的にナワーブと呼びならわされる。二四年、ムガル帝国中枢での政争に敗れたニザーム・ムルク(一六七一―一七四八年)がデカンに下り、ムガル帝国のデカン・南インド経営の拠点であったアウランガーバードに実質的な独立政権を樹立した。これにより、デカン・南インドのほぼ全域がムガル帝国中央政府の指揮・命令から離脱したことになる。以後、デカン・南インドでは、ニザーム・ムルクとその子孫が君臨するニザーム政権などの継承国家、マラーター王国、さらにはマイスール王国をはじめとする現地勢力が合従連衡しながら勢力争いを繰り広げた。

沿海地域とヨーロッパ勢力の進出

マラバール地方では、各地に諸王国が分立する状況が長く続いていた。一七世紀初頭の時点で特に有力であったのが、インド洋交易の重要拠点である港市をそれぞれ支配地域内にもつ北部のコーリコード(カリカット)王国と、中部のコッチ(コーチン)王国であった。コッチ王国はポルトガルがインド洋交易に進出して以来、その強い影響下にあった。一方、カリカットは、サームーディリ(ザモリン)を称するヒンドゥー君主のもと、ポルトガルと敵対するムスリム商人をはじめとする現地商人の交易拠点として繁栄を維持していた。一七世紀中頃までには、オランダとイギリスのマラバール地方進出もあって、ポルトガルの退勢が明らかとなり、コッチも往事の繁栄を失っていった。オランダは、一六六三年、コッチの要塞を占拠してマラバール地方からポルトガル勢力をほぼ一掃し、ポルトガルにならって現地諸王国で胡椒などを独占的に買い付ける体制を築くとともに、そうした交易への統制を避けてコーリコードに集う現地商人やサームーディリに対抗した。

マラバール地方南部のヴェーナードゥ王国(トラヴァンコール王国)は、各地の領主に対する王権の統制が弱く、また、北方のコッチ王国領との境界域では王家の分家が自立化していた。一八世紀前半、マールターンダ・ヴァルマ(在位一七二九—五八年)は集権化と軍事力強化を推し進めて支配地域を拡大させ、世紀半ばにはコッチ王を屈服させてコーリコード王国領に迫るまでに至った。こうしてマラバール地方は、最北部を除くと三つの王国が鼎立する状態で、一八世紀後半の植民地化の時代を迎えることになった。

オランダとイギリスは、一七世紀前半、ベンガル湾に面した東海岸(コロマンデル地方と呼ばれる)にも進出し、各地に商館を築いた。オランダはマラバール地方でのように独占的な交易特権を現地政権から取得できず、イギリスと並んでポルトガルや現地商人との競合のなかで、ときに軍事力の行使——海賊など——を交えて活動を展開した。ヨーロッパ勢力の進出後もしばらくは、アジア現地商人・船主による海上交易が活発に営まれ、ゴールコンダ＝ハイダラーバードと幹線道路で結ばれた港市マスリパトナムが現地商人による海上交易の拠点として発展し、東南アジアからペルシア湾・紅海沿岸までの諸港を結ぶ交易路の結節点となった。一七世紀後半から現地商人による海上交易は衰退に向かい、マドラスなどの英蘭支配下の港市が拡張した。一八世紀中頃までには、フランスも加わったヨーロッパ勢力が自前の陸上戦力を組織するようになり、それぞれの利権を確保・拡大するために現地諸政権の勢力争いや内紛に介入し、その行方を左右するまでになった。最終的に、マイスール戦争、マラーター戦争に勝利したイギリスがデカン・南インドに対する植民地支配を確立することになる。

二、「ポートフォリオ資本家」の活躍

結びつく統治と交易

海上交易にけん引された形での世界的な交易の拡大は、東西に長い海岸線をもち、胡椒をはじめとする香辛料や綿布といった世界的商品の産地であるデカン・南インドに大きな影響を及ぼした。輸出された特産品の対価として、大量の金と銀が流入し、貨幣経済を社会全体に広く浸透させただけでなく、統治のあり方に変化をもたらした。政治権力にとって、大きな富を生み出す交易は無視できるものではなく、また、商人にとって、政治権力とのつながりは交易を円滑に営むうえで好ましいものであったに違いない。統治と交易が密接に結びつき、権力者であって商人でもある人々の活躍が目立つようになった。現地王国の役職に就いて軍事や徴税をはじめとする統治に関与する一方で、自ら交易活動に従事したこのような人々を、インド史研究では、「ポートフォリオ資本家」と呼ぶ(Subrahmanyam and Bayly 1990)。

ポートフォリオ資本家の活躍が顕著であったのが、デカン・ムスリム諸王国である。その前提として、諸王国が海路を通じてインド洋沿岸諸地域、特に、イランと結びついていたことがある。庇護を求めるムスリム宗教者・文人、商機と栄達の手掛かりを求める人々、さらには奴隷、軍馬などがインド洋を越えてデカンに渡った。ポルトガルをはじめとするヨーロッパ勢力のインド洋進出後も、こうした海路による人とモノの往来は続き、デカン・ムスリム諸王国では、インド洋沿岸諸地域からのムスリム移民が支配層の重要な部分を構成した。一七世紀前半にアフマドナガル王国の宰相となったマリク・アンバルは、もともとはアフリカ東部エチオピア(アビシニア)出身の奴隷——「ハブシ」と一般的に呼ばれ、軍人として活躍した——であった。

海上交易の拡大を背景に、商機を求めてインド洋を越えてデカンに渡り、王国政治でも活躍する人々が目立つようになる。一七世紀中頃のゴールコンダ王国で権勢をふるったミール・ムハンマド・サイイド(一五九一—一六六三年)——ミール・ジュムラーの職名・称号でよく知られる——は、イランから馬商人としてデカンを訪れたが、ゴールコンダ王国に仕えるようになり、一七世紀中頃の南インド遠征と征服地域の統治で重要な役割を担った。こうした政治的キャリアの一方で、交易活動も積極的に展開し、多くの商船を所有してマスリパトナムとペルシア湾・紅海沿岸の諸港とを結んだ。また、ゴールコンダ王国領はダイヤモンドの産地としても有名であったが、ダイヤモンド鉱山の請負も行った(Subrahmanyam and Bayly 1990: 251-252)。ミール・ジュムラーは、政治と経済の二つの領域を跨にかけ、軍事力を用いた征服・略奪、政府の役人としての徴税業務、商人としての交易活動、保有する船や役畜を用いた運搬業など、多面的な活動を相互に紐付けながら展開した。こうしたあまりに大きな政治力・経済力はゴールコンダ王の警戒を招き、彼自身の政治的立場を危ういものにした。ゴールコンダでのキャリアに見切りをつけたミール・ジュムラーは、デカン進出をうかがうアウラングゼーブに帰順し、その後は、ムガル帝国のマンサブダール(「マンサブ」と呼ばれる官位の保有者)としてベンガル地方統治などで活躍した。

ミール・ジュムラーの活動に比して規模や多面性の点で劣るものの数多くのポートフォリオ資本家が、ムスリム王国以外の諸政権のもとでも活動した。ミール・ジュムラーはイラン出身のムスリムであったが、ポートフォリオ資本家にはヒンドゥーも含まれた。南インド・タミル地方のナーヤカ政権では、同地方の北に位置するテルグ地方出身のバリジャ・ナーイドゥというカーストの人々が統治と交易の両面で活躍した。また、マラヤーラム地方の諸王国、なかでもコッチ王国では、コーンカン地方(デカンのアラビア海沿岸地域)出身の商人や、「バッタル」と総称されたタミル地方出身のバラモン商人が胡椒などの特産品の買付と流通に参入し、彼らの中には王国の要職に就く者もいた(s'Jacob 2000)。これまで紹介した事例から分かるように、ポートフォリオ資本家は、主な活動地域の外に出自的起源をもつ場合が多い。交易の拡大のなかで、デカン・南インドの諸王国が汎地域的な交易網の中に緊密に組み入れられていたことを物語るといえよう。

ポートフォリオ資本家がこの時代に活躍した要因として、貨幣経済化が進展し、国家運営における貨幣＝現金の役割が大きくなったことも重要である。租税は、定められた額を各地の長官が現金で王＝中央政府に納付するのが一般的になった。中央政府が任免する地方長官は、実質的に「徴税請負人」化したといえる(Richards 1975: 22-26; Subrahmanyam and Bayly 1990: 253)。地方統治の「徴税請負」化は、政治と経済の二つの領域で活動するポートフォリオ資本家たちの存在が可能にしたともいえるし、反対にそれが、彼らの台頭を促したともいえよう。

王国支配層の開放性と党派争い

ポートフォリオ資本家の多くが「外」からの移民であったことが示唆するように、この時代のデカン・南インドの諸王国・政権の支配層は多様な人々によって構成されるのが一般的であった。出身地域や出自、宗教が君主と同一であることは政治的キャリアの形成に決定的な重要性をもたなかったといえる。ヒンドゥー王家が君臨するヴィジャヤナガル王国でもムスリムが軍事的・政治的な要職を務めることがあったし、デカン・ムスリム諸王国ではシャハージーをはじめ多くのヒンドゥーが部将・役人として活躍した。そのような混成的で開放的な王国支配層の内部では、権力争いが頻繁に起こり、出身地域や出自、宗教の共通性をもとにした党派が生まれた。なかでも、デカン・ムスリム諸王国の支配層の大部分を構成するムスリムは、現地出身者——イスラーム教に改宗した者とその子孫——とインド域外の出身者(とその子孫)の二つの党派に分かれてしばしば対立した。ビジャープル王国ではそうした党派争いが特に根深く、王国衰退の一因とされることもある。ゴールコンダ王国では、一六七〇年代、現地出身のバラモンが宰相をはじめとする王国の要職を占めるようになり、イラン系移民が権力の中枢から排除された。彼らが中心的に担っていた現地商人によるペルシア湾・紅海沿岸諸港との交易が、その拠点であった港市マスリパトナムとともに衰退に向かう一因となった(Subrahmanyam 1988: 524-527)。

一七世紀後半、アジア域内でのイギリス私商人による海運・交易の拡大もあって、独立して海上交易を営み、華々しく活躍するポートフォリオ資本家の姿はまれとなった。しかし、これは統治と交易、政治と経済が没交渉になったということではない。ヨーロッパ勢力の仲介業者や共同事業者として活路を見出した現地商人も多く、一八世紀に各地に分立した諸政権のもとでも政治と経済の二つの領域は緊密に結びついていた。傭兵が軍事力の重要な部分を構成するようになり、多くの費用が掛かる火器が普及するなど、権力にとって現金とそれを効率的に徴収する手腕の重要性は増すばかりであった。このような「権力の商業化」(Bayly 1983)のなか、各地で独自のネットワークをもつ金融業者(「サーフカール」と呼ばれる)が台頭し、諸王国・政権の徴税や軍事に関する融資、送金で大きな役割を果たした。マラーター王国でも、実権を握る宰相の政庁があるプネーなどを中心に金融業が発達し、王国支配の存続に大きく貢献した(Kulkarni 2002)。ただし、例外的な事例はあるものの、デカン・南インドでは金融業者が統治と軍事に自ら直接あたることはなかったようである。

現地商人による海上交易が衰退に向かうなか、タミル地方の諸港を拠点とするムスリム商人(マライッカーヤル)は東南アジアとの海上交易を一八世紀に入っても維持した。マライッカーヤルのアブドゥルカーディル一族は、交易活動を営むほか、ラームナードゥ王の廷臣として物資確保や外交、徴税請負に従事するなど(Bes 2022: 269-274)、ポートフォリオ資本家として活躍した。

三、ザミーンダールの重要性

デカン・南インドのザミーンダール

王国政治や交易の世界でポートフォリオ資本家が活躍する一方、地方の農村部では、世襲的な在地役人層を中心とした政治社会的な秩序が見られた(小谷 一九八九)。北インドでは大小さまざまな土地保有者が、有力な土地保有者から任命される在地役人(チョードリー)を含めてザミーンダールと総称される。それに対して、デカン・南インドでは、村落より上位の地域単位である郷・郡(「パルガナ」などと呼ばれる)のレベルを中心とした在地役人がザミーンダールと呼ばれる。デカン・ムスリム諸王国の支配地域では、郷・郡を治めるデーシュムク(あるいは、デーサーイ。郷主)、そのデーシュムクを助けて各種文書・記録の作成と保管を行うデーシュパーンデー(郷書記)が、主要なザミーンダールであった。

ザミーンダールは、中央政府が任命・派遣する地方長官の統治業務を補佐し、特に、それぞれの職域にあたる地域からの徴税に大きな役割を果たした。また、デーシュムクは自ら軍事力を動員し、地域社会の日常的な治安維持にあたるほかにも、王国レベルの軍事作戦に参加した。対外戦争での武功により、ザミーンダールの職権や役得を加増されて勢力を伸ばす者も少なくなかった。アフマドナガル王国のマリク・アンバルは王国復興を図るうえでザミーンダール層を積極的に登用した。マラーター王国初代シヴァージーの父シャハージーもこの時に政治的栄達の足掛かりを作り、同王国滅亡後はビジャープル王国に仕え、有力部将のひとりとして南インド遠征と統治で活躍した。

ザミーンダールは、王国の役人・部将としてだけではなく、自治的な地域社会の代表としての性格をもつ。地域社会で係争が起こった場合、「ゴート」と呼ばれる集会がデーシュムクを中心として開催され、その解決にあたった。ゴートには、当事者やザミーンダール、政府の地方長官のほかに、当該地域を構成する諸村落の農民や各種の職人も参加した。ただし、農民や職人でゴートに参加できるのは、農民であれば村落内の土地に対する保有権を、職人であれば村落内でその職に従事して収穫の一定割合を報酬として受け取る世襲的な権利をもつ者に限られた。これらの農民・職人がもつ権利は、ザミーンダールの職権を含めて、「ワタン」と総称された。つまり、ゴートはワタン保有者(ワタンダール)の集会であり、彼らが共同で地域の問題に取り組む仕組みであった。ゴートが解決・調停しなければならない係争の多くもワタンに関係した。

地方統治にザミーンダールが大きな役割を担う状況は、ムガル帝国支配下でも基本的に続いた。同帝国のデカン・南インド支配は比較的短期にとどまり、また、征服戦争と並行して進められた統治体制の構築は「暫定的」なものにとどまった。帝国領中心の北インドで実施されたような検地は見送られ、徴税をはじめとする統治の仕組みは、従来通りの部分が多かった。ムガル帝国の支配は、ある意味で「表面的」なものにとどまったといえる。ムガル帝国統治の制度・原則の継承を謳っていたニザーム政権の支配も、実際は制度・原則からの逸脱が多く、ザミーンダール層を積極的に統治体制に取り込むことで安定的な支配を実現していた(Faruqui 2009: 32)。

南インドの在地有力者層を母体とした国家形成

南インドではヴィジャヤナガル王国時代以前、「ナードゥ」と呼ばれる超村落的な地域単位を勢力圏とする在地有力者——タミル語ではナーッタール、カンナダ語ではナーダ・ガウダなどと呼ばれる人々——が、地域社会の政治的秩序の維持に大きな役割を担っていた。ヴィジャヤナガル王国成立後の彼らの動向は不明の部分が大きいが、少なくともタミル地方の一部では、ナーッタールがナーヤカ、さらには、アルコット・ナワーブの領域支配を支えた(Karashima 1992; 水島 二〇〇八)。

ヴィジャヤナガル王国では、ナードゥを存立基盤としない、さまざまな様態の在地有力者が台頭した。一部地域ではその後、彼らを主体とした国家が形成、発展した。カルナータカ地方南部では、ヴィジャヤナガル王が任命・派遣するナーヤカの下で、「プラブ」と呼ばれた在地有力者層が台頭し、ナーヤカの領域支配を支えた。そうした「プラブ」のひとりであったマイスール家のラージャ・オデヤ(一五五二―一六一七年)が、一七世紀初頭にヴィジャヤナガル王族やナーヤカを打倒して建国したのがマイスール王国である。プラブ層の結集によって国家建設が進められた結果、初期の同王国は、プラブが自立的な権力を行使する分権的な権力構造を有していた。しかし、一七世紀末、チッカ・デーヴァ・ラージャ王(在位一六七三―一七〇四年)がプラブ層を脱在地化させて集権化を達成し、王国の存続とさらなる勢力拡大への礎を築いた(太田 二〇一三)。

タミル地方南部のラームナードゥ王国は、地域の有力カーストであるマラヴァに属する一族によって一六〇〇年頃に建国された。マドゥライ・ナーヤカに臣従していたが、徐々に勢力を強め、ナーヤカ政権内の政争に介入するまでになっていった(Bes 2022)。マラヴァは、狩猟民的、部族民的な性格を色濃くとどめ、氏族組織による集団的結束が比較的強いカーストであった。ラームナードゥ王国領は、歴史を通じて干魃の被害が繰り返されてきた乾燥地域に広がり、農業生産という点では恵まれていなかった。しかし、マラヴァの氏族組織に支えられた王国は、国内の海港に拠るマライッカーヤルを通じて海上交易がもたらす富にも与りながら、マドゥライ・ナーヤカの滅亡をのりこえて存続を保った。

ナーヤカの没落

デカン・ムスリム諸王国がヴィジャヤナガル王国領を侵食して勢力を拡大させるなか、ナーヤカの一部はそれまで行使していた自立的な領域支配の権限を奪われた。しかし、完全に支配体制から締め出されることはまれで、複数の村落に及ぶこともある免税地などの特権や手当を与えられ、地方の広域的な治安維持を担う警護役(ムニワール、あるいは、カーヴァリ/カーヴァルカーラ)や城塞の守備役(ナーヤカヴァーディ)に任じられた。王国軍を構成する部隊を編成・指揮する部将になったナーヤカもいた(Richards 1975: 30-33)。

デカン・ムスリム諸王国のナーヤカに対する処遇はザミーンダールに比べて厳しかったが、ムガル帝国とその継承国家のもとでナーヤカの政治的没落が一層進む。ムガル帝国はデカンのマラーター地方の有力者——多くはザミーンダールであった——にマンサブを授与し、帝国支配層に取り込もうとした。対照的に、ナーヤカはごく僅かの例外を除いてマンサブを授与されることはなかった。ナーヤカの一部は役職や特権を維持したが、領域支配の権限を奪われて完全に滅ぼされる者もいた。タミル地方の三大ナーヤカ政権のなかで最後まで残っていたマドゥライ・ナーヤカも、一七三六年、アルコット・ナワーブ軍によって都を攻略され滅亡した。一八世紀後半まで一定規模の自立的な領域支配を保ったナーヤカ政権は、カルナータカ地方南部のケラディやチットラドゥルガなど少数にとどまる。生き残りに成功したナーヤカの多くは、支配領域内の有力カーストの出身であった。在地有力者層との緊密な結びつきの有無が、ナーヤカ政権の存続を少なからず左右したことがうかがわれる。

四、ムスリム的政治伝統の持続

ムガル皇帝権威の訴求力

ムガル帝国のデカン・南インド支配はその期間も短く、征服戦争と並行して慌ただしく進められた帝国支配体制の扶植は不十分なものにとどまった。ザミーンダール層の重要性など、デカン・南インドに特徴的な政治経済的秩序のあり方はムガル帝国の覇権のもとでも根底から覆されることはなかったのである。それはムガル帝国の制度や文化との接触をへて、一八世紀に各地に分立した地域政権のもとでも維持された。

ムガル帝国の制度や皇帝の権威は、逆説的ではあるが、帝国権力の直接的支配が潰えたあとのデカン・南インドの政治や社会に大きな影響を及ぼした。マラーター王国は、アウラングゼーブに対する軍事的抵抗を続け、その没後、急速にデカンでの支配地域を回復、拡大していった。その過程で、一七一九年、王国政府は、形式的にはムガル帝国領であるデカン・南インドで徴収される租税のうちの三五%を、チョウト(四分の一税)とサルデーシュムキー(総郷主職手当)の名目で自らの取り分とすることを認めるムガル皇帝の勅書(ファルマーン)を自ら要求して獲得する。チョウトとサルデーシュムキーはデカン・ムスリム諸王国にも見られた税・手当で、前者は当該地域の治安維持の名目で徴収された。後者はデーシュムクを総括するサルデーシュムク(総郷主)の職務に伴う手当を意味するが、実際は王の特権として設定されることが多かった(Gordon 1993: 76-77)。このムガル皇帝の勅書を「錦の御旗」として、時にその内容を拡大解釈しながら、マラーター王国はデカン支配を安定化・正当化しただけでなく、デカンを越えて北インドにまで勢力を拡大させていった。

マラーター王国に関しては、初代シヴァージーがサンスクリット語古典文献に準じて即位灌頂の儀式を執行したこともあり、それまでのデカンのムスリム的政治伝統とは異なる側面が強調されることもある。シヴァージーは、ほかにもサンスクリット語古典文献にならった官職を設けたり、サンスクリット語による行政・統治用語集を編纂させたりした。しかし、これらはあくまでも実験的な試みであったと考えられ、一八世紀マラーター王国の行政・統治の文書にはサンスクリット語ではなくペルシア語由来の用語が多く用いられた。サンスクリット語名がついた官職は存続したものの、王統の分裂を含む王国内の政争もあって、それらの多くは形骸化した。一八世紀、国政の実権はバラモンである宰相一族によって掌握されたが、その官職名の原語がペルシア語由来の「ペーシュワー」であることは、マラーター王国がインド、あるいは、デカンのムスリム的な政治伝統を少なくとも部分的には継承していたことを象徴するといえよう。

南北交流と新しい価値観

デカン・南インドでは、ムスリム文化と現地の文化との邂逅《かいこう》が、北インドとは異なる独自の混淆的な文化を生み出してきた。ダキニー・ウルドゥー語文学の発展はその代表例である。ムガル帝国領化と継承諸国家の支配は、北インドのムガル帝国のもとで発展したムスリム文化のデカン・南インドへの移植をそれまで以上に促すこととなった。ニザーム・ムルクはムガル帝国のデカン総督として、皇帝への形式的な恭順の姿勢を最後まで堅持した。そのニザーム政権の下には、庇護や栄達の機会を求めて北インドから、ムスリムの文人・宗教者や武人だけでなく、ムガル帝国のペルシア語文書行政を支えた書記官僚を多く輩出したヒンドゥー・カースト――カトリーが代表的――の人々が移住してきた(Faruqui 2009: 33-35)。彼らはニザーム支配の安定化に貢献しただけでなく、南北インドのムスリム文化の交流にも寄与した。南インドのアルコット・ナワーブのもとでも、ペルシア語による歴史書などの文学作品が成立した。

交易と貨幣経済の拡大は、政治体制の変容を促しただけでなく、南インドの地域語文化に新しい価値観や展開を生み出した。一六世紀以降、ヴィジャヤナガル王やナーヤカの宮廷の庇護を受け、テルグ語文学作品が数多く生み出された。それらのなかでもナーヤカ宮廷の周辺で一七世紀以降に著された作品には、政治的権力や宗教的権威をときに凌駕する富(現金)の重要性や、性愛などの享楽の肯定、支配者であるナーヤカと神の同一視など、従来の文学作品には見られない観念や主題が見られた(Rao et al. 1992)。

おわりに

本章では、デカン・南インドの政治秩序を特徴付ける事象のひとつとしてザミーンダールの重要性に着目した。しかし、時代の経過とともに、一部の地域政権では集権化が進み、ザミーンダールの重要性が揺らぐようになる。マラーター王国では、宰相のもとで王国支配が安定、拡大すると、中央政府によって郷・郡レベルに「カマーヴィースダール」と呼ばれる役人が任命・派遣され、徴税をはじめとする統治業務の主幹を担うようになった。ザミーンダールは諸特権とともに存続を許されたが、地域社会の権力構造に占めるザミーンダールの地位が相対的に低下したことは否めない。

マイスール王国では一七世紀末、分権的な権力構造が解消され、王権を中心とした集権的な国家が形成されたが、同様の動きはマラバール地方でも見られた。同地方の諸王国では、王家の分家やナーヤルなどの在地有力者が自立的な権力を行使し、王の権力的支配が及ぶ範囲は限られていた。一七世紀後半に試みられたコッチ王国の集権化は、オランダ東インド会社の介入もあって失敗に終わったが、トラヴァンコール王国では、一八世紀前半、マールターンダ・ヴァルマが集権化を推し進め、火器を用いる西欧式軍隊を組織して王国領を急速に拡大させた(辛島 二〇〇七:二一五―二一九頁)。

南インドでも、デカン・ムスリム諸王国の直接的な統治下に置かれた地域では、デーシュムク以下のザミーンダール職が設けられていた。一八世紀後半にマイスール王国の実権を掌握したハイダル・アリー(一七二〇頃―八二年)は王国領を軍事的に拡大し、占領した地域にザミーンダールが存在した場合、彼らの職を廃絶し、中央から役人を派遣して統治にあたらせた。一九世紀前半までにデカン・南インドに対する植民地支配を確立したイギリスは、ザミーンダールや在地有力者を排除し、個々の農民を把握することを在地支配の基本政策としたが、それは、一八世紀の現地諸王国が採用した集権化政策の延長として位置付けることもできよう。

ポートフォリオ資本家の華々しい活躍は時代の経過とともに見られなくなっていったが、政治と経済が緊密に結びついていることに変わりはなかった。金融業者による融資や送金は、円滑な国家運営に不可欠であった。また、国家がその部局を通じて交易に直接参入することもあった。トラヴァンコール王国のマールターンダ・ヴァルマはヨーロッパ勢力に対抗するため、胡椒などの特産品の売買を政府が独占することを試み、一定の成果を収めたことは有名である。ハイダル・アリーの男子で後継者であるティプ・スルターン(一七五〇―九九年)も特産品を売買する部局を政府内に設け、マイスール王国内だけでなく国外にも取引所を開設した。交易を営む商社であるイギリス東インド会社が領域支配に踏み出したことは、統治と交易が緊密に結びついたデカン・南インドの歴史的脈絡においては不自然なことではなかったといえるかもしれない。

本章は、デカン・南インドにおいて、現地の制度や文化と融合したかたちでのムスリム的な政治伝統が持続したことに焦点をあてている。マラーター王国建国をムスリム支配へのヒンドゥーの反発とする宗派主義的(コミュナル)な歴史の見方もあるものの、本論部分でその一端を述べたように、現実の同王国の歴史はムスリム対ヒンドゥーという単純な図式に収まらない錯綜した経路を辿った。しかしその一方で、同時代の伝記的・史書的な文献のなかに、そうした宗派主義的な図式を内包する記述が見られ、そうした記述が一八世紀後半の文献のなかでより鮮明になったとする指摘もある(Laine 2003)。ヒンドゥーの英雄というシヴァージーのイメージ、その背景にあるムスリム対ヒンドゥーという図式は、イギリス植民地統治のもとで醸成されたとする考え方もあるが、それらのもとになるような文学的表象は植民地期以前に既にあったということになる。

注

(1) インド洋に三角に突き出した半島部の底辺部分にあたるナルマダー川流域以南の高原をデカン高原と呼ぶが、地域概念としてのデカンの範囲は曖昧で、特に、南インドとの境は流動的である。本章では、一四世紀から一六世紀まで、ヴィジャヤナガル王国とバフマニー朝との間の政治的境界域であったクリシュナー川流域より南の地域を南インドと呼ぶ。そして、クリシュナー川以北のデカン高原とその東西の沿岸地域を併せて、デカンと呼ぶ。なお、南インドでも、アラビア海沿岸のマラバール地方には、ヴィジャヤナガル王国の勢力が及ぶことはなかった。

（2） ビーダル王国は、一六一九年にビジャープル王国によって滅ぼされた。

参考文献

太田信宏（二〇一三）「マイソール王国におけるプラブ――近世南インド国家と領主的権力」『アジア・アフリカ言語文化研究』八六。

小川道大（二〇一九）『帝国後のインド――近世的発展のなかの植民地化』名古屋大学出版会。

辛島昇編（二〇〇七）『南アジア史三　南インド』〈世界歴史大系〉、山川出版社。

小谷汪之（一九八九）『インドの中世社会――村・カースト・領主』岩波書店。

水島司（二〇〇八）『前近代南インドの社会構造と社会空間』東京大学出版会。

Bayly, C. A. (1983), *Rulers, Townsmen and Bazaars: North Indian Society in the Age of British Expansion 1770-1870*, Cambridge, Cambridge University Press.

Bes, Lennart (2022), *The Heirs of Vijayanagara: Court Politics in Early Modern South India*, Leiden, Leiden University Press.

Faruqui, Munis D. (2009), "At Empire's End: The Nizam, Hyderabad and Eighteenth-Century India", *Modern Asian Studies*, 43-1.

Fischel, Roy S. (2020), *Local States in an Imperial World: Identity, Society and Politics in the Early Modern Deccan*, Edinburgh, Edinburgh University Press.

Gordon, Stewart (1993), *The Marathas, 1600-1818*, Cambridge, Cambridge University Press.

Karashima, Noboru (1992), *Towards a New Formation: South Indian Society under Vijayanagar Rule*, Delhi, Oxford University Press.

Kulkarni, A. R. (2002), "Money and Banking under the Marathas: Seventeenth Century to AD 1848", Amiya Kumar Bagchi (ed.), *Money and Credit in Indian History: From Early Medieval Times*, New Delhi, Tulika.

Laine, James W. (2003), *Shivaji: Hindu King in Islamic India*, Oxford, Oxford University Press.

Rao, Velcheru Narayana, David Shulman, and Sanjay Subrahmanyam (1992), *Symbols of Substance: Court and State in Nāyaka Period Tamilnadu*, Delhi, Oxford University Press.

Richards, J. F. (1975), *Mughal Administration in Golconda*, Oxford, Clarendon Press.

s'Jacob, Hugo K. (2000), *The Rajas of Cochin, 1663-1720: Kings, Chiefs, and the Dutch East India Company*, New Delhi, Munshiram Manoharlal Publishers.

Subrahmanyam, Sanjay (1988), "Persians, Pilgrims and Portuguese: The Travails of Masulipatnam Shipping in the Western Indian Ocean, 1590-1665", *Modern Asian Studies*, 22-3.

Subrahmanyam, Sanjay, and C. A. Bayly (1990), "Portfolio Capitalists and the Political Economy of Early Modern India", Sanjay Subrahmanyam (ed.), *Merchants, Markets and the State in Early Modern India*, Delhi, Oxford University Press.

焦点｜*Focus*

バルカンにおけるイスラム受容
――ボスニア・ヘルツェゴヴィナの場合

米岡大輔

はじめに

長きにわたりオスマン帝国の支配下におかれたバルカン諸地域は、一九世紀以降に独立を果たし、西欧を模範とする国民国家への道を歩み始めた。それに伴い、バルカン諸国の歴史学は、オスマン支配期を暗黒の時代とする見方を追究していった。西欧に倣い、ナショナリズムの萌芽を支える国民史の構築こそが最も重要であり、それらを妨げてきたオスマン支配には否定的な評価が下されたのである。加えて、各国に住み続けるムスリムの存在はその支配の残余と見なされ、彼らの歴史を叙述することに積極的な意義が認められることはなかった。そしてこの傾向は、バルカン諸国の多くが社会主義体制下におかれた第二次世界大戦後まで継続した(佐原 二〇〇三：三―九頁)。

しかし、二〇世紀末に起きたユーゴスラヴィア内戦を一つの契機として、国民国家体制の矛盾に直面し、従来からの歴史叙述の見直しを迫られたバルカン史研究者の間では、オスマン支配期を再考する動きが進んだ。そこでは、バルカン各地の帝国統治の仕組みと地元住民の反応を時代ごとに実証的に描く作業が重視された。そうすることで、多宗教・多民族が混住するバルカン半島を長期間安定的に支配したオスマン帝国の姿を改めて浮き彫りにし、その評価を大きく変えていこうとしたのである。こうした流れを受けて近年のバルカン史研究には、オスマン帝国がバルカン半島の征服をいかに進めたのかを再考するものが登場しつつある。その際、中世のバルカン諸地域の政情を踏まえつつ、征服後の各地で生じたイスラム教への改宗を取り上げることもまた重要なテーマの一つとされる（Schmitt 2016）。

従来、オスマン時代を否定的に評価してきたバルカン諸国の研究はこのテーマを扱う際、オスマン帝国が征服後の住民にむけてイスラム教への改宗をいかなる形で強制したのかを主に論じようとしてきた。これに対して近年の研究では、その修正をはかるために、人びとの改宗に限らず社会的な変化にまで視野を広げて、バルカン各地でイスラム教がどのように受容されたのかを検証し直すことが求められている。そこでは、個人的動機・住民移動・社会環境など、より複合的な事象を解明するのに眼目がおかれる（Minkov 2004; Antov 2017）。また、キリスト教のハプスブルク帝国とシーア派のサファヴィー朝の圧力に直面したオスマン帝国における宗派化の推進という文脈において、イスラム教への改宗に関わる諸現象や叙述を分析することにより、その変化をより大きな歴史的枠組みの中に位置付けようとする研究も現れている（Krstić 2011）。いずれにせよ、これら近年の研究に通底しているのは、改宗という現象を広く捉え直しつつ、バルカン社会が各地の事情に応じてイスラム教を受容していく過程をより多面的に描き出そうとする姿勢にあると言えよう。

本章では、こうした潮流に棹さすべく、オスマン治下のボスニア・ヘルツェゴヴィナ(1)においてイスラム教がいかに受容されたのかを考察する。バルカン半島の中でボスニアは特にオスマン時代にイスラム教が定着した地域として知られており、その後も今日までキリスト教徒のセルビア人やクロアチア人とともにムスリムが暮らし続けている。それゆえ、地元住民の改宗の要因がしばしば研究対象とされており、その際に主流を占めてきたのが後述するボゴミール起源説であった。しかし近年では、同説の批判的検証は進みつつあるものの、オスマン帝国の征服に伴うイスラム受容という論点に重きをおきながら、一九世紀後半まで続く帝国治下のボスニア社会の変容を見通そうとする研究は十分に蓄積されているとは言い難い。そこで本章では、この点を中心に議論を進めることにする。

一、段階的な征服

六世紀末から七世紀初頭にスラヴ人が定住した内陸地域のボスニアでは、山がちな自然環境も影響し、長らく全土を統一する勢力が現れなかった。一四世紀後半には在地の有力貴族出身であるトヴルトコが王国を建国したが、彼の死後は有力な王が現れず、王位をめぐっては世襲制より選挙制が基本とされた。それに伴い、コサチャ家やパヴロヴィチ家など一部の有力貴族が各地に領邦を築き、国政の重要な担い手となった(唐澤 二〇一三：二五―二六頁)。

一四世紀末にボスニアへの侵入を始めたオスマン帝国は、こうした現地の事情に即して征服を段階的に進めた。まず、北方のハンガリーの脅威に晒されていた在地の有力貴族との関係を築くことで、ボスニアに政治的な影響力を及ぼそうとした。例えば、一四〇九年にはコサチャ家のサンダリがオスマン側と接触し、その後オスマン側の兵士およそ七〇〇〇名を自らの領地に駐留させた。次に、一五世紀前半に在地の有力貴族の間で不和が高まると、その対立をあおりつつ現地への介入をより本格化させた。特に、コサチャ家とパヴロヴィチ家の対立に際しては、状況に応じていずれかの側を支援し、自らの権力に従わせていこうとした。さらに、こうした動きと同時に、国王に対してスルタンへの貢納金の支払いを義務付けるようになった。国王は遅くとも一四一五年からその義務を負い、三六年にはコサチャ家の援助も受けて総額二万五〇〇〇ドゥカトを支払ったとされる(Bešlija 2017: 55-67)。

オスマン帝国はこのように在地の有力層を徐々に従属させながら、一四四八―五一年にかけて、今日のサライェヴォを含むボスニア中部に自らの領地として辺境管区を設けた。そのうえで一五世紀後半に入るとメフメト二世の下で、ボスニアへの進軍を開始した。一四六三年五月一九日にはボスニア中部の要塞ボボヴァッの包囲を始め、まもなく陥落させた。さらに西部・北部にも進軍し、やがて国王を降伏させて処刑した。その後メフメト二世と主力部隊が現地を離れると、有力貴族の抵抗が一時的に生じたものの、オスマン軍はこれを徐々に制圧した(Džaja 1984: 21-23)。

こうしてオスマン帝国はボスニアの征服を段階的に果たす中で、地域ごとに一定の行政区分を設けてその統合を進めた。まず辺境管区も含めたボスニア県が一四六三年に設置されたのち、一四七〇年には南部にヘルツェゴヴィナ県、一四八〇ー八一年にかけては東部にズヴォルニク県がそれぞれ設置された(Bešlija 2017: 86-87)。各県には、軍事・行政を司る県軍政官職が設けられた。さらにオスマン帝国は、ボスニア征服後にスラヴォニアやダルマチアなど隣接諸地域にも領地を広げ、その領域にクリシュキ県、パクラチュキ県、クルチュキ県、ポジェスキ県をそれぞれ設けると、一五八〇年頃にはそれらと当初の三県から成るボスニア州を創立した。州の軍事・行政の統括に関しては州軍政官職が設けられ、その下に各県軍政官が置かれた。ボスニア州はその後ビハチ県も加えて全七県に再編され、各県には地方法官の担当する行政区も複数設けられた(Šabanović 1982: 77-85,115-231)。

二、ボスニアのイスラム受容

改宗は強いられたのか

ここでは、オスマン治下に組み込まれたボスニアにおいて、諸政策によりイスラム教への改宗が地元住民に強いられたのかどうかを検討しよう。その際まず取り上げるべきは、オスマン帝国が在地の有力貴族を自らの体制に取り込む際、彼らの中から、イスラム教への改宗をはかると同時に、行政面で重要な役割を果たす者が現れたという事実である。例えば、国王スティエパン・トマシュの息子ジギスムントは、一四六三年にオスマン軍に捕らえられイスタンブルに送られた後、イスラム教に改宗して、一四八七年にはアナトリアのカラシの県軍政官に任命された。さらにコサチャ家当主の三番目の息子ステファンは、一四七三年頃にイスタンブルにむかい、すぐにイスラム教に改宗してアフメドと名乗るようになった。その後、バヤズィト二世の娘と結婚し、彼の治世中には大宰相に就任し、次のセリム一世の下ではエジプト遠征時の軍司令官も務めた(Fine 1994: 589-590; Lopasic 1994: 165)。

オスマン支配層に加わるにあたりイスラム教へと改宗するという事例としては、特にデヴシルメにおいて見られた。デヴシルメに関しては、ボスニアでの実施期間を通じて徴募された少年の総数は定かではないものの、一五一五年には一〇〇〇名ほどの若者がイェニチェリとなるために現地で徴募されたという記録が確認されている(Džaja 1984: 66)。また、こうした経路で出世を果たした人物として有名なのが、ボスニアのソコロヴィチ村出身のソコッル・メフメト・パシャである。元々キリスト教徒であった彼は、デヴシルメで徴集されてイスラム教へと改宗し、イスタンブルで教育を受けたのち、いくつかの官職に任ぜられた。その後スレイマン一世の晩年、その次のセリム二世の全治世、続けてムラト三世の初期まで、一四年にわたり大宰相職に就き、軍事・国政を取り仕切るなど活躍を果たした(鈴木 一九九三：八九–九一頁)。

このように当時のオスマン帝国では一般的に、中央の支配層への参入にあたりイスラム教への改宗が条件とされていた。その点で、オスマン帝国がボスニア支配を確立する中、地元住民に改宗を強いた側面が見られたことは否定できない。ただし彼らの中には、出世の機会や免税特権を求めて自発的に改宗した者もいたであろうし、そもそもボスニア現地では当局の政策上、組織的な改宗ははかられず、地元の支配の担い手に対しても改宗が強いられたわけではなかった。それは、支配の根幹を成したティマール制の下に非ムスリムもまた取り込まれていた事実から明らかとなる。征服後のボスニアでは、非ムスリムにティマールが授与された事例が複数確認されている。例えば、ボスニア県における一四六八–六九年の記録によると、一三五のティマールのうち一一が非ムスリムのスィパーヒーに授与されたのだった。その後、非ムスリムにティマールが授与された事例は他県でも確認されており、ボスニア各地では一六世紀に入ってもなおこうした状況がみられた(Bešlija 2017: 113-126)。

ボゴミール起源説とは

それでは、オスマン支配下のボスニアではなぜ、他のバルカン諸地域に比してイスラム教が拡大したのだろうか。従来この問いの検討に際しては、ボゴミール起源説がしばしば取り上げられてきた。その内容を整理するならば、次の通りである。オスマン征服以前のボスニアでは、ハンガリーやセルビアなど周辺諸国の影響からカトリックや正教が普及していたが、いずれか一つの教会が優位を得て国家を代表することはなかった。そのため、両宗派の狭間でボスニア教会が成立し、独自の地位を得て、王家などの有力貴族層から一般の民衆まで広く受け入れられた。その特徴は、主にブルガリアに起源をもつとされる、マニ教的な二元論の宗派ボゴミールを基本とする点にあった。そしてその信者は、オスマン征服時の政情不安に伴う迫害から逃れるために、大規模かつ早急にイスラム教へ改宗した、というのである。

しかし、こうした説に対してはこれまで、以下の二点から疑義が呈されている。第一に、ボスニア教会がボゴミール派に属した明白な痕跡は確認されていないという点である。これは、アメリカの中世史家ファインを中心に唱えられた学説で、今日ではおおむね支持されている。彼によれば、中世のボスニアでは当初、キリスト教周辺諸国の影響からカトリックや正教がそれぞれ地域ごとに受容されていた。ところがハンガリーがカトリックの教会組織を介してその政治的影響力の拡大をはかるにつれ、ボスニアでは周辺のカトリック圏との関係を絶とうとする動きが生じた。そうした環境の中で、ボスニア教会と呼ばれる独立教会が創設されたが、その特徴はカトリック神学を基本とする点にあった。さらに一五世紀には、フランチェスコ修道会の活動も盛んとなり、カトリックや正教が広がりつつある中で、ボスニア教会は、国家や特定の有力貴族と強固な政治的関係をあまりもたず、領域的な組織も築かなかった。そのためオスマン帝国の征服後には消滅し、信者はイスラム教に限らず、カトリックや正教にも改宗したと言われる(Donia and Fine 1994: 18-23, 35-37; Malcom 1996, 27-42)。

第二に、イスラム教への改宗は、オスマン征服直後に大規模かつ急速に起きたのではなく、漸進的に進行し、かつ地域間でもその進度に差が見られた現象だったという点である。これは、オスマン帝国が残した徴税台帳を史料として活用する研究の進展により明らかとされた。その研究を整理し直したジャヤによれば、ボスニア県では一四六八年の時点で、全三万七六〇四世帯のうちキリスト教徒の世帯が九九・一%、イスラム教徒の世帯が〇・九%であった。キリスト教徒の世帯が大多数を占めるこの傾向は一五世紀後半にも継続し、一四八九年には全三万〇八八五世帯のうちキリスト教徒の世帯が八五・四八%、イスラム教徒の世帯が一四・五二%であった。その後、両世帯の比率は一六世紀前半に入りようやく変化し、一五二〇-三五年にかけては、全三万六五五四世帯のうちキリスト教徒の世帯が五三・六七%、イスラム教徒の世帯が四六・三三%となった。なおこの時期、ヘルツェゴヴィナ県では両世帯の比率がボスニア県とおおよそ同程度であった一方、ズヴォルニク県では、全一万五七六六世帯のうちキリスト教徒の世帯が八三・一七%、イスラム教徒の世帯が一六・八三%と、前者の世帯が大多数を占めていた(Džaja 1984: 70)。

さらに今日までの研究では、以上で整理してきた事実に加えて、ボゴミール起源説の出処も明らかとなっている。それは、一五世紀後半のボスニアでローマ教皇の使節として活動していたモドルシュのニコラという人物の報告にあったとされる。彼は、同地での自らの宗教活動の失敗をとりつくろうために、異端派であるボゴミールが広がっていたと語り、その信徒こそが、中世のボスニアを崩壊へと導き、オスマン征服後にはムスリムへと集団で改宗し、さらにその支配層に加わったのだと訴えた。その後、彼の説はローマ教皇にも認められ、ルネサンス期の人文主義者を介して近代の歴史家に広く受け入れられた(Džaja 1984: 101; Bijedić 2009: 36-37)。その結果ボゴミール起源説は、一九世紀以降の南スラヴ諸地域でも政治家や知識人を中心に普及し、特に第二次世界大戦後のユーゴスラヴィアではボスニアのムスリム歴史家にとって、ともに暮らしきたセルビア人やクロアチア人とは異なる自らの民族的独自性の証左となるという点で、極めて重要な政治的意味を帯びることとなったのであった。

社会環境の変化

ここまでの議論から改めて確認すべきは、中世のボスニアではカトリック、正教、ボスニア教会が併存し、いずれか一つの宗派が強固な組織的基盤の下で優位を得なかったという事実である。そのうえで、オスマン征服後のボスニアで改宗が緩やかに拡大した要因を探る際には、イスラム教を支えとする新たな社会環境がいかに形成されたのかを考察せねばならない。なぜならそれが、人びとの改宗を伴って、ムスリム中心のボスニア社会が立ち現れていく過程を明示することにつながるからである。そこで以下では、現在の首都サライェヴォをめぐる当時の変化に注目しつつ、その点を詳らかにすることにしたい。

ボスニアの中でオスマン支配下に最も早くに取り込まれた領域に位置したサライェヴォでは、ムスリムを中心とする町の様相が徐々に現れていった。まずそれに一定の役割を果たしたのが、テッケ(修道場)の存在である。征服時のオスマン軍には、戦士に加えて修道者も混在していたが、彼らの中には征服後も現地にとどまりテッケを開く者がいた。おそらくボスニアで最初に設立されたのが、ガーズィーラー・テッケであった。その経緯に関しては未だ不明な点があるものの、ボスニア征服時に到来したオスマン軍の中の修道者らにより、一四三〇年代頃にサライェヴォで建てられ、その当初はナクシュバンディー派に属したとされる。さらに時を経ると、オスマン支配の担い手によって建設されるテッケも現れた。その代表的なものは、サライェヴォ内を流れるミリャツカ川の右岸に一四六二年に建設されたイサ・ベグ・テッケである。創設者は、彼が寄付した財産でその維持がはかられたころから、イサ・ベグであったとされる。彼は、メフメト二世によるボスニア征服にも加わり、一四六三年にボスニア県の県軍政官に就任した人物であった(Biščević 2006: 53-55)。このテッケには、複数の部屋があり、宿泊所、小屋、中庭なども備えられていて、宿泊客やテッケで働く者に加えて、貧しい子どもにも食事が提供されることもあった。サライェヴォには、以上の二つの他にも複数のテッケが存在し、ロガティツア、ズヴォルニク、ヴィソコなどボスニア各地でもテッケが開設されたことが確認されている(Aščerić-Todd 2015: 57-79)。

イサ・ベグの時代以降、サライェヴォがボスニアの中心都市として発展する基礎を作ったのが、ワクフ(宗教寄進)であった。彼は一四五七年にミリャツカ川の左岸にモスクを建て、人びとの往来を円滑化するために川に架かる橋も建設した。それに伴いテッケや橋の維持費用を得るために、自らの寄進でそのモスクのそばに浴場を建てたり、耕地、製粉所、隊商宿や多数の商店などを設けたりもした。また彼の時代の後には、ボスニア県の県軍政官などオスマン支配の担い手にとどまらず、裕福な商人や手工業者に加えて、後述するガジ・フスレヴ・ベグの妻シャフディダル(Shahdidar)に代表される女性たちも、さまざまな施設の寄進者として名を連ねた。その結果サライェヴォは、彼らの寄進によりイスラムを中心とする都市として大きく発展した。実際サライェヴォには一五–一六世紀にかけて、一〇〇以上のモスクが寄進で建設され、その周囲には新たな居住地域が現れたと言われている(Sundhaussen 2014: 24-30)。

こうした中で特筆すべきは、スレイマン一世の下、一五二一年九月にボスニア県の県軍政官に任命されたガジ・フスレヴ・ベグの時代である。一時的な中断を挟むとはいえ一五四一年に亡くなるまで長きにわたり県軍政官を担当した彼は、その間モハーチの戦いなどに参加するとともに、自らの寄進により、彼の名を付したモスク、宿泊所付きのテッケ、救貧所、宿、マクタブ(初等学校)、マドラサ(学院)といった複数の施設を建設した。これらはオスマン治下のボスニアの最も代表的な建築群とされ、部分的とはいえ現在まで受け継がれてきた。中でもマドラサは、一六世紀末のサライェヴォ出身の高名なイスラム学者アラメク・ムハメド・ムシチを輩出するなど、一定の知識人層を育む高等教育施設として現代まで活動を継続しており、今日もなお現地のイスラム社会を支え続けている(Sundhaussen

2014: 30-33)。

また、イスラム教の諸制度に依拠して発展していくサライェヴォのこうした変化は、人びとの信仰生活にも多大な影響を及ぼした。それは、一六世紀にサライェヴォでハッジュ(巡礼)に出かけた者に関する情報がそれ以前より多数確認され始めることからも窺える。その数は一五世紀後半には多い年でも数件のみにとどまっていたが、一五三〇年には少なくとも一七の居住区から三六件の巡礼者が史料上確認され、そこにはイマーム(指導者)、商人、自由奴隷、馬具製造人、皮なめし工などさまざまな地位の人びとが含まれていた。さらにその後一六世紀後半に入ると、ボスニアの各県でも複数の巡礼者が確認されるようになり、特にサライェヴォでは一六世紀後半に増加傾向を示し、同世紀末にはおおよそ二七三件まで増えるに至ったのであった(Husić 2014: 27-45)。

三、揺れ動くオスマン支配

オスマン帝国により段階的に征服されたボスニアでは、一五世紀後半から一六世紀にかけてイスラム教が漸進的に受容される中、ムスリムを中心とする社会が徐々に形成されていった。ここからは、イスラム教を基軸として多様な人びとの緩やかな統合を目指すオスマン帝国の安定的な支配が、バルカン半島領土の最北西端まで深く及んでいたことが明らかとなろう。

ところで先行研究では、ボスニアでのイスラム教への改宗は一六世紀末までに頂点をむかえたとする意見が主流を占めている(Džaja 1984: 93; Krstić 2011: 21)。それは、ボスニアのオスマン支配がその後、バルカン半島を取り巻く国際情勢の変動に大きく翻弄されていったことと深く関係していた。最後に、そうした流れを概観して本章を締め括りたい。

一七―一八世紀にオスマン帝国とヨーロッパ諸国との間で繰り返された戦争においてボスニアは、その最前線にたびたびおかれることとなった。一六四〇年代のヴェネツィアとの戦争では、ヴェネツィア軍がダルマチアから急襲すると、ボスニアの軍隊との大規模な衝突が起きた。さらに一六八三―九九年にかけてハプスブルク帝国やその同盟諸国との戦争が繰り広げられると、将軍プリンツ・オイゲン率いるハプスブルク軍が一六九七年一〇月二三日にサライェヴォに到達し、町が廃墟と化した。彼らはまもなく退却を迫られ、サライェヴォはやがて復興を果たしたが、ボスニアでは感染症の流行など混乱が続いた。その要因の一つとなったのが、戦火を逃れてきたムスリムの大規模な流入であった。戦争中ハンガリーやクロアチアといった諸地域では、およそ一三万名もの難民が発生し、そのほとんどがボスニアに流れ込んだと言われている。また、一七一四―一八年にかけてのヴェネツィアやハプスブルク帝国との戦争中にも、そうしたムスリムの流入が再び生じた。その後オスマン帝国は、一七三七年からの戦争でボスニアへのハプスブルク帝国の侵攻を受けたものの、それを退けることに成功した(Džaja 1984: 81; Malcom 1996: 83-86; Sundhaussen 2014: 105-107)。

こうしてボスニアでは、域外からの住民移動により社会の不安定化が進むと同時に、幾度の戦争に伴いティマール制が徐々に崩れていった。その中で、出征や課税などの負担を強いられたムスリム住民の間では不満が蓄積し、彼らを中心とする暴動が多発した。一七世紀にはサライェヴォとその周辺で、徴税時の役人の不法行為、食料品の高騰、飢えなどを理由として、一六三六年と五〇年に暴動が起き、続く八二年にも修道僧ハサン・カイミを指導者とする暴動が生じた。その後一八世紀に入ると暴動はボスニア各地にも広がり、例えばヘルツェゴヴィナ地方では一八世紀の前半だけで少なくとも五度の暴動が確認された。また一七五〇―六〇年代には、サライェヴォ、リヴノ、トゥズラを中心に暴動が特に激しさを増したが、これらを指導したのは、自らの活動資金のためにムスリムの下層市民や農民と手を組んだ地元のイェニチェリであった(Džaja 1984: 96-97; Sundhaussen 2014: 112)。

しかし、こうした状況においてもなおボスニアのムスリムの中には、地方行政や軍事活動への参加・協力を通じてオスマン帝国の統合力の維持に資する者たちもいた。まずその代表的な集団が、アーヤーンと総称される地方名士層である。ボスニアではその地理的環境下で小規模なチフトリキ(農場)を基盤としつつ、商工業や金融などさまざまな生業を営み、主に商人、ウラマー(知識人)、後述のカペタンなど多様な社会的背景をもつ者がそうした集団を形成した。彼らが政治的役割を担う一つの契機となったのが、一六八三―九九年の戦争であった。その間、オスマン帝国のさまざまな任務に動員され、戦火で揺らいだボスニアの地方行政の調整役を担った。さらに一八世紀に入ると中央政府にとって地方名士層の協力は、ボスニア支配の安定化にあたり必要不可欠となった。彼らの中には、一七二五年頃に創設された「アーヤーン職」という行政職に就き、中央から派遣された支配層との協議や都市評議会に参加して地方行政に直接的に関わる者もいた。またその担い手は、税の徴収、公的な秩序と安全のための規制、食料や家畜の密輸の防止など多岐にわたる任務を果たすこともあった。「アーヤーン職」はこのように当局と住民との関係を仲介する職でもあったため、ムスリムのみならずキリスト教徒からも選出されたという(永田 一九九九：一八七―一八九頁、Donia and Fine 1994: 54-55; Koller 2004: 64-67)。

加えてボスニアでは、「カペタン」と呼ばれる司令官もオスマン支配を支えた存在として看過すべきではない。同職は一六世紀からすでに創設され、当初はボスニア北部の国境付近で軍事・行政上の任務を負っていたが、一八世紀に入るとボスニア州内各地へと広がり、特に最も重要な街道に沿って集中的に置かれた。彼らは一定の領地を所有しながら、要塞の守備に主に携わりつつ、国境警備や領内の治安維持などにも取り組んだ。例えば、一七三七―三九年のハプスブルク帝国との戦争では、グラディシュカのカペタンであるムスタイベグや、ズヴォルニクのカペタンであるメフメドベグ・フィダヒチのように、ボスニアの防衛に参加する者もいた。カペタンの数が、一六世紀末には二〇、一七世紀末には二八、そして一九世紀初めには三九と段階的に増加した事実に鑑みると、彼らがボスニアの地方当局との関係を前提として一定の社会的地位を築いていたことは間違いなかろう(Kreševljaković 1980: 48; Džaja 1984: 37, 93; Koller 2004: 68-72)。

ところが一九世紀に入ると、ヨーロッパ諸国の圧力とキリスト教徒諸民族の独立運動の活発化によりバルカンのオスマン支配が大きく揺らぐ中、ボスニアではアーヤーンやカペタンが自立的な勢力を徐々に確立していった。他方ボスニアのキリスト教徒内では、ムスリムに従属し続ける農民層が多数いる中で不満が高まっていた。加えて彼らには、セルビアやクロアチアとの関係を取り結ぶ商人や聖職者らの民族主義的な影響も及びつつあった。そこでオスマン帝国の中央政府は、多様な国民をまとめる行政・司法などの整備にむけた諸改革を目指す過程で、ボスニアのアーヤーンやカペタンへの統制を強めた結果、彼らを中心とする大規模な反乱が勃発した。グラダチャツのカペタンであったヒュセイン・グラダシュチェヴィチらが起こした一八三一年の反乱は、その代表例である。当局はこの反乱を鎮圧した後、一八三五年にカペタン制を廃止し、続けて一八五九年にはいわゆる「サフェル法」を発布してボスニアのムスリム地主とキリスト教徒農民の利害を調整しようとした(江川 一九九八:一二七―一三六頁)。だが一八七五年にヘルツェゴヴィナ地方でキリスト教徒の農民反乱が起きると、オスマン帝国は七六年にセルビアおよびモンテネグロと開戦し、さらに七七年にはロシア帝国から宣戦され、最終的にはヨーロッパ諸国によるバルカン情勢への介入を招くに至った。その結果ボスニアは、一八七八年七月に締結されたベルリン条約によりハプスブルク帝国の統治下におかれ、以後、その支配は第一次世界大戦の終結まで続く。それは、ボスニアのムスリムにとって、数世紀間オスマン治下で自らのものとしてきたイスラム教徒としての生き方を問い直さねばならない新たな時代の到来を意味していた。

注

(1) 本章では以下、ボスニア・ヘルツェゴヴィナをボスニアと略記する。ただし「ボスニア教会」「ボスニア州・ボスニア県」

に関してはその限りではなく、それぞれ教会の呼び名、行政単位を表す。

参考文献

江川ひかり(一九九八)「タンズィマート改革期のボスニア・ヘルツェゴヴィナ」『岩波講座 世界歴史』第二一巻、岩波書店。

唐澤晃一(二〇一三)『中世後期のセルビアとボスニアにおける君主と社会——王冠と政治集会』刀水書房。

佐原徹哉(二〇〇三)『近代バルカン都市社会史——多元主義空間における宗教とエスニシティ』刀水書房。

鈴木董(一九九三)『オスマン帝国の権力とエリート』東京大学出版会。

永田雄三(一九九九)「一八・一九世紀サラエヴォのムスリム名士と農民」歴史学研究会編『地中海世界史三 ネットワークのなかの地中海』青木書店。

Antov, Nikolay (2017), *The Ottoman "Wild West": The Balkan Frontier in the Fifteenth and Sixteenth Centuries*, Cambridge, Cambridge University Press.

Aščerić-Todd, Ines (2015), *Dervishes and Islam in Bosnia: Sufi Dimensions to the Formation of Bosnian Muslim Society*, Leiden, Brill.

Bešlija, Sedad (2017), *Istimâlet: Bosna u Osmanskoj Političkoj Strategiji (15. i 16. stoljeće)*, Sarajevo, Univerzitet u Sarajevu.

Bijedić, Elvira (2009), *Der Bogomilenmythos: Eine umstrittene 'historische Unbekannte' als Identitätsquelle in der Nationsbildung der Bosniaken*, Heidelberg, Dissertation, Universität Heidelberg.

Biščević, Vedad (2006), *Bosanski Namjesnici Osmanskog Doba (1463-1878)*, Sarajevo, Connectum.

Donia, Robert J., and John V. A. Fine, Jr. (1994), *Bosnia and Hercegovina: A Tradition Betrayed*, New York, Columbia University Press.(佐原徹哉他訳『ボスニア・ヘルツェゴヴィナ史——多民族国家の試練』恒文社、一九九五年)

Džaja, Srećko M. (1984), *Konfessionalität und Nationalität Bosniens und der Herzegowina: Voremanzipatorische Phase 1463-1804*, München, R. Oldenbourg Verlag.

Fine, John V. A. Jr. (1994), *The Late Medieval Balkans: A Critical Survey from the Late Twelfth Century to the Ottoman Conquest*, Ann Arbor, The University of Michigan Press.

Husić, Aladin (2014), *Hadž iz Bosne za Vrijeme Osmanske Vladavine*, Sarajevo, Rijaset.

Koller, Markus (2004), *Bosnien an der Schwelle zur Neuzeit: Eine Kulturgeschichte der Gewalt (1747-1798)*, München, R. Oldenbourg Verlag.

Kreševljaković, Hamdija (1980), *Kapetanije u Bosni i Hercegovini*, Sarajevo, Svjetlost.

Krstić, Tijana (2011), *Contested Conversions to Islam: Narratives of Religious Change in the Early Modern Ottoman Empire*, Stanford, Stanford University Press.

Lopasic, Alexander (1994), "Islamization of the Balkans with Special Reference to Bosnia", *Journal of Islamic Studies*, 5-2.

Malcom, Noel (1996), *Bosnia: A Short History*, New York, New York University Press.

Minkov, Anton (2004), *Conversion to Islam in the Balkans: Kisve Bahası Petitions and Ottoman Social Life, 1670-1730*, Leiden, Brill.

Šabanović, Hazim (1982), *Bosanski Pašaluk*, Sarajevo, Svjetlost.

Schmitt, Oliver Jens (ed.) (2016), *The Ottoman Conquest of the Balkans*, Wien, Verlag der ÖAW.

Sundhaussen, Holm (2014), *Sarajevo: Die Geschichte einer Stadt*, Wien, Böhlau Verlag.

コラム｜*Column*

オスマン帝国治下のメッカと巡礼

太田啓子

メッカ巡礼(大巡礼、ハッジュ)とは、イスラーム暦第一二月八—一〇日に行われる、集団でのメッカおよびその周辺の聖跡への巡礼を指す。これはイスラーム教徒の五つの義務(五行)の一つであり、任意の時期に個人で行われる小巡礼(ウムラ)とは異なる。ヒジャーズ地方を支配した歴代のイスラーム王朝にとって、毎年のメッカ巡礼を滞りなく執り行うことは、その支配の正当性を問われる事案であり、巡礼路周辺のベドウィンと協定を結んで巡礼キャラバンの安全を確保すること、キャラバンに糧食の補給を行うこと、ラクダや船など巡礼者の移動手段を手配することは最重要課題の一つであった。

これらのことはオスマン帝国にとっても同様であった。マムルーク朝期にはカイロ、ダマスクスなどの諸都市からメッカへ公式の巡礼キャラバンが派遣されていたが、オスマン帝国はその任を引き継いだ。一五八〇年にはカイロから四万頭のラクダ、ラバ、五万人の巡礼者、商人などにより編成されたキャラバンが派遣された。また、ダマスクスからのキャラバンについてはアラブの諸部族からなる一五〇〇名ほどの騎兵・歩兵が護衛にあたり、シリア道沿いの要塞にはダマスクス州総督に直属するイェニチェリから選抜された守備隊が駐屯、キャラバンの安全確保にあたった。カイロ、ダマスクスからはキャラバンとともにマフミル(駕籠)が送られ、その中にはカアバ神殿の覆い布(カイロからのマフミルのみ)、メッカのシャリーフ(預言者ムハンマドの直系子孫および一部の傍系親族に対する一般的尊称)や困窮者を対象とするワクフ(宗教寄進財)の明細と受取人のリストなどが納められていた。一九世紀半ばになると、アブデュルハミト二世(在位一八七六—一九〇九年)はヒジャーズ鉄道建設計画を立ち上げ、シリアとヒジャーズ地方を結ぶことを試みた。これは、メッカ巡礼を通じて個々のイスラーム教徒のイスラーム共同体への帰属意識を強め、パン・イスラーム主義を高揚させることによってイスラーム世界の盟主としてのオスマン帝国の威信を強固なものにしていこうとする試みの一端でもあった。

ではオスマン帝国治下のメッカではどのような政治支配が行われていたのであろうか。メッカでは一三世紀初頭、預言者ムハンマド直系の子孫であるシャリーフ＝カターダがアミール(軍人の称号。君主号としても用いられる)に就任、アイユーブ朝によってその地位を承認された。その後マムルーク朝もシャリーフによるメッカ支配を承認、一四世紀半ば以降、ヒジャーズ地方は実質的にマムルーク朝の支配領域に入ったが、メッカにおけるシャリーフとマムルーク朝による二重支配体制は継続した。シャリーフの中にはシャリーフ＝ムハンマドのように貨幣を鋳造、年代記において「スルタン」と称される者も現れた。

一五一七年、マムルーク朝がオスマン帝国により滅亡すると、シャリーフ＝アブー・ヌマイイはカイロに滞在中であったセリム一世（在位一五一二―二〇年）に謁見を求め、カアバ神殿の鍵などを献上、その見返りに恩賜の衣を授かり、メッカのアミール位に対する承認を受けた。また、困窮者に配給するための金と穀物の供与を受けた。シャリーフがオスマン帝国の支配を受け入れたことを受け、セリム一世は早速「二聖都の守護者」という称号を宣言、その後、歴代のオスマン帝国スルタンは一九二二年のオスマン帝国の消滅まで、約四〇〇年にわたってこの称号を帯びることとなった。

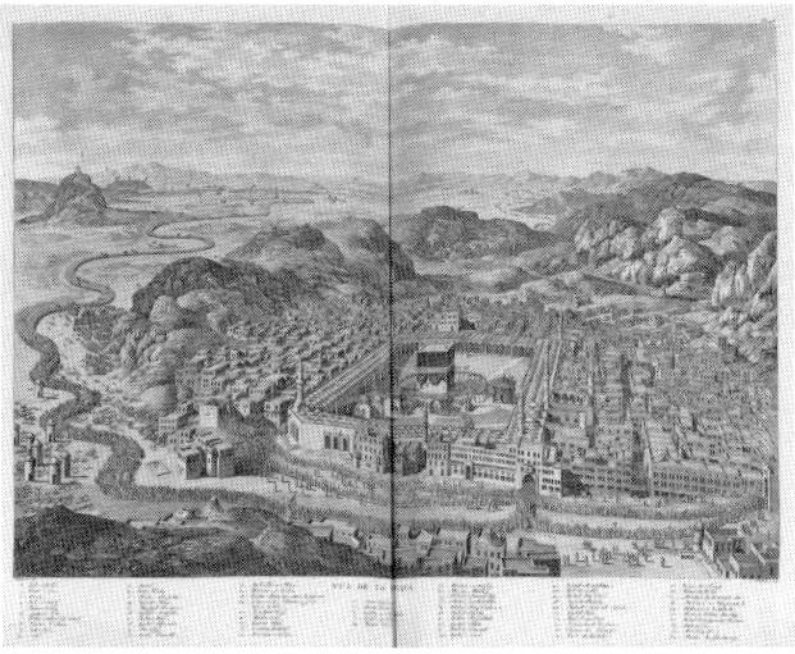
メッカ（イグナティウス・ムラジャ・ドーソン『オスマン帝国全覧』，File: Vue de la Mecque-D'ohsson Mouradgea-1790.jpg）

スルタンたちはメッカ、メディナの両聖都に対し、経済的な支援を行った。スレイマン一世（在位一五二〇―六六年）は聖モスクのミナレットを整備し、スンナ派四法学派のマドラサを新築、またムラト四世（在位一六二三―四〇年）はカアバ神殿の洪水被害を受け、アミール・ル・ハーッジュ（巡礼長官）のリドワーン・ベイを責任者として大規模な修復を行った。また、ワクフによる救貧・慈善事業も行われ、セリム一世とスレイマン一世はマムルーク朝期からの二聖都向けワクフである「大ダシーシャ」（ダシーシャは小麦粥のこと）を拡充、ムラト三世（在位一五七四―九五年）は「小ダシーシャ」を新設した。一方、オスマン帝国の後ろ盾を得たメッカのシャリーフは積極的な経済活動を行い、インド洋貿易、そして一六世紀以降、紅海において興隆したコーヒー貿易にも参与した。例えばシャリーフ＝ガーリブは自らコーヒー貿易用の船舶を保持、メッカの外港であるジッダからスエズへとコーヒーを輸出した。オスマン帝国はこの貿易に対し、年間三〇〇フェルデ（フェルデ＝一梱）までを免税とし、シャリーフからこの免税措置を二倍に増やしてほしいと上奏があった際には一・五倍まで免税とした。このようにオスマン帝国治下のメッカにおいてはシャリーフとオスマン帝国による二重支配体制が継続し、この状況は一九世紀初頭のワッハーブ派のメッカ侵攻によって一時中断したものの、二〇世紀初頭にイギリスの支援を受けたシャリーフがオスマン帝国に対する独立戦争（「アラブの反乱」）を起こすまで続いたのである。

焦点 *Focus*

絵画に描かれた女性たち

桝屋友子

はじめに

イスラーム美術における基本的な絵画の形式は、書籍の挿絵や口絵および画帖に収められる単独の絵画などの紙本画、建築装飾としての壁画、陶器など工芸品における彩画である。現存する最古のイスラーム絵画は八世紀前半のウマイヤ朝宮殿(シリア、ヨルダンなど)の壁画であり、その後、一一世紀エジプトの陶器に生き生きとした人物・動物の彩画が施され、一三世紀を最盛期としてアラビア語文化圏で挿絵入り写本が盛んに作られたことを除けば、イランを中心とするペルシア語文化圏がいずれの形式においても絵画制作の継続的な担い手であった。とりわけ一六―一八世紀の西アジア・南アジアのオスマン朝(一二九九―一九二二年)、サファヴィー朝(一五〇一―一七三六年)、ムガル朝(一五二六―一八五八年)の三王朝はいずれも文学語をペルシア語とするペルシア語文化圏に属しており、数多くの絵画を残している。本章ではそのなかでも現存作品の多い紙本画を中心に、男性像と比較して女性がどのように描かれているのかに焦点をあて、文字資料では知ることのできない、各地における当時の女性に対するジェンダー観の一端を造形資料から探っていきたい。

図1 リザー・アッバースィー画「剣を持つ青年」サファヴィー朝, 1622-24年. デトロイト美術館, 44.275

そもそもイスラーム絵画においては男女の顔貌や体つきの描き分けが一五世紀後半まで確立していなかった。男女に関わりなく卵形の顔に目鼻を付けて、服装、髪型、髭の有無で観者に性別を判断させた。一五世紀後半にヘラート(アフガニスタン)のティムール朝(一三七〇―一五〇七年)宮廷書画院で大画家ビフザード(一五三五/三六年没)が活躍し、彼の影響下で中年・老年の男性に角ばった顎の骨格や太い眉毛などの特徴的な表現が施されるようになった。しかし、若い男性は一六世紀以降も女性と同じような顔貌で描かれ続けており、髭が描かれないために男女の見分けが困難な場合が多い。一六世紀末から一七世紀前半にサファヴィー朝の首都イスファハーン(イラン)で活躍した画家リザー・アッバースィー(一六三五年没)の描く青年は、丸みのある顎、紅い小さな唇、半月状の眉、穏やかに見開く大きな目、繊細な後れ毛、滑らかな指先など、たおやかで美しく、体型も胸以外は男女であまり変わらず、服装や持ち物から男性だと判断できる程度である[**図1**]。

そのような状況であったとしても、本章が扱う一六―一八世紀のイスラーム地域の絵画においては、女性を描くという明確な意図の下に女性表現が存在した。では、女性はどのような場面に描かれ、それはどのような表現であったのか。男性表現と異なる点はあったのか。また、地域によって表現に違いがあったのか。女性が描かれたジャンル別に絵画を読み解いていく。

一、宗教に根ざした女性表現

一六－一七世紀には挿絵入りの予言の書や預言者伝が全域において多く制作された。予言の書(1)とは占いのための書物で、イスラームの預言者や宗教にまつわるエピソードなどを絵画化したページと言葉による説明のページが見開きで示されており、本のページを任意に開くことで自分の運勢を占う。預言者伝とは、最初の預言者アーダム(アダム)から最後で最大の預言者ムハンマドまで、イスラームの預言者の伝記が語られる書物の総称で、挿絵入りの写本も多い。これらの書物に描かれた預言者の絵画表現は、イスラームが厳しく禁じる偶像崇拝禁止に抵触するように思われるかもしれないが、偶像崇拝禁止は神の似姿を造形してそれを崇拝することを禁じるのであり、預言者は神ではないために作画が禁じられていない。ただし、この時代のどの予言の書、預言者伝においてもムハンマドは別格として扱われ、顔の前に白いヴェールが垂らされて顔貌が表現されず、金色の火炎状の頭光を帯びる(2)。シーア派を奉じるサファヴィー朝の写本においては、初代イマーム(宗教指導者)であるアリーを含むシーア派イマームたちもムハンマドと同様の扱いである。一方、ムハンマド以外のほとんどの預言者は頭光を帯びるものの、顔ははっきりと描かれる。すなわち、意図的に顔を描かないことがムハンマドとシーア派イマームの聖性を強調しているのである。

女性の預言者は存在しないが、聖なる女性と見なされて絵画ではムハンマド同様別格の扱いを受ける者もいる。オスマン朝皇帝のために一六世紀末に制作されたムスタファ・ダリールの『預言者伝』はふんだんに挿絵を含む全六巻のトルコ語ムハンマド伝(3)で、ここではムハンマドの母を初め、妻ハディージャおよびアーイシャ、娘ファーティマほかムハンマドの女性家族たちが頭髪と首元を覆う白い布に加えて顔面を隠す白いヴェールを纏い、ムハンマドのものよりは小さい頭光を帯びた姿で描かれる[図2]。

図2　「女性家族に別れを告げるムハンマドの娘」ダリール『預言者伝』手稿本，オスマン朝，1594-95年．ニューヨーク公立図書館，Spencer coll. Turk. ms. 3, f. 375b, https://digitalcollections.nypl.org/items/510d47da-615b-a3d9-e040-e00a18064a99

その他、予言の書および預言者伝の写本で、顔は描かれるが頭光を伴う女性は、ハウワー（イヴ）とマルヤム（マリア）である。全人類の母ハウワーはアーダムの妻として、マルヤムは預言者イーサー（イエス）の母として彼らと共に描かれる。ところが、預言者スライマーン（ソロモン）と必ず対で描かれるサバア（シェバ）の女王ビルキースは、頭光を帯びるスライマーンに対して、頭光は描かれない。サバアの女王はクルアーン（コーラン）第二七章に言及され、太陽崇拝を行っていたが、スライマーンとの知恵対決で敗北し、イスラームに改宗する。同じように玉座に座った男女の君主像において、預言者であるスライマーンの優位性を強調しなければ、クルアーンの逸話の意味が薄れてしまうことがその区別の理由であろう。

それでも、女性が宗教的な文脈において、頭光を帯びたり、顔面に白いヴェールを垂らして描かれていることには注目できる。男性預言者と同様の扱いが聖なる女性に対してもなされているのであり、彼女たちへの尊崇の念が絵画表現から窺える。

二、物語のヒロイン

ペルシア語文化圏の文学写本では、物語の挿絵に様々なヒロインたちが描かれる。多くの場合イスラーム以前の時代が物語の舞台ではあるが、男性の登場人物同様、彼女たちの装束は描かれた当時の、その地域のものを反映している。

ペルシア語を母語とするサファヴィー朝では挿絵入り文学写本の制作は、第二代タフマースブ一世(在位一五二四―七六年)の治世に頂点に達した。タフマースブのために作られたフィルダウスィー作『王書』(シャー・ナーメ)写本(分蔵)、ニザーミー作『五部作』(ハムセ)写本(大英図書館蔵、Or. 2265)などでは、色鮮やかな重ね着の長衣と白い頭布を纏い、冠を被った女性が多くの挿絵に描かれている[4]。首元は露出しており、顔貌もはっきりと描かれる。女性がどのような行動をしているかは物語の叙述に従うことになるのでここから時代や地域の特殊性を指摘することは難しいが、主人公とヒロインが物語の進行上接触する場面以外では男女の人物像が隣り合わせに描かれることは少なく、女性たちはハレム(宮廷や家庭のなかの女性たちの居住部分)にいて、王や家長、門番や下僕を

図3 「スィヤーヴシュとジャリーラの結婚」タフマースブ1世のためのフィルダウスィー『王書』写本，サファヴィー朝，16世紀前半．ニューヨーク，メトロポリタン美術館，1970.301.27

図4　「水浴びをするシーリーン」タフマースブ1世のためのニザーミー『五部作』写本，サファヴィー朝，1539-43年．ロンドン，大英図書館．

除く男性たち一般とは空間を異にする点が一貫している[図3]。その区分が壁や柵による隔たりであったり、建物全体が女性のみの居所であったり、男性とは居住する階が別であったりする。すなわち、絵画は当時の男女別の居住のあり方を反映していると言える。

ニザーミー作『五部作』中の『ホスローとシーリーン』には、アルメニアの王女シーリーンが旅の途中、泉で水浴びをしているところをイランの王子ホスローが覗き見るという、よく知られた場面があり、シーリーンが着衣、冠、履き物を傍の樹木に掛けたり泉のほとりに置いたりして水浴びをしている様子が挿絵として写本にも描かれる[図4]。腰巻を纏った上半身裸の姿のシーリーンは、髪の毛を前身に垂らして洗っており、胸元が完全に露出することはない。こうしたサファヴィー朝時代の表現は、現存最古の挿絵入り『五部作』写本(一四世紀後半)に既に見られる、ほとんど変わることのないこの場面の図像を踏襲している。クルアーン第二四章において女性は美しい部分を家族以外の者に見せてはならないと述べられているにもかかわらず、髪の毛全体を露わにした半裸の女性像を含む場面が数世紀にわたって頻繁に描かれ続けたのである。シーリーンの水浴びの場面は、主人公二人の最初の出会いという物語の中の重要な挿絵画題として受け入れられたのかもしれないが、覗き見て、人差し指を唇にあてるという驚きの仕草を見せるホスローと同様、イスラーム絵画としては思いがけない露わな表現に、観者の目も引き寄せられたことだろう。

しかし、髪を下ろし、上半身が裸で腰巻のみの姿は、ターバンや帽子を被った姿が大半を占めるこの時代の男性像においても、特異な姿であると言える。このような姿で常に描かれる男性像は、同じくニザーミー作『五部作』の一つ、『ライラーとマジュヌーン』の主人公マジュヌーンである。少年カイスは初等学校で同級生だったライラーを愛するあまり狂ってしまい、マジュヌーン（「狂気」）と呼ばれ、荒野に出奔する。被り物も履き物も身につけず、服も引き裂いて彷徨《さまよ》う半裸のマジュヌーンの姿も、「水浴びをするシーリーン」同様、遅くとも一四世紀後半以来定型化した図像である［**図5**］。この姿は挿絵の中ですぐに見出すことができ、同時にマジュヌーンの尋常ではない心境を一見して理解することができる。すなわち、物語の叙述が必要とすれば、挿絵において男女問わず被り物や衣服を伴わない姿で描くことが可能であって、観者もそのような表現を受け入れていたのであり、この状況は数百年にわたってペルシア語文化圏で維持されていた。

図5　「マジュヌーンとサラーム」ニザーミー『五部作』写本，サファヴィー朝，1619-24年．パリ，フランス国立図書館，Supp. Pers. 1029, f. 168b. source gallica.bnf.fr/BnF

オスマン朝においても、ムガル朝においても、ペルシア語の古典文学がそのまま受け入れられ、王朝独自の物語文学はほとんど発展しなかった。しかも、イランの挿絵入り写本が圧倒的な優位を占めるこの分野の書籍において、両王朝とも、過去から当世の優れたイラン写本をできるだけ多く自分たちの図書室に獲得することに腐心していた[5]。新たなペルシア語挿絵入り物語写本はあまり多くはないものの、スレイマン一世時代（一五二〇―六六年）、アクバル時代

（一五五六―一六〇五年）を中心にそれぞれの王朝の宮廷書画院で作られた。(6) これらの地域でも物語の女性たちはそれぞれの地域の当時の服装を纏って描かれ、サファヴィー朝絵画と同様の傾向を示す。

三、宮廷の女性たち

オスマン朝、ムガル朝において最も重視された絵画は歴史書の挿絵であった。イスラーム史全体を扱った歴史書もあるが、皇帝たちは自分と自分の祖先に直接関わる王朝史や治世史の挿絵入り手稿本（多くの場合は一点ものの作品）を制作することに心血を注いだ。挿絵には、皇帝自身はもちろん、その皇子たちや臣下たちの姿が描かれ、それぞれが誰なのかを識別できるよう意図されていた。しかしながら、オスマン朝では王朝の歴史書挿絵に宮廷の女性たちが描かれることは一切なかった。このことは彼女たちがハレムの外に出たり、皇帝以外の人々に姿を見せることが厳しく制限されていたこと、歴史の表舞台に女性は出されなかったことを示している。(7) 有名なスレイマン一世の妃ヒュッレム・スルタン（一五五八年没）の現存肖像画は全てヨーロッパ人による想像画である。

それに対して、ムガル朝では治世史における結婚や皇子の誕生など限られた場面ではあるが、宮廷の女性たちが描かれる。例えば、アクバルが自らの半生史の執筆をアブルファズルに命じ、一五九〇―九五年ごろに挿絵入りで作成させた献呈本の『アクバル・ナーマ』（ヴィクトリア・アンド・アルバート美術館蔵、IS. 2-1896）では、一五六九年のアクバル待望の男子後継者サリーム（後のジャハーンギール、在位一六〇五―二七年）の誕生を祝う様子が見開きで描かれており、右側のページには男性たちからは隔離されて、壁に囲まれた空間に住まう宮廷の女性たちが見える［図6］。ハレムはムガル朝では「ザナーナ」と呼ばれ、皇子誕生時には新都ファテプル・スィークリー（インド）にあった。ここでは女性たちが出産直後のアクバルの妻と生まれたばかりの赤ん坊の世話でばたばたと忙しげに働いている。ザナーナ

図6, 7 「王子サリームの誕生」アブルファズル『アクバル・ナーマ』写本, ムガル朝, 1590-95年ごろ. ロンドン, ヴィクトリア・アンド・アルバート美術館, IS. 2:78&79-1896. Ⓒ Victoria and Albert Museum, London

の入り口では、駆けつけた下僕から女性がベビーベッドを急いで受け取る、緊迫した瞬間が描写される。ザナーナと外壁の間では男性音楽家が演奏で皇子誕生を祝っている。さらに外壁の外には男女を問わず一般市民が押し寄せて、宮廷からの祝儀の施しを受けている。アクバル自身は左側のページに描かれ[**図7**]、男性の臣下と皇子誕生を喜んでいるが、彼らは別の都アーグラー(インド)にいる。これは、男親は新生児の顔をすぐには見ないというインドの慣習に従ったためである[8]。歌舞音曲で祝いの席が盛り上げられているが、男性たちと混じって女性音楽家やダンサーの姿も見える。これについては後述する。

ムガル朝第五代で、タージ・マハルを建設したシャー・ジャハーン(在位

図8　「ジャハーンギールと皇子フッラムをもてなすヌール・ジャハーン」，ムガル朝，1640-50年ごろ．ワシントン，フリーア美術館，F1907.258

一六二八－五八年）の画帖に貼られた一枚の独立した絵画［図8］には、父ジャハーンギールと皇子時代のシャー・ジャハーンがジャハーンギールの妃ヌール・ジャハーン（一六四五年没、シャー・ジャハーンにとっては義母であり、自らの妃ムムターズ・マハルの叔母にあたる）にザナーナでもてなされている様子が描かれている。噴水のある整然とした庭に面した、壁面装飾も美しい四阿《あずまや》の前に絨毯《じゅうたん》を敷いて座る三人だが、ヌール・ジャハーンは藤色のズボンと透けた上衣、たくさんの宝石を纏って、堂々とした表情で男性二人と向かい合う。左手に持つ金の受け皿に載せていたガラスの杯をジャハーンギールに差し出した直後の彼女の姿を描いたものだろう。ヌール・ジャハーンはこの場の女主人として周りの侍女を従え、高貴な男性客二人のもてなしを取り仕切っており、ジャハーンギールこそ頭光を帯びているが、座の中心は彼女である。

サファヴィー朝では一六世紀半ばにタフマースブ一世が写本挿絵への関心を失ってしまってから挿絵芸術が著しく衰えたうえ、物語写本に比べ、王朝史手稿本に挿絵を入れようとする傾向が乏しかった。(9) しかしながら、宮廷の女性と思われる貴人像は画帖用の独立した絵画、宮殿の壁画、タイル画には見られる。例えば、**図9**はサファヴィー朝の宮殿のために作られた組みタイルであるが、ここでは花の咲き乱れる庭園の中で髪の毛を頭頂で束ねただけの女性がクッションの上に横たわって杯を手にしてこちらを向いている。傍らには当時サファヴィー朝で流行していたヨー

図9「庭園での宴」タイル，サファヴィー朝，1640-50年ごろ．ニューヨーク，メトロポリタン美術館，03.9c

ロッパ風の衣装を纏った男性がおり、ストールのようなものを女性に差し出している。周りにはターバンの若者、侍女たちが控えていて、中央の女性の身分が高いことを思わせる。このタイル画が宮殿にあったとすれば、実際にこれを目にすることができた人物は限られていたであろうが、サファヴィー朝では宮廷女性の表現がほぼ制約なく行われていたことがわかる。壁画においてもタイル画においても、男性、女性のいずれもが同じような扱いで描かれ、その数がどちらかに偏ることは見られない。

宮廷の女性を描くことに関して、三王朝それぞれで異なった立場を示していることは大変興味深い。王朝史の挿絵に一切女性を描かないオスマン朝に対し、ムガル朝では主題として必要とあれば女性たちも描き、さらにそれが誰であるか識別できる肖像画も制作した。どの場合においても、絵画の享受者は宮廷人、とりわけ皇帝を取り巻く少数の者に限られていたと思われるが、このような差が生じたのは、オスマン朝の歴史書が宮廷歴史家による公式の歴史であり、それに付随する挿絵も公式の絵画と見なされたのに対して、ムガル朝の歴史書挿絵や画帖絵画が皇帝にとって私的な所有物であったためと考えられる。これら二王朝では人物像が建築装飾の主題として施されることはほぼなかったが、人物画

図10　「アッバース2世とナーディル・ムハンマド・ハーン」，イスファハーン(イラン)，チヒル・ストゥーン宮殿壁画，サファヴィー朝，17世紀後半．深見奈緒子撮影

の長い伝統を受け継ぐサファヴィー朝では、人物を描いた宮殿壁画・タイル画が君主の私的な空間を飾り、描かれるのが男性像であっても女性像であっても許容された。多くの場合、こうした宮廷人物像は理想化された非現実的な美を体現しており、特定の人物の表象というよりも、美の具現化として認識されていたと思われる。

四、音楽家、ダンサー、女性の風俗

音楽を奏で、歌い、踊る女性の姿は、イスラーム地域では八世紀ウマイヤ朝時代の建築装飾を初めとして長く描かれ続けてきた。壁画や写本挿絵のみならず、工芸品の図様として描かれることもあり、イスラーム地域における女性表象の代表的ジャンルであったと言える。イスラーム以前の中東の伝統が継承され、イスラーム初期の宮廷で歌舞音曲を提供したのは、専門的に教育された奴隷であった[10]。

一六世紀以降の三大王朝においては、歌舞音曲に携わる女性たちは工芸品の図様としては見られなくなったが、インド、イランでは絵画の中の構成員として見出すことができる。ムガル皇帝アクバルの前で彼の息子の誕生を祝って踊ったり演奏したりする人々は男女入り混じったグループで、人種もさまざまである［図7］。サファヴィー朝においても、首都イスファハーンの宮殿チヒル・ストゥーン(一六四七年創建)に描かれた一七世紀後半の壁画には、サファヴィー朝歴代君主が他国の君主をもてなすさまを描いたものがあり、君主、賓客、高官の前で男性も女性も共に踊りと音楽を披露している様子が見える［図10］。インドでもイランでも祝賀や饗応の場面で当時実際に行われていた様子が再現されていると思われるが、宮廷で歌舞を行う人々は男女混合のカンパニーであったようだ。

ところがオスマン朝では公式の場面において女性ダンサーは描かれない。一八世紀前半に画家レヴニー（一七三二／三三年没）がアフメト三世（在位一七〇三―三〇年）の皇子たちの割礼式の祝典（一七二〇年）を絵画で記録した手稿本では、音楽家とダンサーが一緒に演じる様子が何度も描かれているが、音楽家は男性のみであり、ダンサーは女性の服装を身につけた若い男性奴隷で、女性ダンサーが祝典に参加することはなかったことがわかる[11]。

一方、オスマン朝では一七世紀後半からヨーロッパ人訪問者がトルコ人画家に注文して王朝内の多様な身分の男女の風俗を絵画化させる機会が増えた。フランス人レナル編の画帖『トルコの現地人』（一六八八年）所収の六〇枚の人物画は、宮廷画家でもあったムサッヴィル（画家）・ヒュセイン（生没年不詳）の作とされ、皇帝の寵姫から市井の人々まで女性像も八枚含まれる[12]。街ゆく女性を描いた**図11**は、白い大きな襟に赤い表地、青い裏地の長い上衣を身につけ、黄色いブーツを履き、前髪を黒い布、残りの髪を白い布で隠し、鼻と口を半透明のヴェールで覆った女性が、歩きやすいように裾をわずかに持ち上げて闊歩する姿を示す。一般的なトルコ人女性を描いたと思われるが、この絵画には確固とした眼差しと力強い足取りが見て取れる。一八世紀にはレヴニーも女性を含む貴賤様々な職業の人物を描いた画帖を作成したが、これはトプカプ宮殿の図書室に収められており、このジャンルの絵画が宮廷でも受け入れられた

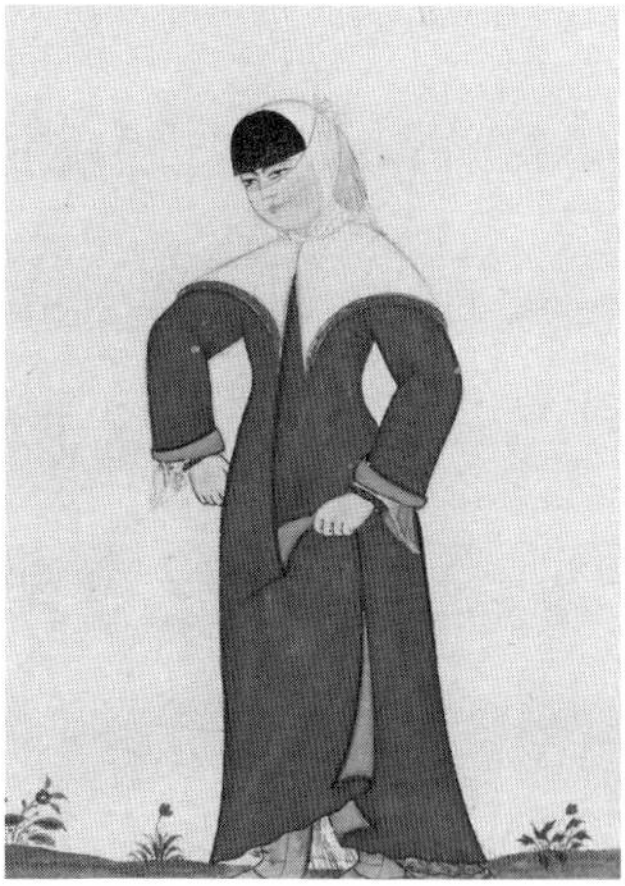

図11「街ゆくトルコ人女性」レナル編『トルコの現地人』，オスマン朝，1688年．パリ，フランス国立図書館 Od. 7, 55頁．source gallica.bnf.fr/BnF

図12 「公園でくつろぐ女性たち」ファーズル・エンデルーンル『女性の書』，オスマン朝，18世紀末，ロンドン，大英図書館．© British Library Board Or. 7094, f. 7a

ことを示唆する。[13] 女性ダンサーもこうした風俗画の中の一枚に描かれており、このような新ジャンルにおいて初めて、遠い過去の人物や物語人物ではない現実の女性の絵画化がオスマン朝で行われるようになったのである。

さらに一七九二／九三年にはファーズル・エンデルーンル（一八〇九／一〇年没）が世界諸国の男女の特性を詩に詠んだ『美男の書』と『女性の書』を著し、これに挿絵を施した写本が作られた。このうち『女性の書』写本には、ヨーロッパ各国の女性と共にオスマン朝の女性たちの姿も描かれている。[14] **図12**は公園でくつろぐオスマン朝の女性たちを描いており、敷物の上で横たわってキセルをふかす女性、ブランコに乗る女性、猿回しを見物する女性、お茶を振る舞われる女性など、思い思いに公園での一日を楽しむ様子が描かれている。

同じ時代に、等しくペルシア語文化に基礎を置く三つのムスリム王朝では、預言者伝や物語写本の挿絵における人物表現について、聖なる女性に対する配慮が男性の聖人と同じようになされたり、物語の特定の人物表現に髪を下ろした半裸の姿が男女ともに継続的に採用されたりしたように、服装は作画当時のものであり、居住区の別はあるが、男女の絵画化の方針には意識的な差異がなく、物語の叙述に従って自由に描かれていた。

しかし、当時の実際の女性を描く場合においては、それぞれ異なった態度を取っていたことがわかる。美術における人物表現に長い歴史を持つサファヴィー朝では、人物画が美を表す手段として用いられ、男女共に理想的な姿で描かれており、男性君主などの肖像画は描かれることはあったものの、宮廷人物像の実在性は全体に希薄であったと言える。ムガル朝では絵画において女性表現は男性表現ほど多くは見られないが、宮廷の女性の肖像性が追究されることもあった点は大きな特徴である。ムガル絵画の私的な性格に加えて、宮廷女性の個々の存在が絵画のパトロンである皇帝に尊重されていたことを感じさせる。オスマン朝でも母后や妃など宮廷女性は建築物を寄進するほどの力を有していたが、表向きは隠れた存在であり、王朝の歴史書の挿絵に宮廷女性の姿が描かれることは皆無であった。一七世紀後半以降、ヨーロッパ人の訪問によりこの地域の人々の風俗への関心が高まり、現地の画家の手で多様な階級の人々の姿が描かれるようになると、とりわけオスマン朝においては画家たちによる女性表現が歴史や物語に仮託することのない新たな段階を迎えた。

イスラーム絵画から読み取ることのできるジェンダー観は、画家の認識、パトロンの意向、画題の特性、絵画における流行の反映という点を差し引いても、地域や時代による特徴が見出され、今後のさらなる理解への端緒となり得る。描かれた女性の容姿や服装のみならず、多様な角度から絵画を分析していくことが肝要である。

注

(1) 予言の書は手稿本ごとに絵画も本文も異なる。ここでの予言はこれから起こることの予言であり、神の言葉を預かる預言とは別である。有名な手稿本としては、サファヴィー朝タフマースブ一世の宮廷で作られたと思われる分蔵本(一五七〇年代)、ドレスデン、ザクセン州図書館本(E445、一六世紀半ば—後半、イラン)、オスマン朝アフメト一世のためのイスタンブル、トプカプ宮殿図書館本(Hazine 1703、一六一〇年代、トルコ)がある。(Farhad and Bağcı 2009)を参照。

(2) 絵画でムハンマドの顔にヴェールが掛けられるのは一六世紀のサファヴィー朝成立以降顕著であり、それ以前には顔も描かれていた。王朝の宗教的立場や地域性などにより、描かれたり描かれなかったりする。イスラーム美術におけるムハンマドの絵画表現については、(Gruber 2018)を参照。

(3) 第一、二、六巻はトプカプ宮殿図書館蔵(Hazine 1221-3)、第三巻はニューヨーク公立図書館蔵(Spencer, Turk. ms. 3)、第四巻はダブリン、チェスター・ビーティー図書館蔵(T 419)、第五巻は欠である。(Garrett Fisher 1984)、(Tanındı 1984)を参照。

(4) (Thompson and Canby 2003: 72-121)、(Canby 2014)などを参照。後述の図3。

(5) オスマン朝については(Uluç 2006)、ムガル朝については(Seyller 1997)などを参照。

(6) アクバル治下のムガル朝ではペルシア語文学だけでなく、『ラーマーヤナ』などのサンスクリット文学をペルシア語に翻訳し、挿絵を施した写本も制作された。(Calza 2012: V.19-31)を参照。

(7) 一方、オスマン朝の宮廷の女性たち自身は書籍とは密接に関わっていた。彼女たちは皇帝の図書室の本を借りたり、書籍制作のパトロンとなったり、皇帝などから挿絵入り手稿本を譲り受けたりすることもあった。例えば前述のムスタファ・ダリール『預言者伝』写本第四巻はマフムト一世(在位一七三〇―五四年)の寵姫が所有していたことが手稿本への書き込みからわかる。(Fetvacı 2013: 35-37)を参照。

(8) (Abu'l Fazl 1907: II 502-509)。

(9) 現存する挿絵入り王朝史写本として、サファヴィー朝初代君主イスマーイール一世(在位一五〇一―二四年)史の一七世紀写本が大英図書館(Or. 3248)など複数存在する。

(10) (Nielson 2021: 59-77)。

(11) トプカプ宮殿図書館蔵(Ahmed III 3593)。(Atıl 1999: Illustrations 16, 24, 25, 28, 29, 34, 35, 38, 39, 50, 42, 44)。

(12) フランス国立図書館蔵(Od. 7)。(Artan 2006: 433-438)。サファヴィー朝でも同様の画帖が制作されている。一六八四―八五年にイランを訪れ、一六九〇―九二年には日本にも滞在したドイツ人エンゲルベルト・ケンペル(一七一六年没)のための画帖には、イラン人画家ジャーニーによる人物画と動物画が収められている。大英博物館蔵(1974,0617, 0.1)。

(13) トプカプ宮殿図書館蔵(Hazine 2164)。年記はないが、一七二〇―三〇年ごろと考えられる(Artan 2006: 438-442)。

(14) イスタンブル大学図書館蔵(T. 5502)、大英図書館蔵(Or. 7094)など。いずれも一七九三年以降の制作(Artan 2006: 444-446)。

参考文献

Abu'l Fazl (1907), *The Akbarnāma of Abu'l Fazl*, H. Beveridge (tr.), 3 vols., Kolkata, The Asiatic Society (rep. 2000).

Artan, Tülay (2006), "Arts and architecture", Suraiya N. Faroqhi (ed.), *The Later Ottoman Empire, 1603-1839* (The Cambridge History of Turkey, vol. 3), Cambridge, Cambridge University Press.

Atıl, Esin (1999), *Levni and the Surname: The Story of an Eighteenth-Century Ottoman Festival*, Istanbul, Koçbank.

Calza, Gian Carlo (ed.) (2012), *Akbar: The Great Emperor of India*, Milan, Skira Edirore.

Canby, Sheila R. (2014), *The Shahnama of Shah Tahmasp: The Persian Book of Kings*, New York, The Metropolitan Museum of Art.

Farhad, Massumeh, and Serpil Bağcı (2009), *Falnama: The Book of Omens*, London, Thames & Hudson.

Fetvacı, Emine (2013), *Picturing History at the Ottoman Court*, Bloomington and Indianapolis, Indiana University Press.

Garrett Fisher, Carol (1984), "A Reconstruction of the Pictorial Cycle of the *Siyar-i Nabī* of Murād III", *Ars Orientalis*, 14.

Gruber, Christiane (2018), *The Praiseworthy One: The Prophet Muhammad in Islamic Texts and Images*, Bloomington, Indiana University Press.

Nielson, Lisa (2021), *Music and Musicians in the Medieval Islamicate World: A Social History*, London, I. B. Tauris.

Seyller, John (1997), "The Inspection and Valuation of Manuscripts in the Imperial Mughal Library", *Artibus Asiae*, 57.

Tanındı, Zeren (1984), *Siyer-i nebî: İslâm tasvir sanatında Hz. Muhammed' in Hayatı*, Istanbul, Hürriyet Vakfı Yayınları.

Thompson, Jon, and Sheila R. Canby (eds.) (2003), *Hunt for Paradise: Court Arts of Safavid Iran 1501-1576*, Milan, Skira Editore.

Uluç, Lâle (2006), *Turkman Governors, Shiraz Artisans and Ottoman Collectors*, Istanbul, Türkiye İş Bankası Kültür Yayınları.

焦点 *Focus*

地中海 さまざまな繊維や織物が行き交う場

鴨野洋一郎

はじめに

ユーラシア大陸の西端に位置する地中海は、古来よりさまざまな繊維や織物が行き交う場となっていた。一般に、地中海で取引された織物としては、中国やイスラーム地域からもたらされた絹や、ヨーロッパが輸出した毛織物がよく知られる。これらは一部の人びとにしか手に入らなかった奢侈品《しゃし》としてイメージされることが多い。しかし実際に地中海を舞台に展開された繊維や織物の取引は、これらの奢侈品の往来だけではとうてい語り尽くせないほどにバラエティに富んでいた。地中海周辺では絹や毛織物のみならず、その原料である生糸や羊毛、さらには亜麻布、綿布、原綿、モヘア織、絨毯《じゅうたん》といった繊維・織物も売買され、それぞれの種類やクオリティもじつにさまざまであった。残念ながらこうした繊維や織物の多くは数百年の時間のなかで消滅してしまい、また取引の実態を記した史料も限られている。だが断片的な記録や考古学的資料を丁寧に調べる研究が進み、この交易の様相がしだいに明らかになりつつある。

本章ではこれまでの主要な研究をふまえつつ、地中海地域における多種多様な繊維や織物について、おもにそれら

図1 地中海周辺およびヨーロッパ

の流通に焦点を絞って長期的に展望する。その際、この地域が人やモノが東西南北に移動する巨大なユーラシアの一部であったという事実を重視する。まさにこのユーラシアでも「絹の道」が象徴するように、繊維や織物は長い間きわめて重要な役割を果たしてきた。地中海地域における繊維・織物の流通を考えるには、ユーラシア全体におけるこの流通のダイナミズムを理解し、これとの関連で前者を把握することが不可欠である。本章では紙幅の限界もあるがユーラシア的な視点に立ち、近代以前の地中海地域における繊維・織物の交易の歴史を各時代ごとに見ていく。

以下で述べるように、近代以前の地中海地域では繊維・織物に関するいくつもの重要な変化が生じ、この地域の経済に大きな影響を及ぼした。もっともこうした変化を経験しながらも、地中海地域においては繊維や織物がつねに流通し続けた。日本の繊維工業史研究ではイギリスの産業革命の革新性ばかりが注目されるが、この交易の連続性こそが近代の繊維工業の重要な前提となっていたこともまた、強調されるべきであろう。広い地域・時代を扱うために本章の内容は概説的とならざるをえないが、それでも地中海地域における繊維・

織物交易の長期的な連続性を示すことで、今後の繊維工業史研究に一つの視座を提供したい。

一、ビザンツ帝国およびイスラーム地域の絹織物工業(六—一〇世紀)

古代の地中海地域では、高級品から中級品、低級品まで多様な織物が流通していた。すでに地中海周辺やヨーロッパの原料でつくられていた亜麻織物や毛織物、そしてこの時代にはまだ「東方」から届く高級品だった絹織物や綿織物は、のちに千何百年にもわたって地中海地域の重要な交易品であり続ける。またA・H・M・ジョーンズがいうように古代ローマでは家内労働による布の製造の経済的重要性は小さく、貧しい人物であっても市場で布を購入できた(Jones 1960: 184)。織物市場としての地中海が確立されていたのである。

この織物の流通は中世前期にはある程度の停滞を余儀なくされるが、他方でこの時期の地中海地域では蚕《かいこ》を育てて繭《まゆ》から生糸を取り出し、その糸で織物をつくる一連の絹織物工業が始まっていく。まず「ローマ」を継承したビザンツ帝国において、六世紀にユスティニアヌス帝が地中海周辺で初めて養蚕に成功する。二人の修道僧が繭を「東方」から密かに運んだのがきっかけというエピソードは、真偽のほどは別にして有名である。彼の治世以前にも輸入した生糸で織物をつくる技術はあったが、R・S・ロペスが「ゆるやかな産業革命」(Lopez 1945: 12)と呼んだ養蚕業の開始で、ビザンツ帝国はサーサーン朝ペルシアとの戦争で不安定になりがちな生糸の供給から解放された。帝都コンスタンティノープルはさまざまな絹をまとう人であふれ、外からの旅行者に鮮烈な印象を与える。またビザンツ帝国が周辺国に友好の証として贈る高級な絹織物は君主らを大いに驚かせた。輝かしい「ローマ」の威光を内外に示すため、絹の光沢は視覚的な効果を存分に発揮したのである。

この効果を維持するためにビザンツ帝国は技術の流出に注意し交易を制限するなど絹織物の「独占」を試みたが、

重要と判断した商人には交易の制限を緩和していた。例えばヴェネツィアは皇帝が禁止する最高級織物以外のすべての絹輸出を許され、ビザンツ帝国とヨーロッパとの絹交易に重要な役割を果たしていく。ヨーロッパには多くのビザンツ帝国の織物が入り込み、A・M・ミュセシアスはヨーロッパ各地に残る四世紀から一二世紀までの絹織物の約三分の二がビザンツ帝国に由来するものと推測している(Muthesius 1995: 135-145)。

ビザンツ帝国とともに地中海地域の絹織物工業に大きな役割を果たしたのが、アラブの勢力である。彼らはすでに高度な絹の製造技術を持っていたサーサーン朝とビザンツ帝国の一部を支配下に置くが、これはユーラシア西部の絹織物工業をそのまま引き継いだことを意味した。さらにアラブ人は進出したイベリア半島やシチリアにも養蚕業を導入し、その結果地中海周辺には広域的な絹織物工業地帯が登場する。D・ジャコービによれば、中東のムスリム都市では八世紀にはすでに市民のなかで絹の広範な消費が見られ、一一世紀から同様の現象が起こるビザンツ帝国やヨーロッパよりも先んじていた(Jacoby 2004: 239)。

ムスリムがつくる高級絹織物のモチーフ(狩りの場面など)や模様、構成はビザンツ帝国のそれと類似しており、ともにサーサーン朝からの影響を強く受けていた。またムスリムとビザンツ帝国相互の影響(象のモチーフなど)も観察できる。この背景には、地中海東部における活発な交易活動があった。交易を通じて遠隔地から来た絹織物が評判を得てその模倣品がつくられる、ないしは質を落とした低価格な模倣品がつくられるということは、条件が揃えばどこでも起こりえた。前近代の繊維工業を論じる際、奢侈品としての高級織物には多くの関心が集まるものの、中級品や低級品の経済史的意味が強調されることは少ない。だが、この関心の偏りは繊維・織物の流通の実態を考える上で大きな妨げとなる。域内商業のみならず地域間商業においても、つねに高級品の製造が志向されたわけではない。より確実かつ広範な需要が得られると判断した場合には、あえて織物のグレードを下げ、それを大量に製造するという選択肢もとられた。それは絹に限ったことではなく、綿織物や毛織物など他の織物にも当てはまる。グレードを下げる例としては生糸に別の繊維を混ぜてつくる「ハーフ・シルク」が挙げられる。こうして類似する繊物がつくられていくことは結果的には「文化交流」ということになるが、実際には外からやってくる織物に対する輸入代替の努力であった。

ここで注目すべきは、この「文化交流」において外から移住してきた職人が大きな役割を果たしたことである。一一世紀にシリアのユダヤ人はエジプトやビザンツ領内に移住したが、移住者のなかには織布工や染色工が含まれていたらしい。またシチリア王ルッジェーロ二世がパレルモにテーベやコリントから職人を連れてきた有名な例や、戦争捕虜として連行される職人の例もあった。民族や宗教の垣根を越えた移動が容易だった時代、技術の移転はなにより も職人の移動によってもたらされた。

以上で見たような工業の振興、製品の模倣、技術移転といったプロセスが進むには、安価な製品も含めた大量の商品が流通する状況が必要であった。古代ローマやビザンツ帝国、イスラーム地域ではそうした状況が程度の差はあれ整っていたといえる。他方で中世前期のヨーロッパは、かつてH・ピレンヌが強調したほどではないにしても商業ネットワークの衰退を経験していた。しかし第二次民族移動が収束に向かい、ヨーロッパの商業が復活していくと、ここでも繊維・織物をめぐる重要な動きが生じてくる。

二、ヨーロッパの繊維工業(一一―一三世紀)

地中海商業の復活に大きな役割を果たしたのはいうまでもなくイタリア都市の商人であり、早くからビザンツ帝国と交易したヴェネツィアにくわえ、一一世紀からはジェノヴァやピサ、アマルフィなどの港市もぞくぞくと海上交易に乗り出していった。イタリア商人はその後長きにわたって地中海の交易を拡大させ、その結果レヴァント(地中海東

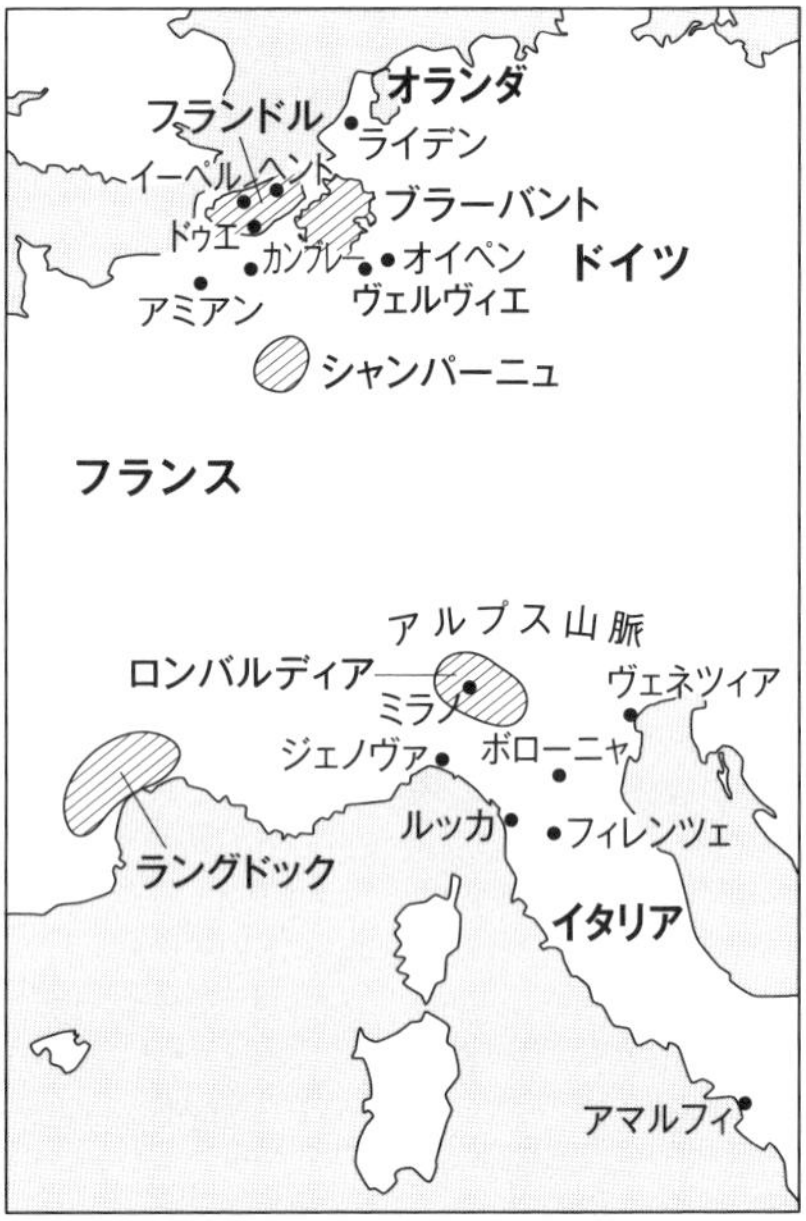

図2　ヨーロッパ中央部

部地域)と経済的に結びついたヨーロッパでは綿織物、毛織物、絹織物をつくる工業が勃興する。以下、各工業について見ていこう。

　ワタから繊維を摘みとり糸にして織った綿織物は古くからインドの特産品で、ローマ時代の地中海にも到来し、奢侈品として珍重されていた。綿布の需要の高まりからローマ領内でも綿花は栽培されたが、ビザンツ帝国の下でその規模は縮小したようである。しかしアラブ人がつくった広大なイスラーム地域において、綿花栽培および綿布製造は一大発展をみせた。この背景には、九世紀から一一世紀にかけての「中世温暖期」に綿花を栽培できる地域がユーラシアの東西に一気に広がったことがある(Fennell-Mazzaoui 1981: 20-21)。灌漑技術の発展も安定した原綿生産をもたらした。イスラーム地域では高度な商業ネットワークに支えられ、高級品から低級品まできわめて多種多様な綿製品が市場向けにつくられる。外套やターバン、チュニック、夏用のドレスなど綿の用途はさまざまで、またキルト加工を施すことによって綿布は防寒具にも最適であった。

　イタリア北中部の都市は交易を通じてさまざまなイスラーム地域の綿布に親しみ、そして自らこれをつくろうと考えたのだろう。おそらく職人の移動によりイベリア半島、シチリア、十字軍国家を経由して綿織物の技術がヨーロッパへと入った。そして技術を得たロンバルディアの都市は、ヴェネツィアやジェノヴァの船舶がシチリアやシリアなどから運ぶ原綿を使い綿布をつくり始めていく。イタリアの綿工業は、一二世紀から一三世紀にかけて大いに栄えることになった。

M・フェンネル＝マッツァーウィによると、イタリアの綿工業は「大量生産工業」という特徴をもっていた。ここでは外からの原綿を使って紡車《ぼうしゃ》で規格化された糸を大量につくり、さらに垂直の整経機や水平の足踏み織機も導入して織布の「機械化」に成功する(Fennell-Mazzaoui 1981: 73-86)。紡車も水平の織機も、「東方」で生まれたものをヨーロッパが導入し、そこで改良したものであった。製造コストを削減して国際的な競争力を得たロンバルディアの綿布は、イベリア半島、フランス、シチリア、北アフリカ、さらには黒海を経由してロシアや中央アジアにまで運ばれる。ヨーロッパで流行するジャケット、クッションにいれる柔らかい詰め物、帆船につける丈夫な布などはこの綿工業が新たにもたらしたものであった。

つぎに毛織物である。フランドル地方では古代から良質な羊毛を使った毛織物がつくられ、中世前期にもその製造はある程度続いたと思われる。だがこの地域の毛織物が国際商品として再び表舞台に立つのは「商業の復活」以後のことである。一二世紀から一三世紀にかけてドゥエやヘント、カンブレー、イーペルなどの都市でつくられた毛織物は、各都市の商人で結成した「一七都市ハンザ」を通じて各地で販売された。毛織物はシャンパーニュ地方の都市で開かれる大市《おおいち》でも大規模に販売され、そこに集うイタリア商人の手により南へと下り、さらには地中海地域の各地でも取引されていく。

フランドルの毛織物は、ピレンヌが描いたような地中海商業を彩る高級な織物としてイメージされることが多い。だがP・チョーリーはこのイメージは誤りであるとして、毛織物につけられる名前やその価格が多様だったことから、実際には高級な織物から安価な布までさまざまなものが流通していたと主張した。近年毛織物の歴史の総合的把握に挑んできたJ・H・マンロもこれを認めており、いまでは毛織物を奢侈品としてのみ捉える考えは否定されている。このことは、すでに見たように当時イタリア商人がさまざまな綿織物を販売した状況も考慮するならば、なおさら妥当と思われる。一二世紀および一三世紀の地中海地域は、バラエティに富んだ各種の織物が流通する場となっていたのである。なおマンロは当時の毛織物の種類について、大きく「ウルン」「ウーステッド」「サージ」に分類している。(1)

地中海地域に入った毛織物はイタリアのさまざまな階層によって消費され、そしてさらに綿布とともに船に積まれてレヴァントへも向かった。よく知られているように、フィレンツェのカリマーラ組合はフランドルの白地の布を輸入し、市内でグラーナなどを使って染色し再輸出していた。布を深紅に染める昆虫染料グラーナはレヴァントなどからもたらされるので、フランドル、イタリア、レヴァントが毛織物工業でつながっていたことになる。フランドルの毛織物は、すでに織物市場として成熟していた地中海地域に北部までのヨーロッパを組み込むという重要な役割を果たした。

最後に絹織物である。イタリアではすでに一一世紀には「東方」から生糸を輸入して絹の布をつくっていたようだが、高級な絹織物を初めて製造したのは一二世紀半ばのルッカにおいてである。その後職人の移動により絹の技術はボローニャ、ミラノ、フィレンツェなどへ移り、ヴェネツィアにはビザンツ帝国を経由して技術が移転したと思われる。大きな資本を必要とし原料を輸入にたよる絹織物工業は、これら商業が盛んな北イタリアの大都市に根付いていった。

こうしてイタリアでは絹織物の製造が始まるが、他方でヨーロッパは伝統的なイスラーム地域の絹織物も求め続けた。十字軍とムスリムの戦闘が断続的に続くなか、「東方」からヨーロッパへ戻る商人、兵士、巡礼者などは現地の物産を携えていく。そこにはイスラーム地域の絹織物も多く含まれていたはずである。ジャコービによると、名声あるエキゾチックな「東方」の物産はときに神秘的なオーラを放ち、ヨーロッパの人びとを魅了し熱狂させたという(Jacoby 2004: 230-231)。

一三世紀にモンゴルがユーラシアに広く拡大すると、中国からヨーロッパまでの巨大な物流空間が形成された。このことはユーラシアの絹織物工業にも影響を及ぼし、「タタール織」と呼ばれる織物が中央アジアから中東まで広い地域でつくられるようになる。この織物はイスラーム地域、中央アジア、中国のモチーフや模様をあわせ持ち、まさにモンゴルによるユーラシア統合を象徴するものであった。ヨーロッパはヴェネツィアなどを経由してタタール織を盛んに輸入し、一四世紀に入るとルッカなどがこれを模倣しつつ新たな模様を盛り込んだ織物をつくり始める。そしてヨーロッパの「タタール織」は「東方」へと再び戻され、それがさらに模倣されていく。こうした「交流」の過程を経て、一四世紀には中央アジアからヨーロッパまで共通する国際的なデザインが確立されていった。

この「モンゴルの平和」下での文化交流は「平和」の崩壊とともに終焉するが、その後地中海地域にはオスマン帝国という新たな勢力が拡大した。他方でヨーロッパではイギリスなどの強力な主権国家が成立する。オスマン帝国およびヨーロッパの諸国家は相互に関係しつつ、近世における地中海の繊維・織物の流通にきわめて重要な役割を果たすことになる。

三、オスマン帝国とヨーロッパ(一四―一七世紀)

一四世紀はヨーロッパにとって飢饉や疫病、戦争が続いた時代であり、繊維・織物の流通もこの全体的な趨勢に影響を受けた。マンロによると、一三世紀末からの戦争などによる輸送コストの上昇により、それまで多様な毛織物をつくっていたフランドルの各都市は利益確保のため、上質なイギリス羊毛を使用した高級品の製造に特化する(Munro 2012: 65-72)。また一四世紀なかばには、従来の伝統的な都市のほかに農村の労働力を使ってより安価に高級な毛織物(「ヌヴェル・ドラピエ」)をつくる拠点も登場する。さらにブラーバントの工業やイギリスの農村工業も成長し、北西ヨーロッパの毛織物工業は大きな再編の時代に入っていった。

この動きに連動するように、イタリアでも毛織物工業の再編が見られた。その一例がフィレンツェの毛織物の「高級化」である。星野秀利が明らかにしたように、一三二〇年代からフィレンツェはイギリスの上質羊毛を使った高級な織物をつくり始める。この羊毛をフィレンツェまで送ったのは同市のバルディ家やペルッツィ家が経営する商社であり、これらの商社は輸送コストが上昇した時代でもその組織力により安定的に原料を輸送した。

またイタリアでは、絹織物工業のさらなる発展も生じた。S・トニェッティが論じるように、黒死病後に人口が減少したイタリアでは少数の熟練した職人を求める絹織物工業が当時の状況に合っていた(Tognetti 2002: 16-24)。そのためフィレンツェではある程度の資産をもつ家が絹織物工業へ投資するようになる。原料の生糸については中国生糸の輸入がモンゴルの分裂により減少するものの、かわってカスピ海沿岸からペルシア生糸が輸入され始め、後者はイル・ハン国の分裂やティムールの進出によって輸送ルートを変えつつもイタリアに入り続けた。

イタリアにおける毛織物・絹織物の両工業の成長は一五世紀に入っても続くが、これに大きな役割を果たしたのが地中海東部で急速に勢力を拡大させたオスマン帝国である。この国が包摂した寒冷なアナトリアやバルカン半島の高原では毛織物への需要が大きかった。またブルサやイスタンブルには、帝国が支配下に置いたアナトリアを横断してペルシア生糸が集まった。オスマン帝国は毛織物と絹織物の双方をつくるイタリアにとって魅力的な交易パートナーとして映る。例えばフィレンツェはイベリア半島やイタリアの羊毛を使って良質な毛織物「ガルボ織」をつくり始めるが、これをイスタンブルやブルサで販売し、その売上でペルシア生糸を購入しフィレンツェへ送った。そしてその生糸は再び織物へと姿を変え、ヨーロッパの各地へと運ばれていった。

こうしてオスマン帝国はイタリア製品の新たな市場となったが、帝国における繊維や織物の生産もまた活発であった。以下、オスマン帝国の繊維工業を順に見ていこう。

まず綿工業である。オスマン帝国ではバルカン半島やアナトリア、シリアの各地で綿花が栽培され、その原綿を使ったさまざまな綿布がつくられた。A・ゲーカスによると、この綿布は少なくとも二〇〇〇万人のオスマン領内の人びとの需要を十分に満たしたという(Gekas 2007: 4)。なおオスマン帝国はインドから上質な綿織物も輸入し、これはヨーロッパから来る毛織物とともにもっぱら富裕層の消費に向けられた。

オスマン領内でとれる原綿は、領内の綿工業に回されるほか、多くがヨーロッパへも輸出された。前述のように一二―一三世紀にイタリア北部で綿工業が栄えた後、綿工業はアルプスをこえてドイツやフランス、オランダなど各地へ広まる。ヨーロッパの人びとの間で綿製品の利用がますます浸透していくなか、オスマン領内の原綿はヨーロッパ各地の綿工業に使われていった。とりわけ一八世紀には、原綿はヨーロッパがオスマン帝国から輸入する商品の中心となる。

他方でオスマン帝国はヨーロッパに対し、製品である綿布の輸出も行った。深沢克己によると、フランスははじめインドでつくられた更紗や綿モスリンをオスマン帝国から輸入していたが、一八世紀には今度は帝国でつくられた捺《なっ》染《せん》用白綿布や「シャファルカニ」とよばれるアカネで染めた赤色更紗を輸入するようになる(深沢 二〇〇七：一一五―一五五頁)。白綿布の輸入はフランスで捺染による染色技術が興っていたことを物語るが、この技術はアルメニア人によってマルセイユに伝えられていた。捺染技術やアカネから鮮やかな「トルコ赤」を出す技術は、ヨーロッパが「東方」から最後に学んだ技術といえる。産業革命前夜においても、地中海地域は繊維・織物の技術の伝播にきわめて重要な役割を担っていたのである。

つぎに絹織物工業である。前述のようにペルシア生糸の「道」の整備によって生糸の集積地となったブルサでは、一五世紀に奴隷を使った絹織物製造が始められた。ブルサの織物はビザンツ、ペルシア、イタリア、中央アジアの各特徴を融合させた高価なもので、オスマン宮廷によって大量に購入される。ブルサの工業は一六世紀後半まで栄えるが、一六〇〇年前後に「価格革命」の影響を受け、その際M・チザクチャによると生糸の価格上昇率が絹織物のそれよりも高かったことによりその後は停滞した[2](Çizakça 1980: 148)。

生糸の価格上昇はヨーロッパでの生糸への高い需要によるものだったが、これに応えるように一七世紀に入るとブルサで生糸の生産が強化され、その多くがヨーロッパへと輸出される。一八世紀にはイギリスが中国の生糸を使い始めたためブルサ生糸の価格が下がり、絹織物製造が一時的に復活してクッションカバーなどの中級品が大量につくられた。しかしつぎの世紀にはフランスの求めで紡績工程を機械化し、今度は工業製品としての生糸の輸出に精力を傾ける。こうした展開を経て、オスマン帝国は日本と同じく生糸の一大輸出国となっていった。

つづいてモヘア織工業である。アンゴラヤギの毛を織ったモヘア織(オスマン帝国では「ソフ」、ヨーロッパでは「キャムレット」などとよばれた)は、アンカラの周囲で上質な毛を産したため、ここの代表的な工業製品となった。染色の後、洗浄と十分な縮絨《しゅくじゅう》を施したモヘア織は、上質な毛織物の風合いをもっていたかもしれない。一六世紀なかばのスレイマン大帝は敬虔な立場から絹の着用を嫌い、かわりにモヘア織を好んだという。S・ファローキによるとモヘア織はもっぱらヴェネツィアとポーランドに輸出されたというが、フィレンツェにも輸出された記録が多く残っている(Faroqhi 2009: 91-93)。モヘア織は国際商品としても重要であり、この交易にはヴェネツィア商人やムスリム商人、ユダヤ商人なども関わっていた。だが一七世紀に入るとヨーロッパの戦乱でモヘア織輸出が困難になり、他方でヨーロッパのライデンやアミアンでもアンゴラヤギの毛を原料とする布(ライデンでは「フレイン織」とよばれた)がつくられるようになる。そこでアナトリアではモヘア織よりもモヘアの糸の生産が強化され、原料としてのモヘア糸がヨーロッパへ輸出されていった。

以上の工業のほかに、オスマン帝国ではバルカン半島の羊毛を使った毛織物工業がテッサロニキで興り、ユダヤ職人によりイェニチェリ用軍服のための布がつくられた。またアナトリア西部のウシャク地方では「ラグ」や「カーペット」などの大小さまざまな絨毯がつくられ、ヨーロッパにも輸出された。一五世紀から一七世紀にかけてヨーロッパの絵画のなかに多くの絨毯が描かれるが、これはヨーロッパでの絨毯の高い人気を物語っている。(3)

最後に、近世のヨーロッパからオスマン帝国に運ばれた毛織物について触れておこう。前述のようにフィレンツェの商人はオスマン帝国に自国の毛織物を輸出したが、その際彼らはイギリスの「カージー織」も大量に運んでいた。一六世紀初頭にイスタンブルに駐在したフィレンツェ商人ジョヴァンニ・マリンギによると、現地におけるカージー織の人気は高かったようである。この時期すでにオスマン領内に入っていたイギリスの毛織物は、一七世紀には同地にもっとも輸出されるヨーロッパ毛織物となった。サフォークの広幅織や「メリノ」で知られるスペインの良質羊毛を使った「スパニッシュ・メドレー」は、イズミルやイスタンブルを経由して領内へと大量にもたらされた。

オスマン帝国で需要があった毛織物は厚手の「ウルン」であり、前述のように寒冷なアナトリアやバルカン半島ではこれがつねに求められた。フィレンツェやイギリスのもののほか、一六世紀のヴェネツィア、一七世紀のライデン、一八世紀のラングドック、同世紀末のヴェルヴィエ゠オイペンでつくられたウルンは、オスマン帝国に大規模に輸出された。

もっとも一七世紀のイギリスは、重厚なウルンよりも「ニュー・ドレイパリ」とよばれる軽量な「ウーステッド」すなわち梳毛《そもう》織物をより多くつくっていた。この新たな流行をもたらす織物はヨーロッパ各地のほか新大陸へも大量に輸出され、ヨーロッパは新大陸とのつながりをいよいよ強めていく。しかしながら、一二世紀から一八世紀までじつに約七〇〇年にわたり、フランドル、イタリア、イギリス、オランダ、フランスのウルンを中心とする毛織物が地中海東部のレヴァントへ運ばれ続けたことは特筆すべきさである。この輸出は、幾多の危機に陥ったヨーロッパの繊維工業をつねに支えていたのである。

なおオスマン帝国へは、毛織物のほかにイタリアでつくられた絹織物も運ばれた。飯田巳貴によると、ヴェネツィアの高級絹織物は一六世紀末から一七世紀初頭にかけてイスタンブル宮廷や富裕層から大きな需要を得ていく(飯田二〇〇五：三一一頁)。かつて東西交易で名を馳せたヴェネツィアは、このころには繊維工業によって活力ある経済を維持していた。

おわりに

これまで見てきたように、古代から近世にかけて、地中海地域(さらにはそことつながる西アジア地域)では高級品から日用品まで多様な織物が東西南北を駆け巡った。地中海交易が奢侈品を中心とするものだったとする日本で定着してきた理解は事実に基づくものではなく、根本的な見直しが必要である。なおこの見方の背後には奢侈品としての高級織物を重視する考え方があり、そこでは地中海交易の歴史でたびたび生じた製品の「低級化」は工業の衰退として捉えられる。だが、事実はそうではない。むしろ「低級化」はある時代・地域における多様な需要のあり方への一つの対応として理解されるべきで、そこにそれだけの需要があったことこそが重要なのである。近年、消費の立場から経済活動を検討することが重視されるが、地中海地域における繊維・織物の流通もそのような観点から見ていくと、これまでとは大きく違ったイメージを描けるであろう。例えば気候の変動との関連で、消費さらにはそれに応じた繊維・織物の生産や流通を論じることも可能である。

見直されるべきもう一つの点としては、ヨーロッパ中心的な見方がある。これまで地中海地域における繊維・織物の流通は、ヨーロッパの工業化との関連で語られることが多かった。しかし最初に述べたように、この地域の流通はユーラシア全体の動きと連動せずにはいられなかった。このダイナミズムのなかで、さまざまなことが契機となって、古い工業が廃れたり新たな工業が興ったりした。本章ではできる限りユーラシアの繊維・織物の流通にからめて地中海のそれを描こうとしたが、西アジアとのつながりを示すのみにとどまった。中国やインドとの関連もまたきわめて重要であり、今後さらなる巨視的なイメージが描かれることを期待したい。

のちにやってくる近代ヨーロッパの「工業化」(それはけっして近代特有のものではない)は、このユーラシアとつながる地中海における繊維・織物の流通の歴史の延長上におこった。もっともそれは、単に「延長」とよぶにはあまりにもスケールの大きな現象だったかもしれない。イギリスが求める原綿はもはや地中海にはなく、遠く大西洋を越えたアメリカにあった。しかしそのことでさえ、中世の温暖期に原綿の生産が一挙にユーラシア東西に広がったことに比べて圧倒的に重要だったといえるだろうか。地中海交易の歴史は、近代を相対化するということのためにも、貴重な素材を提供しているのである。

注

(1) マンロは、使用する羊毛の長さや添油や縮絨の有無など、製造工程におけるさまざまな観点からこれらの三つに分類している(Munro 2012: 49-59)。

(2) イスタンブルにおける絹織物生産の本格化により、一七世紀がオスマン絹織物工業の最盛期とする議論もある(飯田 二〇〇五:三二四—三二六頁)。

(3) フィレンツェにもたらされた絨毯については、(Spallanzani 2007)を参照。

参考文献

飯田巳貴(二〇〇五)「近世のヴェネツィア絹織物産業とオスマン市場」歴史学研究会編『港町と海域世界』青木書店。

鴨野洋一郎(二〇一二)「ルネサンス期フィレンツェのペルシア生糸輸入——フィレンツェの経営史料から」『西洋史学』第二四七号。

佐藤弘幸(二〇〇七)『西欧低地諸邦毛織物工業史——技術革新と品質管理の経済史』日本経済評論社。

深沢克己(二〇〇七)『商人と更紗——近世フランス=レヴァント貿易史研究』東京大学出版会。

星野秀利（一九九五）『中世後期フィレンツェ毛織物工業史』齊藤寛海訳、名古屋大学出版会。

Ashtor, E. (1992), "The Economic Decline of the Middle East during the Later Middle Ages: An Outline", Ashtor and B. Z. Kedar (eds.), *Technology, Industry and Trade: The Levant versus Europe, 1250-1500*, London, Variorum, II.

Chorley, P. (1987), "The Cloth Exports of Flanders and Northern France during the Thirteenth Century: A Luxury Trade?", *The Economic History Review*, New Series, 40-3.

Çizakça, M. (1980), "A Short History of the Bursa Silk Industry (1500-1900)", *Journal of the Economic and Social History of the Orient*, 23-1/2.

Faroqhi, S. (2009), *Artisans of Empire: Crafts and Craftspeople under the Ottomans*, London/New York, Tauris.

Faroqhi, S. (2013), "Ottoman Textiles in European Markets", A. Contadini and C. Norton (eds.), *The Renaissance and the Ottoman World*, Farnham, Ashgate.

Fennell-Mazzaoui, M. (1981), *The Italian Cotton Industry in the Later Middle Ages 1100-1600*, Cambridge, Cambridge University Press.

Gekas, A. (2007), "A Global History of Ottoman Cotton Textiles, 1600-1850", *EUI Working Paper*, MWP No. 2007/30.

Jacoby, D. (2004), "Silk Economics and Cross-Cultural Artistic Interaction: Byzantium, the Muslim World, and the Christian West", *Dumbarton Oaks Papers*, 58.

Jones, A. H. M. (1960), "The Cloth Industry under the Roman Empire", *The Economic History Review*, New Series, 13-2.

Lopez, R. S. (1945), "Silk Industry in the Byzantine Empire", *Speculum*, 20-1.

Munro, J. H. (2012), "The Rise, Expansion, and Decline of the Italian Wool-Based Cloth Industries, 1100-1730: A Study in International Competition, Transaction Costs, and Comparative Advantage", *Studies in Medieval and Renaissance History*, 3rd Series, 9.

Muthesius, A. M. (1995), *Studies in Byzantine and Islamic Silk Weaving*, London, The Pindar Press.

Spallanzani, M. (2007), *Oriental Rugs in Renaissance Florence*, Florence, S. P. E. S.

Tognetti, S. (2002), *Un'industria di lusso al servizio del grande commercio: Il mercato dei drappi serici e della seta nella Firenze del Quattrocento*, Firenze, Olschki.

コラム | *Column*

イランから日本へ渡った染織品

阿部克彦

イラン美術の日本への伝播は、奈良時代に大陸から伝来したサーサーン朝のガラス器が正倉院御物に含まれていることからも明らかである。しかし唐代の中国でサーサーン朝の意匠が受容されたことにより、これに倣った図様をもつ染織品が奈良時代にもたらされ、その後国内における染織技術の発展にも寄与した。

時代がくだり近世に入ると、イランで制作された染織品がヨーロッパ人の来航に伴って日本に渡来した。豊臣秀吉所用と伝えられる陣羽織［**図1**］に用いられた織物は、絹製のタペストリー（綴織《つづれおり》による織物。敷物や掛け布として用いられる。トルコ語でキリム、ペルシア語でゲリーム）で、金銀糸が全面的に用いられた豪華絢爛な織物である。おそらくはポルトガル人によって秀吉に献上され、陣羽織に仕立てられたあと秀吉が着用したと伝えられる。弓形の曲線で構成された格子が一段ずつ交互にずらして配置され、それぞれの格子の中央及びボーダーに配置されたカルトゥーシュ内にはそれぞれ龍文や動物闘争文などが織り出されている。これに極めて類似した図柄や織の技術を持つ絹製タペストリーがヨーロッパの旧家に伝わり、今は滋賀県のMIHO MUSEUMに所蔵されている。どちらもイランのサファヴィー帝国下の一六世紀後半から一七世紀前半にかけて絹織物生産の中心都市であったカーシャーンもしくは都イスファハーンの工房で制作されたと考えられる。これと技術的に類似した絹綴織で、中央にポーランド王家の紋章が織り出された作例が伝世している。記録によれば、これは一七世紀初頭にポーランド王からイランに派遣されたアルメニア商人がカーシャーンの工房に発注したものであるという。当時のアルメニア商人は、キリスト教徒でありながらサファヴィー帝国やオスマン帝国に拠点をもち、インドやロシア、遠くヨーロッパまで広く商業ネットワークを築いていた。イランの工房で制作された染織品が、同時代に一方は西方のヨーロッパに渡り、他方は東方の日本に届いていたことは、このような近世の世界規模での交易・商業活動がいかに活発に機能していたかを物語っている。

図1　豊臣秀吉所用と伝えられる陣羽織（出典：File: Hideyoshi battle-field vest. jpg）

図2　祇園祭の山鉾のうち，南観音山の前懸として使用された絨毯(筆者撮影)

江戸時代に入ると、京都祇園祭の懸装品《けそうひん》としても知られる一群のイランやインドで織られた絨毯《じゅうたん》が渡来した。中でも絹のパイル糸や金銀糸を使った華やかな絨毯[図2]もまた、秀吉の陣羽織に使われた絹綴織と同様にサファヴィー帝国のイランからヨーロッパ人の手によって日本に運ばれた。この絨毯は一八一八年に現在の南観音山の町衆によって購入された文書が残されているが、このようなインド以西の染織品は、他の珍奇な物品とともに将軍家や有力大名家への贈答品として用いられたことが、一七世紀前半の平戸のオランダ商館長の日誌や帳簿などからも確認されている。この祇園祭の絨毯は、現存する約二〇〇枚の絹と金銀糸を織り込んだ様式上共通する特徴を持つグループのうちの一枚で、残りの多くはヨーロッパに伝世し、ポーランドの貴族一家に伝わる一枚が一八七八年のパリ万国博覧会のポーランド館に出展されたことから、以来ヨーロッパでは「ポロネーズ」と呼称されるようになった。南観音山の山車を飾る懸装品として長年使用されるうちに摩耗、退色が進んだが、本来は鮮やかな黄色がかった赤色や黄色、緑色等の絹糸で織り出された文様が金地や銀地を背景にして浮かび上がる華やかな意匠が特徴的である。このタイプの絨毯の出現は、サファヴィー帝国第五代のシャー・アッバース一世が推し進めた生糸及び絹製品生産の積極的な振興策と無縁ではなかった。この一例に見られるような華やかで目を引く新しい意匠の登場も時期を同じくし、ヨーロッパや諸国の使節への贈答品として、またヴェネツィアやイギリス、フランス、スウェーデン、ポーランド、ロシアなどヨーロッパ主要国へ派遣されたシャーの使節が各国の君主らに対する贈答品として携えたものである。それは、イランの染織品、とりわけ絹織物の技術の高さと芸術的優位性を示すことで、外交上のメッセージとともに絹取引の増加による経済的利益の拡大を意図したものであった。そして、同タイプの絨毯の一枚には、アルメニア文字による銘文が入った作例が知られていることから、シャーから生糸の専売を任されていたアルメニア人商人が絨毯の制作や注文にも関与していたことを示唆しているのである。

集点 Focus

ナイル灌漑をめぐる近世エジプト社会と帝国

熊倉和歌子

はじめに

西アジアと呼ばれる地域一帯において共通する自然・環境条件は、水の希少性である。偏西風が作り出すタクラマカン砂漠からサハラ砂漠にいたる乾燥地帯に位置するこの地域において、人々が集住することができたのは水源を擁するオアシスであった。そこでは、有限の資源である水を持続可能なかたちで共有・分配するシステムの構築とともに社会が発展してきた。社会の基礎をなす水システムは、自然・環境条件に順応しながら、長い年月をかけて形づくられてきたものであり、地域によってそのあり方は異なる。

ここでは、「環境」を、人と、人をとりまく様々な生物の様態と考えたい。自然・環境を扱う研究の難しさは、その議論が環境決定論に陥る危険を孕むことである。非ヨーロッパ地域の専制政治の起源を大河川の治水と灌漑に求めたK・ウィットフォーゲルの「東洋的専制主義」論はそのような批判に晒されてきた(Wittfogel 1957)。大河川という自然条件は所与のものであるが、それを制御する持続可能な水システムは、諸々の環境条件、すなわち、そこに集住する人間の規模や社会関係、政治のあり方とその基底にある思想、役畜などの動力の存在、知の蓄積や技術の発展

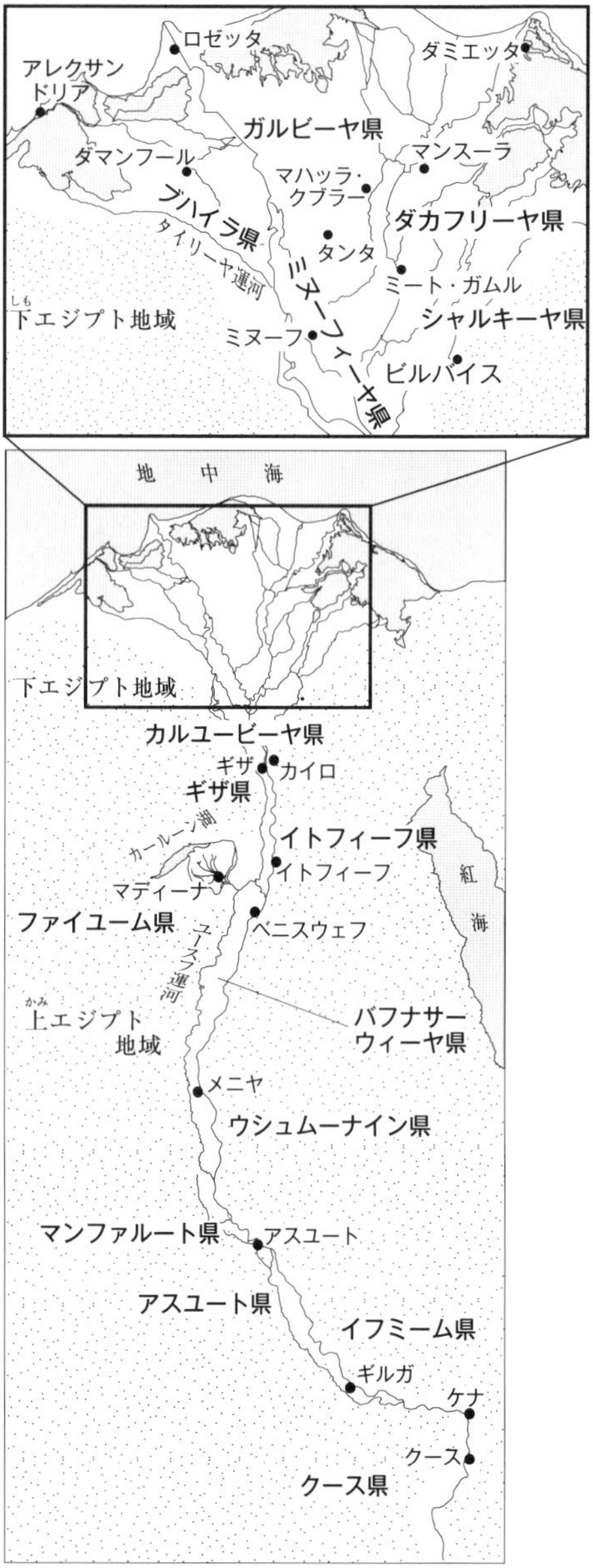

図１　オスマン帝国統治下のエジプト州

などが相互に影響し合いながら構築されるものである。このように「環境」を広く捉えることにより、初めて自然・環境と社会との相関関係を解きほぐし、歴史学において扱うことが可能となる。

本章では、このような考えに基づき、オスマン帝国治下のエジプト州におけるナイル流域の灌漑に焦点を当て、そこにおける帝国の役割と人々との関係性について述べながら、水をめぐって形成される社会秩序について論じる。

一、ナイルの灌漑

ベイスン灌漑の仕組みと特徴

ナイル流域に広がる平野は、同河川を水源とする巨大なオアシスである。ナイルは、夏季にモンスーンがエチオピア高原にもたらす降雨により増水し、六月頃より徐々に水量を増し、九月に最高潮を迎える。降水がほとんどないエジプトでは、この定期的な増水を利用して、古代王朝期よりベイスン灌漑と呼ばれる灌漑方法が発展してきた。これは、農地の周囲に土手を建設し、たらい《ベイスン》状となった農地に、ナイルの水を引き入れる方法である。

農地に水を引き入れる時期は八月から九月にかけてであり、その後四〇日間ほど湛水《たんすい》された。ナイルが減水に転じると、湛水されていた水も自然に引いていき、あとには上流から運ばれてきた養土が残った。その後、プラウ（犂《すき》）を使った耕起を経て、小麦をはじめとする冬作物の播種が行われた。

ベイスン灌漑の特長は、第一に、季節灌漑という点である。ナイルの増水サイクルに合わせた農業生産により、エジプトにおいては、小麦、大麦、ソラ豆、ヒヨコ豆、レンズ豆、亜麻、ウマゴヤシ、雑穀などの冬作物に農業生産の主軸が置かれた。無論、ゴマ、コメ、綿花、藍、タロ芋、メロン、サトウキビなどの夏作物も生産されたが、夏作物の成長期はナイルが増水に転じる前の低水位の時期と重なったため、そのような時期においても灌漑できる地域に栽培が限られた。第二の特長は、土壌改良の必要性がないという点である。ナイルは地表の塩分を洗い流すとともに、上流からの養土をもたらした。このため、乾燥地の灌漑において常に問題となる塩害の解消に多くの労力を割くことがなかったと言われる。

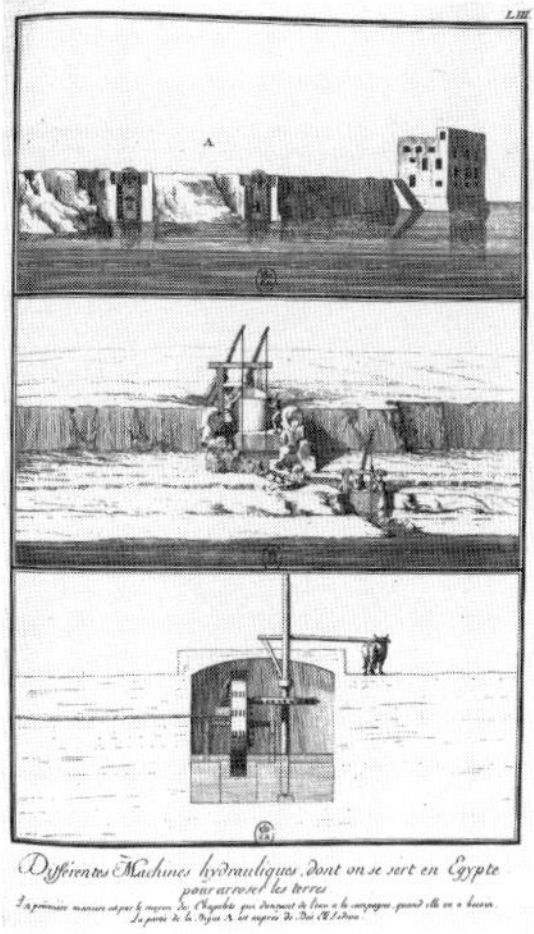

図 2　エジプトにおける揚水方法（出典：Norden, Frederik Ludvig（1708-1742）, *Voyage d'Egypte et de Nubie*, vol. 1, plate 53, 1755（フランス国立図書館所蔵））

このような特長を持つエジプトのナイル流域の灌漑は、西アジア地域においては特殊である。同地域で広く見られるのは、水路により地下水もしくは河川から引水する水路灌漑であり、カナート灌漑はその代表的な形態である。地下水路により山麓の地下水を扇状地に引水するこの灌漑方法においては、季節による流量の変化はあるものの、一年を通じて水が得られる。西アジア地域には季節により一時的に現れるワジ(涸《か》れ川)が多い。そのような地域で持続的な灌漑農業を可能にしたのが地下水を利用したカナート灌漑であった。他方、一年を通じて水が得られる河川も存在する。例えば、メソポタミア文明の地を流れるチグリス・ユーフラテス川はその代表であるが、同河川は、水源地域の融雪洪水により水位の上昇が引き起こされ、その時期は小麦や大麦の収穫期と重なる。収穫を控えた農地を湛水することはできないため、これらの地域では、河川の増水を利用したベイスン灌漑ではなく、水門で流量を制御しながら引水する水路灌漑が発展してきたのである。

ナイル流域とひとまとめに述べてきたが、その自然・環境も一様ではない。例えば、カイロから南に一二〇キロメートルほど下ったファイユームは、砂漠の中にできた盆地である。そこでの灌漑はベイスン灌漑ではなく、ナイル本流から引かれるユースフ運河を基幹運河とする水路灌漑が主であった。地中海沿岸の地域もまた、水路が重要な役割を果たしてきた。このような地域では、サトウキビやコメなどの夏作物や果樹が積極的に栽培された(Kumakura 2021)。

政府の土手と村の土手

ベイスン灌漑においては、水を農地に留めておくための土手が最も重要な設備であった。土手の一部に亀裂が生じて崩壊へと至った場合、水が農地に氾濫するような事態に陥るだけでなく、そこに住む村人たちの命を奪う危険すらあった。こうしたリスクを回避するため、ナイルが水量を増す時季が訪れる前に土手の補修を完了させ、ナイルの増水に備える必要があった。増水期に入ると、土手の上には天幕が張られ、土手に亀裂が生じていないか、昼夜を通じて監視が行われた。マムルーク朝時代(一二五〇―一五一七年)のエジプトの歴史家マクリーズィー(一四四二年没)が「エジプトの土地の豊かさに不可欠なものは土手である」と述べたように、実りある農業生産において土手が必須であることは、人々のあいだでも十分に認識されていた。

灌漑土手は、管理責任の所在にしたがい、政府の土手(ジスル・スルターニー)と村の土手(ジスル・バラディー)に分類された。すなわち、前者は政府が管理する土手、後者は村が管理する土手であることを意味した。また、この分類は、土手の規模や機能の違いにも結びついていた。政府の土手は、水の流れを堰きとめ、上流側に留めておくような形で設置された大規模な土手であり、複数の村にまたがる広域の灌漑のために設置されていた。これに対し、村の土手は、その村の灌漑のために設置された比較的小規模な土手である。灌漑土手の存在自体は古代王朝時代にまでさかのぼることができるが、政府の土手と村の土手という分類の起源については、アイユーブ朝(一一六九—一二五〇年)によるイクター制の導入に求められ、その後の王朝に引き継がれた。

一三世紀の時点では、政府の土手は、ガルビーヤ地方、シャルキーヤ地方、ギザ地方にのみ設置されていたが、一六世紀までには、上《かみ》エジプト地域を含め、それ以外の地方にも多数設置された。一六世紀半ばにオスマン帝国がエジプト州の統治体制を築いていく過程で編纂した『土手台帳』によれば、上エジプト地域においては、ファイユーム県に五基、バフナサーウィーヤ県に一〇基、ウシュムーナイン県に五基、マンファルート県に六基、アスユート県にも複数の政府の土手が設置されていたことが確認される。

維持管理の体制とアクター

一般的に、近代以前のエジプトの村々は、ナイルの増水の際にも浸水しない高台に形成された。政府の土手は、そうした村と村を結ぶ形で設置されていた。政府の土手に隣接する村々には、その維持管理が割り当てられ、増水期に入る前には水路の浚渫《しゅんせつ》と土手の補修を、増水期には警備を行うことが求められた。

維持管理が割り当てられた村において作業の監督にあたったのは村のハウリーである。それは、水利や農業に知悉し、灌漑の維持管理や農業生産の監督を担った。村のハウリーの監督の下で、村の男たちが浚渫や土手の補修といった土木作業にあたった。作業に関わる人員は、維持管理を割り当てられた村が出すことになっていた。『土手台帳』によれば、デルタ中央部ガルビーヤ県の最南部に位置する政府の土手であるクウィースウィーナ堤では、一三村に対して各村二名から二〇名の人員の拠出が割り当てられ、その合計は一五三名であった(熊倉 二〇一九：一八七頁)。これらの村のうち、維持管理が割り当てられていないものの、労働力の提供が求められていたのは一村のみであった。各村には、大型犂や馬鍬《まぐわ》といった農具の拠出も求められた。拠出すべき農具の数量は、村の規模に従って慣例的に定められており、作業を開始する前に、村のハウリーは地方都市のシャリーア法廷に出向き、農具の準備状況について報告した。

また、水牛、牛、驢馬、駱駝といった役畜は、農地や水路における表土のかきだしや土手の補強のための土盛りに不可欠な存在であった。こうした役畜の拠出もまた、維持管理を担う村々に委ねられていた。

このように、政府の土手の維持管理が割り当てられた村には大きな負担が強いられたが、そうした状況において資本を持つ土地権利者の存在は不可欠であった。エジプトでは一七世紀までに、徴税請負制(イルティザーム制)に移行した。第三節の事例で後述するように、徴税請負人(ムルタズィム)やその現地差配人(カーイム・マカーム)は、必要経費の支払いや村の保護といった面において、少なからず責を負った。また、これに対し、政府は、維持管理に当たる村人と役畜への食糧供給、人件費と役畜の賃借に関わる費用などの経費を負担した。

このような形で各村に割り当てられた範囲で作業が進められると同時に、それらを全体的に監督する立場の者がいた。それが政府の土手のハウリーである。村のハウリーが村人の一人であったように、政府の土手のハウリーもまたその地域の役人であった。カイロ以北の下《しも》エジプト地域においては全長二〇キロメートルにおよぶ政府の土手もあり、村ごとの維持管理に加えて、土手単位での監督が不可欠であった。ただし、カイロ以南の上エジプト地域における政府の土手は、比較的小規模であり、村のハウリーが政府の土手のハウリーの役割を兼ねることもあった。

県単位では、オスマン帝国政府によって派遣される調査官（カーシフ）が政府の土手や基幹水路の維持管理の責を負った。この職はマムルーク朝から引き継がれたものであり、主な職責は、灌漑設備の維持管理の徹底、農業生産と徴税の完遂であることが法令集『カーヌーン・ナーメ』において定められた。調査官は、徴税で得られた税収の一部を政府の土手の維持費に振り分けていたため、これらの職責は表裏一体をなしていた。担税者はあくまでも村落社会の人々であり、調査官は税を必要な箇所に振り分けていたにすぎないが、広域的な灌漑の維持管理という視点に立って、適切な配分を行うという意味においては、極めて重要な役割を果たしていたと言える。

調査官のこのような役割は、地方都市に置かれたシャリーア法廷の記録からも跡づけることができる。毎年六月頃になると、調査官は、管轄下にある政府の土手を管理する村のハウリーを伴って地方都市に置かれたシャリーア法廷に出向いた。そこで、ハウリーたちは、調査官から灌漑の維持管理のための費用を受領したと証言し、自分たちに課せられた責務を確認させられ、その手続きの内容が法廷台帳に記録されたのである。

一七世紀以降は、政治・経済的に重要な県には県知事（ハーキム）が置かれるようになり、調査官職は県知事の下位に列せられた（Shaw 1962: 60-61）。

灌漑設備の維持管理においては、地方都市に置かれたシャリーア法廷も重要な役割を果たした。先に述べたように、農具の拠出や費用の受領についての報告が毎年シャリーア法廷においてなされ、水利慣行の記録が蓄積されていった。こうした記録をもとに、土手や水路の維持管理が割り当てられている村やその範囲、灌漑設備を利用する村などに関する情報の照会は、シャリーア法廷を通じて行われた。シャリーア法廷の記録で確認できない案件の場合には、カイロの総督府が管理する台帳（デフテル）などの記録や、政府の土手のハウリーによる証言などが「証拠」とされ、それらの記録もまたシャリーア法廷に蓄積されていった。このような記録管理を通じて、地方都市のシャリーア法廷は、ハウリー、徴税請負人、調査官、州総督府をつなぐ水利行政上の結節点として機能したのである。

二、ナイルの記録と記憶

台帳を基軸とした記録管理と水利行政

オスマン帝国の統治を特徴づけるのが、台帳による記録管理である。新たな征服地において、オスマン帝国の行政を展開するためには、情報が必要であった。一六世紀を通じて、行政に関するさまざまな情報が各種の台帳にまとめられることとなった。水利行政に関わる情報も例に漏れず、灌漑土手や水利権に関する記録がオスマン帝国独自の書式で台帳に保存されていった。

それ以前のマムルーク朝期において、水利行政に関わる記録を管理していたのは、ハウリーや公証人、法官といった地元の人々であった。オスマン帝国の支配下に入り、それらの人々が管理してきた記録がひとたび台帳に移管され、帝国政府の管理下に置かれると、そこに書かれた記録は直ちに行政上の「証拠」として取り扱われるようになった。このことは、記録の真正さを人々の証言に求めてきたオスマン帝国以前のイスラーム的な伝統と一線を画す出来事であった(Burak 2016; Kumakura 2017)。

以後、水利権、灌漑の維持管理の責を負う村など、灌漑をめぐる権利や義務に関する事柄を照会する際には、まず関連する台帳を参照し、そこにない情報については改めて地元の名士からの聞き取り調査を行い、得られた情報を台帳に転記していくことで記録を補完していった。このように、台帳を基軸とした記録管理上の一貫した方針があったからこそ、先に述べたような水利行政が確立されていったのである。

ナイルの水位と王朝経済の相関関係

エジプト州統治のためには、ナイルの水位に関する記録を把握することも不可欠であった。ナイルの水位は、当然のことながら、その年の農業生産に影響を与えると同時に、地租の問題にも直結した。農地に湛水していた水が引いた後、農地は、耕作可能な土地と、灌漑されなかった土地や水が引かない土地などの耕作不可能な土地に分けられ、課税額が決定された。このため、ナイルの水位は翌年の税収を推し量るための指標であった。

フスタート近くのナイルの中州ローダ島に設置されたナイロメーターでは、ナイル水位計測官によってナイルの水位が測定された。九世紀半ば以降、ナイル水位計測官職を継承してきたアブー・アッラッダード家は、エジプトがオスマン帝国の支配下に入ってもなお存続し、増水期には、毎日州総督府に登城して州総督に水位の報告を行う責を負った。水位はその後、市中でも発表され、その情報はカイロの人々のあいだに行きわたるとともに、史書にも残されていった(長谷部 二〇二〇)。

現在、環境史の文脈においては、ナイルの水位の変動が、エチオピア高原での降水量に左右されることから、その記録はエルニーニョ現象や北大西洋振動(NAO)の状況を反映し、歴史的な気候変動の復元に有用であるとも考えられている(山川ほか 二〇一七:三一三—三一四頁)。

市場の動揺と政府の役割

増水期に順調に水位が上昇しない年には、早くから旱魃の可能性が見込まれ、穀物商人たちが穀物を退蔵し、穀物価格を吊り上げた。こうして引き起こされた穀物価格の高騰は、水位が理想的な状態に落ち着けば自然と解消されたが、低水位の状態が続き、旱魃の可能性が一層濃厚となると、市場における穀物不足の状況はより深刻となり、飢饉につながる危険すら孕んでいた。

さらに、食糧供給の停滞は人々の免疫力を低下させ、疫病の流行をもたらした。例えば、一六九四年は旱魃に見舞われ、飢饉が発生した。すると、その翌年にはペストが流行し、多くの命が失われた。このように、飢饉のあとにペストが流行するというのが、エジプトにおける疫病発生の一つのパターンであった。

ナイル流域に生きる人々にとって、ナイルの水位と食糧供給、飢饉、疫病、そして死が関連していることは、彼らの記憶の中に留められていたに違いない。穀物価格が暴騰し、飢饉の兆候が見られたときには、州都カイロの市民は州総督に対して抗議の声をあげた。これに対し、エジプト州総督は、公定価格の布告、市場行政の責任者の交代といった対応を迫られた。

また、予測できない自然の脅威に対し、エジプト州総督による祈願式の挙行という方法が採られることもあった。祈願の内容は、疫病の退散、物価の低下、降雨、ナイルの水位上昇などであった(長谷部 二〇一九)。統治者がナイルを治め、人々の生命を保護すべきという倫理原則が人々のあいだに共有されており、支配者の側もその倫理原則に基づいて人々の要望に応える必要があったのである。祈願式は、エジプト州総督が神に祈願するという形式をとるが、実態は、オスマン帝国政府と人々のあいだの、自然と神を介したコミュニケーションの一形態と見なせる。

三、水をめぐる村落社会の人々

水を分ける

エジプトの農業生産の現場において、水資源はどのように分けられていたのだろうか。例えば、イラン地域のカナートにおいては、水利権が設定された。それは個人の財産として扱われ、相続や売買、さらには寄進の対象にもなり得た。これに対し、エジプトのナイル流域においては、個人の財産として水利権が扱われた形跡は史料上確認できない。もちろん、このことは水利権という観念自体がなかったことを意味するわけではない。エジプトにおいても、各地域や灌漑設備の状況に応じて、慣習的に水利権が取り決められていた。

イスラーム法においては、水は河川水、井戸水、湧水に大分され、河川水はさらに次のように分類される。第一がチグリス・ユーフラテスなどの大河川であり、水量が豊富なこれらの河川は、誰もが灌漑のために自由に用水路を引くことができるイスラーム教徒の共有財である。第二は、第一の河川よりも小規模な河川であり、さらに、堰がなくても灌漑できる水量を持つ河川と、堰がなければ灌漑できない河川に分けられる。第三は、荒蕪地《こうぶち》に水を引くために造られた用水路である。水の分配の問題が生じるのは、第二の小規模な河川のうち、灌漑に堰を必要とする河川と、第三の用水路においてである。

ナイル流域におけるベイスン灌漑は第一の河川水の場合に該当するが、ナイルの増水期に水路を開放する日程と土手を切って上流から下流へと水を流し込む日程が、それぞれ水路や土手ごとに決められていた。ナイル流域を一つの大きな灌漑システムと見たときに、上流から下流にかけて十全に灌漑するのには、このような取り決めが必須であったためであろう。

一方、ナイルから引かれたユースフ運河によって灌漑されていたファイユーム県は、ベイスン灌漑地域とは異なり、基幹運河であるユースフ運河から枝運河に分岐する際、さらにそこから各村を灌漑する水路に分岐する際にそれぞれ分水量が定められていた。分水量は、握りこぶしの指四本分の幅を意味する「カブダ」という単位で分水堰の水門の幅を設定することにより規定された。このような分水の方法は、二〇世紀後半のイラン地域の河川灌漑においても確認され、村内での配水は、水利権者に対してそれぞれの持ち分に応じた配分が漏刻(水時計)により行われていた(岡﨑一九八八:一三〇—一三七頁)。近代以前のファイユーム県において村内での水利権がどのように取り扱われていたかについては不明であるが、おそらくは土地に付随して慣習的に決められていたのではないかと推測される。

しかし、水分配に関する取り決めがあったとしても、渇水時には、水の分配をめぐる争いが起こった。ファイユーム県における水路の下流域においては、分水堰を共にする二つの村の水争いの記録が同県の法廷文書に残されている（熊倉 二〇一九：二五二―二五四頁）。また、水をめぐる争いは、ベイスン灌漑地域においても見られた。ブハイラ県の西南部に位置するコム・ハマーダ村とバラクース村はハシャブ堰の管理を担っていた。一六九四年、二村の村人たちが八日間にわたり、水門の警備をしていたところ、一〇月七日未明に武装した集団に取り囲まれ、水門を開けるように迫られた。その集団は、堰の下流に位置するタッリブカー村、ヤフーディーヤ村、ミンシャ村、カラーワ村の村人たちであった。そこに、コム・ハマーダ村とバラクース村の村人たち、それらの村の徴税請負人の現地差配人たちも駆けつけ、双方折り合いのつかぬまま、事態は乱闘へと発展した。最終的に、警備をしていた二村は、水門を開けることを条件にタッリブカー村以下四村の村人たちを追いやり、水門は開かれた（Reg. 1088-000004, no. 23）。

ここに登場するのは、いずれもブハイラ県の西南部に位置し、同運河によって運ばれるナイルの水を利用してベイスン灌漑で農業を営んでいたタイリーヤ運河沿いの村々である。先述のように、この事件が起きた一六九四年は、ナイルの増水が低水位で終わり、その後飢饉が発生した年である。このような非常事態において、同一の灌漑設備によって灌漑する上流側の村と下流側の村の不均衡な関係は、両者のあいだに並々ならぬ緊張状態をもたらしたことが看取される。

維持管理の責務を負う村と負わない村

村と村の間の不均衡は、灌漑設備の維持管理の責務を負う村と負わない村の間にも存在した。例えば、先述のガルビーヤ県のクウィースウィーナ堤の維持管理には、一三村にその維持管理の責務が割り当てられていたが、同灌漑設備によって灌漑されつつも維持管理の責務を負わなかった村も同時に存在した。当然のことながら、両者の間の負担には大きな差があったと考えられる。

このような負担の不均衡は、村同士の対立を招くこともあった。一六九三年、ブハイラ県タラバンバ村の徴税請負人であるアミール＝アリーはダマンフール法廷に出廷し、次のように証言した。タラバンバ村の住民は、政府の土手であるラフーン土手の維持管理を担い、その村の徴税請負人は毎年、ナイルの増水前には浚渫を行い、増水時には警備の務めを果たした。しかし、そこに隣村のカフル・アッサービー村の住人たちが駱駝を引いてやってきては、土手の向こうにある水場へ行くためにタラバンバ村が管理する土手を横切り、土手を崩してしまう。カフル・アッサービー村には、その土手の維持管理は割り当てられていないばかりか、彼らの仕業によって、土手の維持管理を担っている自分が多大な損害を被っているのだとしてアミール＝アリーはダマンフール法廷に訴えて出たのだった(Reg. 1088-000003, no. 51)。

この記録から、隣り合う村のあいだにある管理負担の違いが、維持管理の責務を負う側の、負わない側に対する不公平感を生み出していることがわかる。結局、本件は、法廷が和解案を提示するも、原告側がそれを受け入れず、被告側が期待するような形での解決には至らなかった。水は経済的な観点から見れば、税や農業生産の基礎であるが、生態的観点から見れば、生命を維持する基本要素である。家畜や作物、そして人間の生死に関わる問題をめぐる対立の場合、必ずしも経済的要因が優先されるわけにもいかず、解決に至らないことも多々あったに違いない。そのため、水をめぐる対立は持続し、時に、家畜の収奪や土手の破壊を伴う形で対立関係が発展することもあった。そのような事態においてもやはり、土地権利者の利害に直接的な影響があるため、徴税請負人が一定の役割を果たし、村落社会の秩序の維持に一役買っていたと考えられる。

おわりに

本章では、オスマン帝国統治下のエジプト社会を、ナイルの灌漑を軸にして見てきた。オスマン帝国のエジプト州統治は、灌漑設備、灌漑の維持管理の仕組み、記録など、その基礎の多くをマムルーク朝から継承した。オスマン帝国統治期のエジプト州には飛躍的な技術の発展や大規模な水利開発の形跡を見いだすことはできないが、継続的な灌漑設備の維持管理という点においてはオスマン帝国はその統治能力を大いに発揮したと言える。例えば、マムルーク朝時代は、水利開発の時代であり、多くの基幹運河が開削されたが、それらは間もなくすると、砂漠から飛来する砂礫が河床にたまるなどして、開削から半世紀も経った頃には増水期にしか使えない運河になっていた。それほど、灌漑設備の維持に必要な人員や予算を投じ続けることは困難であったと同時に、灌漑の維持管理体制を維持する機構がマムルーク朝の統治体制に備わっていなかったことも示唆される。これに対し、オスマン帝国政府は、台帳を基軸とした記録管理を通じて、灌漑の維持管理体制を継続的に機能させた。

しかし、このようなオスマン帝国の水利行政は、近代へと向かうにつれて揺らいでいく。一七世紀末以降、徴税請負制は終身徴税請負制(マーリカーネ制)へと移行していった。一八世紀に入ると、火器を用いる常備軍であるイェニチェリ内部の軍事集団カーズダグリーヤが台頭し、エジプト州の政治に大きな影響を及ぼした。その後カーズダグリーヤは、オスマン帝国政府によって任じられた州総督に代わり、エジプト州の支配権を行使するようになった。こうした状況の中からエジプト州の実権を握ったアリー・ベイ(一七七三年没)のもとで、エジプト州は一層オスマン帝国からの自立性を獲得していった。一九世紀以降、エジプトでは、ムハンマド・アリー(在位一八〇五―四八年)の下で大規模な水利開発が進められ、ベイスン灌漑からの脱却が図られていくこととなったのである。

参考文献

岡﨑正孝（一九八八）『カナート――イランの地下水』論創社。
加藤博（二〇一〇）「ナイルをめぐる神話と歴史」『環境と歴史学――歴史研究の新地平』水島司編、勉誠出版。
熊倉和歌子（二〇一九）『中世エジプトの土地制度とナイル灌漑』東京大学出版会。
澤井一彰（二〇一五）『オスマン朝の食糧危機と穀物供給――一六世紀後半の東地中海世界』山川出版社。
長谷部史彦（二〇一九）「一七世紀初頭のオスマン朝エジプト州総督と祈願式――『マバーヒジュ』とその続篇に基づく覚書」『史学』八八―二。
長谷部史彦（二〇二〇）「計量と歴史記述――イブン・アジャミーに関する基礎的考察（一）」『史学』八九―一。
原隆一（一九九七）『イランの水と社会』古今書院。
山川修治ほか編（二〇一七）『気候変動の事典』朝倉書店。
'Abd al-Raḥīm, 'Abd al-Raḥmān (1986), *al-Rīf al-Miṣrī fī l-Qarn al-Thāmin 'Ashar*, Cairo, Maktabat al-Madbūlī.
Barnes, Jessica (2014), *Cultivating the Nile: The Everyday Politics of Water in Egypt*, Durham and London, Duke University Press.
Burak, Guy (2016), "Evidentiary Truth Claims, Imperial Registers, and the Ottoman Archive: Contending Legal Views of Archival and Record-Keeping Practices in Ottoman Greater Syria (Seventeenth-Nineteenth Centuries)", *Bulletin of the School of Oriental and African Studies*, 79-2.
Fahd, T., M. J. L. Young, D. R. Hill, Hassanein Rabie, Cl. Cahen, A. K. S. Lambton (ed.), Halil İnalcık, I. H. Siddiqui, K. S. McLachlan et al., "Mā'", P. Bearman, Th. Bianquis, C. E. Bosworth, E. van Donzel, W. P. Heinrichs (eds.), *Encyclopaedia of Islam, Second Edition*.
Hathaway, Jane (1997), *The Politics of Households in Ottoman Egypt: the Rise of the Qazdağlıs*, Cambridge, Cambridge University Press.
Hathaway, Jane (2013), *The Arab Lands under Ottoman Rule, 1516–1800*, New York, Routledge.
Holt, Peter M. (1966), *Egypt and the Fertile Crescent 1516–1922: A Political History*, New York, Cornell University Press.
Kumakura, Wakako (2017), "The Early Ottoman Rural Government System and Its Development in Terms of Water Administration", Stephan Conermann and Gül Şen (eds.), *The Mamluk-Ottoman Transition: Continuity and Change in Egypt and Bilād al-Shām in the Sixteenth Century*,

Göttingen, V&R unipress.

Kumakura, Wakako (2021), "Sugar to Grains: An Agricultural Shift in Medieval Fayyum", Stephan Conermann and Toru Miura (eds.), *Studies on the History and Culture of the Mamluk Sultanate (1250-1517)*, Göttingen, V&R unipress.

Marzūq, Khālid Sayyid (2012), *Min Wathā'iq Banī Suwayf fial-'Aṣr al-'Uthmānī: Sijill min Maḥkamat al-Bāb al-'Ālī*, Cairo, Dār al-Kutub wal-Wathā'iq al-Qawmīya.

Michel, Nicolas (1995), "Les Dafātir al-ǧusūr, source pour l'histoire du réseau hydraulique de l'Égypte ottomane", *Annales Islamologiques*, 29.

Michel, Nicolas (2018), *L'égypte des villages autour du seizième siècle*, Leuven, Peeters.

Mikhail, Alan (2010), "An Irrigated Empire: The View from Ottoman Fayyum", *International Journal of Middle East Studies*, 42.

Mikhail, Alan (2011), *Nature and Empire in Ottoman Egypt: An Environmental History*, Cambridge, Cambridge University Press.

Mikhail, Alan (ed.) (2013), *Water on Sand: Environmental Histories of the Middle East and North Africa*, New York, Oxford University Press.

Mikhail, Alan (2014), *The Animal in Ottoman Egypt*, Oxford, Oxford University Press.

Popper, William (1951), *The Cairo Nilometer: Studies in Ibn Taghrî Birdî's Chronicles of Egypt, I*, Berkeley, University of California Press.

Sāmī, Amīn (2002-2004), *Taqwīm al-Nīl*, 2 vols., Cairo, al-Hai'a al-'Āmma li-Dār al-Kutub wal-Wathā'iq al-Qawmīya.

Shaw, Stanford J. (1962), *The Financial and Administrative Organization and Development of Ottoman Egypt 1517-1798*, Princeton, Princeton University Press.

Winter, Michael (1992), *Egyptian Society under Ottoman Rule 1517-1798*, London and New York, Routledge.

Winter, Michael (1998), "Ottoman Egypt, 1525-1609", M. W. Daly (ed.), *The Cambridge History of Egypt, vol. 2: Modern Egypt, from 1517 to the End of the Twentieth Century*, Cambridge, Cambridge University Press.

Wittforgel, Karl August (1957), *Oriental Despotism: A Comparative Study of Total Power*, New Haven, Yale University Press.

【未公刊史料】

Reg. 1088-000003: シャリーア法廷台帳、ダマンフール法廷、Maḥākim Collection, Cairo, Dār al-Wathā'iq al-Qawmīya.

Reg. 1088-000004: シャリーア法廷台帳、ダマンフール法廷、Maḥākim Collection, Cairo, Dār al-Wathā'iq al-Qawmīya.

Reg. 1058-000001: シャリーア法廷台帳，マンスーラ法廷，Maḥākim Collection, Cairo, Dār al-Wathā'iq al-Qawmīya.

Reg. 3001-001905:『上エジプト諸県の土手台帳 *Daftar Jusūr Wilāyāt al-Wajh al-Qiblī*』, Rūznāma Collection, Cairo, Dār al-Wathā'iq al-Qawmīya.

Reg. 3001-000115:『ファイユーム県およびバフナサーウィーヤ県の徴税調査台帳 *Daftar Tarābī' Wilāyat al-Fayyūm wal-Bahnasāwīya*』, Rūznāma Collection, Cairo, Dār al-Wathā'iq al-Qawmīya.

コラム｜*Column*

近世アラブ都市における商工民歴史家の登場

長谷部史彦

一五一六―一七年の第二次マムルーク朝戦争に圧勝したオスマン帝国は、アラブ地域の要の位置にあるシャーム(歴史的シリア)とナイル川流域の肥沃なエジプトをその版図に組み入れ、イスラームの三大聖地(メッカ、メディナ、イェルサレム)を保護下に置いた。そして、一五七〇年代までにはイラクからアルジェリアに至るアラブ地域の大部分を支配するに至った。その後、一八世紀の中葉まで、概ね安定的な統治の下、アラブ地域諸州の州都などの大都市では、スーク(市場)経済が拡充傾向を続け、スーフィー教団や同職組合などの社会的結合がその重要度を高め、また都市文化の多面的な熟成も進んだ。

帝都イスタンブルとアラビア半島のメディナ・メッカを結ぶ巡礼幹道の一大中継都市として栄えたダマスクス州の州都ダマスクスでは、州総督をはじめとした支配層が宗教・商業施設の建造を重ね、中世以来の都市空間の発展が引き続き促進された。一八世紀初頭、市壁外の地区にメッカ巡礼団の荷担ぎの子として生まれ、一人前のハッラーク(瀉血や割礼も施す理髪師)となったイブン・ブダイルは、市内中心部に店を構え、ウラマー(学者)の客との交流を通じてイスラーム諸学に少し触れ、同世紀中葉の二十数年間を扱う個性的なアラビア語年代記を著した。

日本では早くも一九五九年に、『アラビアンナイト』のアラビア語原典からの翻訳などで知られる前嶋信次が「浮世床史学――一八世紀シリアの珍籍」として紹介している。この理髪師の史書の原型を留めるダブリンのチェスター・ビーティ図書館所蔵の写本を初めて分析したヨルダン出身の研究者ダーナー・サジュディーは、それが町の諸事件、物価変動、州総督職を占めるアズム家の統治への批判など住民の視座からの多彩な同時代史記述に溢れ、またスィーラ(英雄譚)のような語り物の性格も帯びていると指摘した。

さらに彼女は、従来利用されてきた校訂本が「ナフダ」(近代アラブの文化的覚醒)の時代のカースィミー(一九〇〇年没)による大改訂の産物であり、イブン・ブダイルの個人的体験や人的交流を削除し、庶民的な感覚や倫理、住民としての市政批判、それに口語的要素を含んでリズムの良い文体を換骨奪胎し、アズム家礼賛の没個性的でウラマー風の定型的史書に変貌させた別物であると喝破した。

サジュディーはこのイブン・ブダイルの年代記を、レバノン南部のアーミル山地域のシーア派農民ハイダル・ルカイニー(一七八三年没)とその息子による年代記、ナーブルスのサマリア教徒のイブラーヒーム・ダナフィー(一七八三年以後没)

の年代記などと共に、シャームの諸州に現れた「ヌーヴォー・リテラシー」の一画に位置付ける。アッバース朝時代以来、アラビア語の歴史記述のみならず文字文化の全体を圧倒的に主導してきたウラマーではない、多様な庶民的／周縁的書き手による新種の史書群が一八世紀に出現したというのである。

しかし、同帝国のエジプト州に目を転じれば、既にこれに先立つ一七世紀の初頭に、カイロの商館や取引所の計量人イブン・アジャミー（一六二八年頃没）が『マバーヒジュ』という史書を著している。それはドイツのエアフルト大学ゴータ研究図書館に自筆稿本のかたちでのみ現存する。同じく同館所蔵の続篇の稿本と合わせて三九二葉に及ぶこの大部な史書においても、年代記形式の記述が全体の約八五％を占めている。そこには、市井の大小の出来事、ペスト流行の被害、社会的危機と祈願式、イスラーム聖者信仰の諸相、物価や市場の動向、食糧騒動、有力商人や同職組合の実態、喫煙習慣の始まりや流行の服飾など同時代の都市情報が隙なく盛り込まれている。

著者は棹秤を用いての商品計量に明け暮れた勤労者の視点を貫き、軍隊反乱を収めた秩序回復の功労者とされてきた州総督メフメト・パシャについて、その配下の市場監督官を用いた圧政や私益の追求も仔細に暴き出している。各所に追記がなされ、完成稿とは言い難いこの二つの稿本は、当時のカイロに増殖し始めていたマクハー（コーヒーハウス）などの娯楽の場で語り物として活用されるには至らなかったようにみえる。

とはいえ、計量人組合員の手になる同時代史の豊かな叙述は、民衆文化とエリート文化を架橋する、近世アラブ都市の書物文化の新たな展開、そしてその活力を映すものといえよう。

19 世紀初頭カイロの理髪店
(Pascal Coste, *Architecture arabe ou monuments du Kaire*, Paris, 1837.)

【執筆者一覧】

上野雅由樹(うえの まさゆき)
大阪公立大学大学院文学研究科准教授．オスマン帝国史．

近藤信彰(こんどう のぶあき)
1966年生．東京外国語大学アジア・アフリカ言語文化研究所教授．イラン史・ペルシア語文化圏史．

真下裕之(ました ひろゆき)
1969年生．神戸大学大学院人文学研究科教授．南アジア史．

小笠原弘幸(おがさわら ひろゆき)
1974年生．九州大学大学院人文科学研究院イスラム文明学講座准教授．オスマン帝国史・トルコ共和国史．

藤井守男(ふじい もりお)
1954年生．東京外国語大学名誉教授．ペルシア文学．

太田信宏(おおた のぶひろ)
1969年生．東京外国語大学アジア・アフリカ言語文化研究所教授．南アジア近世史．

米岡大輔(よねおか だいすけ)
1981年生．中京大学国際学部准教授．ボスニア史・ハプスブルク帝国史．

桝屋友子(ますや ともこ)
1961年生．東京大学東洋文化研究所教授．イスラーム美術史．

鴨野洋一郎(かもの よういちろう)
1979年生．成蹊大学経済学部准教授．イタリア中近世史．

熊倉和歌子(くまくら わかこ)
東京外国語大学アジア・アフリカ言語文化研究所准教授．アラブ中近世史．

羽田　正(はねだ まさし)
1953年生．東京大学特任教授・名誉教授．グローバルヒストリー．

川本智史(かわもと さとし)
1981年生．東京外国語大学講師．オスマン建築・都市史．

太田啓子(おおた けいこ)
公益財団法人東洋文庫研究員．アラビア半島と紅海文化圏の歴史・国際商業史．

阿部克彦(あべ かつひこ)
神奈川大学経営学部国際経営学科准教授．イスラーム美術史・イラン染織史．

長谷部史彦(はせべ ふみひこ)
1962年生．慶應義塾大学文学部教授．アラブ中近世史．

【責任編集】

林 佳世子(はやし かよこ)
1958年生．東京外国語大学学長．西アジア社会史・オスマン朝史．『オスマン帝国500年の平和』〈興亡の世界史〉(講談社学術文庫，2016年)．

岩波講座 世界歴史 13　　第15回配本(全24巻)

西アジア・南アジアの帝国 16～18世紀

2023年1月27日 第1刷発行

発行者 坂本政謙

発行所 株式会社 岩波書店 〒101-8002 東京都千代田区一ツ橋2-5-5
電話案内 03-5210-4000 https://www.iwanami.co.jp/

印刷・法令印刷 カバー・半七印刷 製本・牧製本

　ISBN 978-4-00-011423-3

岩波講座

世界歴史

A5 判上製・平均 320 頁（黒丸数字は既刊，＊は次回配本）

全㉔巻の構成

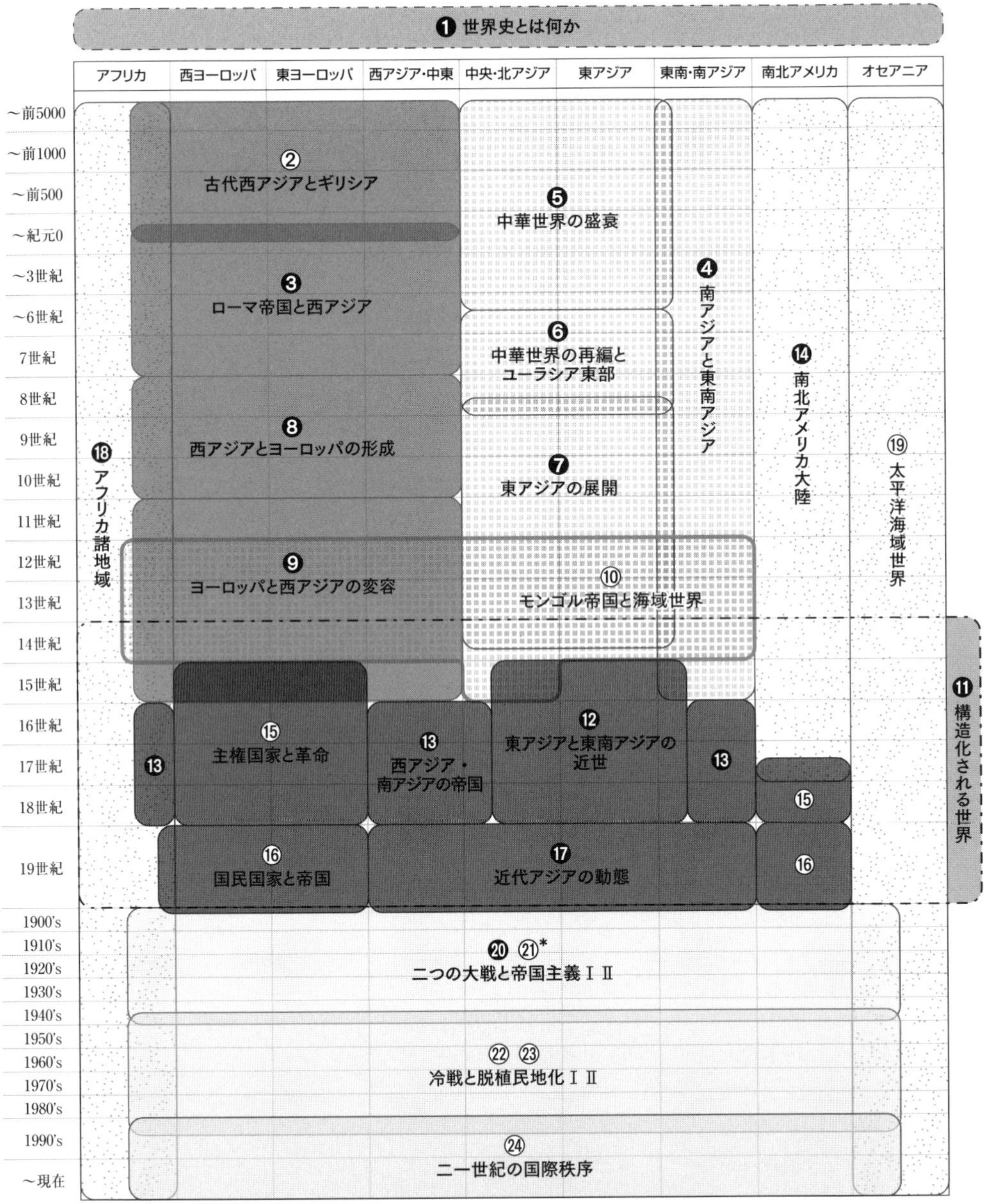

※本図は各巻の内容を厳密に反映したものではなく，便宜的に図示したものです．